教科書の中の世界文学

消えた作品・残った作品25選

Chapter 1
Franz Kafka
Антон Чехов
知里幸惠

Chapter 2
尹東柱
李正子
Karel Čapek
Bolesław Prus
Sherwood Anderson

Chapter 3
Langston Hughes
Bernard Malamud
Юрий Яковлев
William Sansom

Chapter 4
Johannes Becher
John Steinbeck
Francisc Munteanun
Marcel Arland

Chapter 5
Jules Supervielle
Friedrich Hebbel
Vicente Blasco Ibáñez
Guy de Maupassant
Всеволод Гаршин

Chapter 6
রবীন্দ্রনাথ ঠাকুর
魯迅
Nathaniel Hawthorne
Alphonse Daudet

秋草俊一郎＋戸塚学 編
Akikusa Shun'ichiro + Totsuka Manabu

三省堂

目次

第3章 八〇年代

第4章 七〇年代

第5章 六〇年代

編者まえがき

1

本書は国語教科書に掲載された「外国文学作品」(一部、日本語で書かれた作品も入っています)の中から、二五人による二七作品をあつめたアンソロジーです。国語教科書掲載作品のアンソロジーはこれまでも刊行されてきましたが、外国文学作品に限って編まれたものはなく、その意味では本書はほかに類書のないものと言えるでしょう。

2

本書を手にとられた方の中には、国語教科書の外国文学作品といえば、ヘルマン・ヘッセの「少年の日の思い出」や、魯迅の「故郷」を思い出す方もいるかもしれません。この二作品は前者が中一の、後者が中三の国語教科書に長いこと採用されつづけている「定番教材」です。この二作品はいまでは全社の中学国語教科書で採用されており、もはや国民的な読書体験の一部になっているといっても過言ではありません。聞きなれない登場人物名や、どことなく翻訳調の台詞のインパクトが忘れられないという方もいるかもしれません。

本アンソロジーのために編者二名が実際に手に取って目を通した外国文学作品は、二百作品をゆうに超えるのですが、裏を返せば過去それだけの外国文学作品が教科書に掲載されてきたということでもあります。

しかし、そもそも「国語」教科書になぜ外国文学作品が収録されているのでしょうか。この答えはかならずしも自明ではありません。

明治以降、西洋から流れこんできた外国文学は、近代文学の成立に密接に関わったというだけではなく、翻訳をつうじて現在つかわれている日本語に大きな影響をあたえました。日本の作家の中には、二葉亭四迷（ふたばていしめい）や森鷗外（おうがい）のように、自ら翻訳の筆をとり、海外の作品を紹介したものもいました。こうした「名訳」の中にも、中等教育以上の国語教科書や副読本に掲載されるものがありました。

こうして教科書に掲載されていた外国文学教材ですが、そのレパートリーやヴォリュームが劇的に増加したのは、戦後のことでした。

敗戦後、日本の教育は占領軍の監督のもと、一から出直さなければなりませんでした。国語教育もその例にもれず、徹底的な見直しが迫られました。戦後、文部省（当時）が作成した国語教科書は、民間の検定教科書をつくるさいに参照されましたが、外国文学やその評論の教材が多く収録されていました。先にあげたヘッセ「少年の日の思い出」も、はじめて掲載されたのはこの文部省作成の国定教科書でした。

戦後、新しく整備されたものに「学習指導要領」がありましたが、一九五一年に発布されたその「試案」の改訂版には以下のような文言がありました。

（1）国語科

［…］これを読むことの資料から考えてみると、小学校では、生活を書いた文、紙しばい、おもしろい昔話、寓話、児童詩、知的な冒険物語、発明・発見の物語、文化の進展に役だった偉人の伝記、逸話、科学的な随筆、こどものための新聞、雑誌等があげられ、中学校では、小説・物語・詩・随筆・劇・論文・解説書・科学的読物にわたる。高等学校になると、現代文学のおもなものはもちろん、翻訳された世界文学が含まれ、代表的な古典にも及ばなければならない。

これを見てもわかるように、小・中・高とつづく国語教育のひとつの到達点として外国文学は想定されていました。そこに単なる翻訳文学以上の、特別な価値が置かれていたことは、「世界文学」という言葉づかいからも明らかです。古文や漢文だけでなく、翻訳された世界の文学に親しむこと。それは日本が、国粋的な傾向から、国際秩序に復帰していくうえで必須のプロセスでもありました。

このような方針もあって、外国文学は戦後の検定国語教科書の紙面を大々的に飾るようになりました。各教科書には「世界文学」や「外国文学」といった単元が設けられ、「翻訳小説特有の日本語に慣れる」や「翻訳文学に読み慣れる」のような学習目標がたてられました。外国文学についての文学者による評論が採用され、教科書の口絵にはゲーテやダンテのような世界の文豪の肖像画や写真が掲載されました。五〇年代には戦前から使用されていたシェイクスピア『ジュリアス・シーザー』やヴィクトル・ユーゴー『レ・ミゼラブル』にくわえて、これぞ世界文学、と言えそうな名作長編からの抜粋が採用され、生徒には授業時間外でその作品全体を読むことが求められました。おりしも教室の外では児童向けの世界文学全集を出版社が競うように販売していた時期のことです。

こうして、敗戦という事情によって国語教育にアタッチされた外国文学でしたが、五〇年代から六〇年代にかけて、高校の国語教科書の文学教材の約四分の一を占めるほどの状態にありました。六〇年代になると、教養主義的な長編の抜粋はあまり採用されなくなっていくかわりに、単元構成や学習の目的にあわせた外国文学作品が教材として発掘されて掲載されるようにもなっていきます。

3

他方で、外国文学教材の存在に対する疑念の声も当初からありました。学界では国語教育を行う上で本当にここまで外国文学をあつかう必要があるのかという批判もありました。現場の教員からは訳文のぎこちなさや、背景知識の共有しづらさを批判されました。

七〇年代に学習指導要領が改訂されると、高校では国語科目の再編成がおこなわれ、教材も「精選」されていくことになります。芥川龍之介（あくたがわりゅうのすけ）「羅生門（らしょうもん）」や中島敦（なかじまあつし）「山月記」といったいわゆる定番教材が台頭するのもこの時期ですが、一部の教材が定番になるということは、それ以外の教材は使われなくなっていくということでもあります。「残す理由」が見つかりにくかった外国文学教材は、七〇年代以降に大きく数を減らしていくことになりました。この時期、大学進学率の向上とともに入試との連続性も求められるようになりますが、その点でも外国文学教材は真っ先に「落とす」対象になりました。

二〇〇〇年代初頭に漱石（そうせき）や鷗外が国語教科書の一部から姿を消す、という報道がされた際には、マスコミはこぞって問題視しました。文学国語の設置と非必修化の際も同様です。しかし、シェイクスピアが九〇年代に国語教科書から消えてしまっても、だれも声をあげなかったのです。シェイクスピアは明治に坪内逍遥（しょうよう）が訳して以来連綿と訳されて文芸に影響をあたえただけではありません。教材としての歴史も少なくとも大正までさかのぼり、多くの日本人が『ジュリアス・シーザー』から演説法を学び、『ヴェニスの商人』から討論法を学んできました。その教材が煙のように消えてしまってもだれもなにも言わなかった。それほど外国文学教材は顧みられることが少なかった、ということは述べておかなくてはなりません。

現状では、外国文学は高校の国語教科書では文学教材のわずか三パーセント程度を占めるにとどまっています。とはいえ、小学校や中学校の国語教科書には定番教材として残っています。七〇年代以降の、比率としては減少してしまったあとも、時代やその都度の要請に即した「アクチュアル」な教材の開発はつづけられており、教科書の改訂ごとに外国文学の新教材が意欲的に採用されています。その中には連続で採用されたり、他社が追随して定番に近いあつかいになっているものも存在します。

4

では実際に、外国文学教材を国語教科書に採用する理由は、政治的な必要性をのぞけば、エキゾチシズムの取り入れ（目先の変わったものを読む）ということぐらいなのでしょうか。

外国文学を国語教育で用いるわけとして、過去の国語の教員の発言などから見受けられるのは、あるトピックやテーマを授業で扱う上で、適当な日本文学作品が見つからないという（ある意味で）消極的な理由で採用されているのだ、というものがあります。

この意見には一理あります。戦後、戦争の記憶がまだ生々しかったころ、戦争を直接的な題材として教科書でとりあげるのがはばかられる風潮がありました。その際、（間接的にではあれ）戦争に触れていたのが外国文学作品でした。高校で井伏鱒二『黒い雨』や原民喜「夏の花」のような日本文学のいわゆる「戦争教材」が定着するより早く、レフ・トルストイの『戦争と平和』の、アウステルリッツの戦いの場面は教科書に掲載され、生徒に戦争の悲惨さやむなしさを考えさせていたのです。

日本文学がのせられないので外国文学をのせる、これはたしかに「消極的」な理由と言えるかもしれませんが、ここにはむしろ、私たちが外国文学を読むことのひとつの本質的な効能があると思うのです。いまだ傷が癒えない直近の戦争について直接言及せずに、別の国の別の戦争についての話として一種抽象化してとりあげる、それは外国文学だからこそできたことだったのです。つまり、外国文学の「遠さ」こそがよかったのです。

そしてそれは同時に、国語教科書が戦後開始された検定制度と対峙するうえでも適切な戦略だったのではないでしょうか。日本文学作品なら、事実関係の精確さや政治的な理由で検定意見がつきかねないような内容でも、外国文学作品ならすりぬけることができたのです。

ここであげたのは戦争の例ですが、それは貧困や地方性の問題、労働環境、愛国心、政治、あるいは恋愛といったテーマについても同様のことが言えるのかもしれません。教科書の作品を選ぶ側は、ある意味では外国文学という「オブラート」や「隠れ蓑」のもとに、そのときそのときのさまざまな思いを託してきたものと思われます。その意味では、外国文学のほうが、選ぶ側のメッセージ性が強く出ているとまで言えるかもしれません。

選ぶ側のメッセージが強く出ているとは、その文学作品のもともとの文脈とはまったくかけはなれた意味を担わされるということでもあります。実際、教科書に採用された外国文学作品には、本国で知られている以上に、日本の国語教科書で読まれてきたようなものも少なくありません。そして教材に思いを託したのは、選ぶ側だけではありません。教室で実際に教える側も、その都度の状況に応じてさまざまなメッセージを伝えようとします。そして年月を経る過程で、教室の中で読みが積みかさなっていく……。

教育思潮の変化、社会の変容、学習指導要領の改訂や現場の声、検定制度の圧力などにさらされ、教材はゆっくりと、ときに急激に新陳代謝を繰り返していきます。それは、本国での受けとめられ方や、通常の翻訳文学の出版の論理ともまた異なる、戦後日本の国語教育という特殊な状況が生み出したひとつのエコロジーと言えるかもしれません。当然ながら、今の目で見ればそこには時代や教育現場ならではの限界もありました。非西洋語圏の文学は少なく、女性作家の数も十分ではありません。いくら外国文学とはいえども、ドストエフスキー『罪と罰』のような犯罪がテーマになるものや、『ロミオとジュリエット』のような恋愛劇も収録しづらかった。しかしそれでも数多くの外国文学作品が教材としての価値を見いだされ、読まれつづけてきた事実は残ります。ナサニエル・ホーソーンやフセヴォロド・ガルシンの作品を読む中学生、モーパッサンやバーナード・マラマッドの作品を読む高校生……教室の中には、いまでは忘れられてしまったひとつの「世界文学」の風景があったのです。

5

本書では、戦後、中学・高校の検定国語教科書（一部小学校もふくむ）に採録された作品から、内容のおもしろさを第一に、二五人による二七作品を選出しました。作家の出身国もアメリカ、ロシア、フランス、ドイツ、スペイン、チェコ、ポーランド、インド、中国などさまざまです。アイヌや在日コリアンといった人々の作品も収録しています。もともと国語教科書に採録されている作品は、さまざまな観点から選び抜かれた「名作」であることが前提とされているようなところがありますが、本書に収録したのは、長年教科書で使用されたか、複数の出版社の刊行する教科書で使用されてきた（あるいはその両方）「実績」があるものがほとんどです。

翻訳については、当時教科書でつかわれていた翻訳の原典を掲載しています。

また、二七作品を現代からさかのぼるかたちで教科書に主に採用されていた年代ごとに配置することで、それぞれの世代の記憶を追体験できるようにしました。現在も教科書に採用されている「新しい古典」から、九〇年代、八〇年代、七〇年代、六〇年代、そして終戦直後の時期に掲載されていた、いまでは消えていった作品までさかのぼっていきます。それは、外国文学が数十万、数百万という読者に恵まれていた時代のアーカイヴでもあります。

年代ごとの「解説」では、その教材が採用されていた背景について紹介しています。

「Column」では、国語教科書と外国文学をめぐるさまざまな話題を提供しています。

「教科書からの読書案内」では、過去に国語教科書に採用されたけれども、本書ではさまざまな理由から収録しきれなかったおすすめの作品について紹介をおこなっています。

なお、本書の実質的な前作でもある『世界文学アンソロジー――いまからはじめる』（三省堂）と併せて読んでいただけますと幸いです。

編者を代表して　秋草俊一郎

凡例

- 収録作品は教科書に掲載されたことがある訳者の翻訳を使用した。ただし収録にあたっては教科書掲載の出典の原典を底本とし、作品初出でふりがなを追加したほか、適宜表記をあらためた。
- 今日の人権意識に照らして不適切と思われる語句や表現については、時代背景と作品の価値にかんがみて原則そのままとしたが、教科書採録時に修正されたものについては適宜修正を踏襲したものもある。
- 教科書では抜粋のかたちで掲載されていた作品でも、収録にあたっては作品全文を掲載するようにした。
- 作品の終わりに、掲載された教科書を記した。そえられた年号は、教科書が実際に使用開始された年度を指す。（　）内の二桁の数字は西暦年号を表す。

第1章

現代

掟の門

フランツ・カフカ

Franz Kafka

池内紀 訳

掟（おきて）の門前に門番が立っていた。そこへ田舎から一人の男がやって来て、入れてくれ、と言った。今はだめだ、と門番は言った。男は思案した。今はだめだとしても、あとでならいいのか、とたずねた。

「たぶんな。とにかく今はだめだ」

と、門番は答えた。

掟の門はいつもどおり開いたままだった。門番が脇へよったので男は中をのぞきこんだ。これをみて門番は笑った。

「そんなに入りたいのなら、おれにかまわず入るがいい。しかし言っとくが、おれはこのとおりの力持ちだ。それでもほんの下っぱで、中に入ると部屋ごとに一人ずつ、順ぐりにすごいのがいる。このおれにしても三番目の番人をみただけで、すくみあがってしまうほどだ」

こんなに厄介だとは思わなかった。掟の門は誰にもひらかれているはずだと男は思った。しかし、毛皮のマントを身につけた門番の、その大きな尖（とが）り鼻と、ひょろひょろはえた黒くて長い蒙古髯（もうこひげ）をみていると、おとなしく待っている方がよさそうだった。門番が小さな腰掛けを貸してくれた。門の脇にすわっていてもいいという。男は腰を下ろして待ちつづけた。その間、許しを得るためにあれこれ手をつくした。くどくど懇願して門番にうるさがられた。ときたまのことだが、門番が訊いてくれた。故郷のことやほかのことをたずねてくれた。とはいえ、お偉方がするような気のないやつで、おしまいにはいつも、まだだめだ、と言うのだった。

たずさえてきたいろいろな品を、男は門番につぎつぎと贈り物にした。そのつど門番は平然と受けとって、こう言った。

「おまえの気がすむようにもらっておく。何かしのこしたことがあるなどと思わないようにだな。しかし、ただそれだけのことだ」

永い歳月のあいだ、男はずっとこの門番を眺めてきた。ほかの番人のことは忘れてしまった。ひとりこの門番が掟の門の立ち入りを阻んでいると思えてならない。彼は身の不運を嘆いた。はじめの数年は、はげしく声を荒らげて、のちにはぶつぶつとひとりごとのように呟きながら。

そのうち、子どもっぽくなった。永らく門番をみつめてきたので、毛皮の襟にとまったノミにもすぐに気がつく。するとノミにまで、おねがいだ、この人の気持ちをどうにかしてくれ、などとたのんだりした。そのうち視力が弱ってきた。あたりが暗くなったのか、それとも目のせいなのかわからない。いまや暗闇のなかに燦然と、掟の戸口を通してきらめくものがみえる。いのちが尽きかけていた。死のまぎわに、これまでのあらゆることが凝結して一つの問いとなった。これまでついぞ口にしたことのない問いだった。からだの硬直がはじまっていた。もう起き上がれない。すっかりちぢんでしまった男の上に、大男の門番がかがみこんだ。

「欲の深いやつだ」

と、門番は言った。

「まだ何が知りたいのだ」

「誰もが掟を求めているというのに――」

と、男は言った。

「この永い年月のあいだ、どうして私以外の誰ひとり、中に入れてくれといって来なかったのです？」

いのちの火が消えかけていた。うすれていく意識を呼びもどすかのように門番がどなった。

「ほかの誰ひとり、ここには入れない。この門は、おまえひとりのためのものだった。さあ、もうおれは行く。ここを閉めるぞ」

フランツ・カフカ（一八八三―一九二四）

オーストリア＝ハンガリー帝国の都市プラハ（現チェコの首都）のドイツ系ユダヤ人の家庭に生まれる。プラハ大学で法律を学び、〇八年にプラハの労災保険局に就職。勤務のかたわら友人の作家マックス・ブロートの文学サークルに参加してドイツ語で執筆活動を行った。他方で若くして結核を発病し、二二年には退職して療養生活を送るが、ウィーン郊外キーアリングの療養所で死去。生前公刊された作品は『変身』（一五）など僅かで、遺稿は燃やすよう厳命していたが、遺言をたがえたブロートの手によって刊行されると戦後には一大ブームを巻き起こした。一人の男が突然身に覚えのない罪で逮捕される未完の長編『訴訟（審判）』（一四―一五年執筆）など社会の不条理を描いたテキストは実存主義文学の先駆として受容され、日本では安部公房も影響を受けたとされる。なお「掟の門」（一五）も、『訴訟』の一部として組みこまれる予定だった。現在は二十世紀を代表する作家のひとりとして評価されている。

【訳者】

池内紀〔いけうちおさむ〕（一九四〇―二〇一九）

ドイツ文学者、評論家、翻訳家。東京外国語大学、東京大学大学院で学んだのち、神戸大学、東京都立大学で教鞭（きょうべん）をとる。九六年、東京大学を早期退職して文筆活動に専念する。随筆家やアンソロジストとして幅広く活動した。翻訳家としてはゲーテ『ファウスト』（九九―〇〇）のような古典のほかに、クラウスやカネッティやロートのようなユダヤ系の作家のものも手がけた。軽妙なエッセイや訳文を通じて、従来まじめで重苦しいイメージだったドイツ文学に新風を吹きこんだ。

⇩ 教科書掲載……（高校）

教育出版『最新現代文』90『現代文』04『新編 現代文B 言葉の世界へ』14『新編 現代文B』18／東京書籍『現代文1』08（収録タイトル：「掟の門前」）／筑摩書房『国語総合』13／大修館書店『文学国語』23／数研出版『文学国語』23（収録タイトル：「掟の門前」）

カメレオン

アントン・チェーホフ
Антон Чехов

原卓也 訳

真新しい外套(がいとう)を着こんで、片手に包みをさげた区警察署長オチュメーロフが、今しも、市(いち)の立つ広場をつっきって行く。そのあとに、押収したスグリの実を山盛りにしたフルイを抱えて、赤毛の巡査がつき従う。あたりは静まり返っている……広場には人影一つ見当たらぬ……商店や居酒屋の開け放した戸口が、飢えた獣の口を思わせて、悲しげにこの浮き世を見つめている。その辺りにも、乞食すらいない。

「よくも咬(か)みやがったな、畜生！」不意にオチュメーロフはこんな声を耳にする。「おい、みんな、そいつを逃がすな！　この節は咬むなんて真似は許されねえんだ！　つかまえろ！　おーい……あ！」犬の悲鳴がきこえる。オチュメーロフはその方を眺める。と、商人ピチューギンの薪(まき)置場から一匹の犬が足をひきずり、うしろをふり返りながら、逃げてくるのが眼(め)に入る。そのあとを追って、糊(のり)のきいた更紗(さらさ)のルバーシカを着て、チョッキの前をはだけた男が走ってくる。男は犬を追いかけ、とびこむように地べたに身を倒して、犬の後肢(あとあし)をタックルする。ふたたび犬の悲鳴と、『逃がすな！』という叫びがきこえる。そこかしこの商店から寝ぼけ面がいくつものぞき、たちまち薪置場の辺りには、まるで地から湧いたように、黒山の人垣が築かれる。

「どうやら騒動らしいですね、署長どの！」巡査が言う。

オチュメーロフは左に向きを変え、人垣の方に歩み寄る。薪置場の門のすぐわきのところで彼は、チョッキの前をはだけた先刻の男が仁王立ちになり、右手をあげて、血まみれの指を群衆に見せているのを眼にする。ほろ酔い機嫌のその顔には、『今すぐ貴様の指をちぎってやるわ、野良犬め！』と書いてあるかのようだ。それにまた、指自体が勝利の印といった感じだ。オチュメーロフはその男が金細工師フリューキンであることに気づく。人垣の中心に、この騒ぎの張本人が、前肢をつっぱり、全身をふるわせながら、地べたに坐(すわ)っている——背中に黄色いぶちのある、鼻のとがった、白いボルゾイの仔犬(こいぬ)だ。涙ぐんだようなその眼には、悲しみと恐怖の色がうかんでいる。

「いったいどういうことなんだ？」群衆の中に割って入りながら、オチュメーロフはたずねる。「どうしたんだね？　その指はどうしたんだ？　どなっていたのは、だれだ？」

「いえ、あたしゃただ歩いてただけなんです、署長さん。だれにもちょっかいなんぞ、かけやしません……」フリューキンは拳を口にあてて咳(せき)をしながら、話しだす。「ミトリイ・ミトリチと薪のことで話してると、だしぬけにこのバカ犬が、これといった理由もなしに指にかみつきやがったんです……どうも申しわけありません、署長さん。あたしゃ、働いてる人間でして……何分、手先の仕事なもんでね。これじゃ、この指は一週間くらい使えそうもありませんから、慰謝料を払わせるようにしてくださいませんか……畜生の危害を我慢しなけりゃいけないなんてことは、どこの法律にもありませんや、署長さん……これでどの犬も咬みつくようになった日にゃ、いっそ生きてない方がましでさ……」

「ふむ！……よし……」オチュメーロフは咳払いをし、眉をうごめかしながら、いかめしい口調で言う。「よろしい……これはだれの犬だ？　こんなことを、そのまま捨てておくわけにゃいかんぞ。犬を放し飼いにするとどんな目にあうか、思い知らしてやる！　法令に従おうとしない連中を、この辺で取りしまろうと思ってた矢先なんだ！　そういう恥知らずどもから罰金を取り立ててやりゃ、犬だの、そのほかの家畜を放し飼いにすると、どんな目にあうか、わかるだろうからな！　こっぴどい目にあわしてやる！　おい、エルドゥイリン、」署長は巡査をふり返る。「これがどこの犬か調べあげて、調書を作れ。犬は撲殺だ。すぐにやるんだぞ！　こいつはきっと狂犬に違いない……おい、だれか、この犬がどこのか知らないか？」

「これはジガーロフ将軍のところの犬じゃないかな！」群衆の中のだれかが言う。

「ジガーロフ将軍？　ふむ！……おい、エルドゥイリン、わしの外套をぬがしてくれ……おそろしく暑いな！　どうも雨になるようだな……ただ、一つだけ腑に落ちないことがあるんだがね。いったいどうして、この犬が咬んだりできるんだ？」オチュメーロフはフリューキンに顔を向ける。「この犬がお前の指にとどくかね？　犬はこんなに小さいってのに、お前ときたらその通りの大入道じゃないか！　きっと釘でも刺して、あとから、嘘をつこうなんて悪知恵を起こしたんだろう。とにかくお前は……有名だからな！　お前らみたいな手合いは、よく承知してるんだ！」

「その男は犬の鼻面へふざけてタバコを押っつけようとしたんですよ、署長さん。ところが犬だってバカじゃねえから、がぶりとやったんでさ……だいたい、悪ふざけの好きな男なんでさ、署長さん！」

「いい加減なことを言うな、嘘つきめ！　見てもいないのに、どうして嘘をつくんだよ？　署長さんのように頭のいい方には、だれが嘘をついて、だれが神かけて正直に言ってるか、ちゃんと見通しなんだ……俺が嘘をついてるっていうんなら、判事さんのお裁きを受けたっていいぜ。法律にゃ、ちゃんと書いてあるんだ……この節は人間みんな平等なんだぞ……こう見えたって俺にゃ、憲兵をやってる兄貴がいるんだ……きいたけりゃ教えてやるけどな……」

「つべこべ言うんじゃない！」

「いや、これは将軍の犬じゃありませんよ。」

巡査がくそまじめな顔で言う。「将軍のところには、こんな犬はいませんよ。あそこはたいていセッターばかりですから。」

「それは確かか？」

「確かです、署長どの……」

「わしだって、そりゃ知ってるさ。お邸にいるのは、血統のいい高価な犬ばかりだけど、この犬ときたら何だい、こりゃ！　毛並みもわるけりゃ、恰好もわるいし……汚らしいだけじゃないか。こんなのが飼い犬のはずはないだろ?!　お前らはどこに頭をつけてるんだ？　こんな犬がペテルブルグなり、モスクワなりにいてみろ、どうなると思う？　あそこだったら、法律に照らすまでもなく、とたんにぶち殺されちまうんだ！　おい、フリューキン、お前は痛い目にあわされたんだからな、この事件をうやむやにしちゃいかんぞ……思い知らせてやらなけりゃな！　この辺でやっとく必要がある……」

「しかし、ひょっとすると、将軍の飼い犬かもしれないな……」巡査が自分の考えを口にだす。「犬の顔には書いてないし……この間お邸でこんなのを見たっけな。」

「きまってらあ、お邸のさ！」群衆の中から声があがる。

「ふむ！　おい、エルドゥイリン、わしに外套を着せてくれ……何だか風が出てきたな……ぞくぞくする……お前、この犬を将軍のところに連れて行って、きいてきてくれ。わしが見つけて、とどけさせたと言うんだぞ……放し飼いにしないように言ってきてくれ……高価な犬かもしれないのに、そこらのバカ者がタバコを鼻につっこんだりしたら、いっぺんで台なしにされちまうわ。犬というのは、おとなしい生きものだからな……おい、間ぬけ、手をおろせ！　バカみたいに、指をひけらかしとくことはないんだ！　自分がわるいんじゃないか！」

「お邸のコックが来たから、あの男にきいてみましょう……おい、プロホル！　ちょっと来てくれねえか！　この犬を見てくれよ……お邸のかい？」

「とんでもねえ！　こんな犬はついぞ飼ったことがねえよ！」

「こんなところで、四の五のきいてることはないんだ」オチュメーロフが言う。「これは野良犬だよ！　いつまでもこんなところで詮議してることはないさ……野良犬だと言ったら野良犬なんだ……撲殺すりゃ、それで終わりさ。」

「お邸の犬じゃねえけどよ。」プロホルがつづける。「この間おいでになった、将軍の弟さまの犬だよ。うちの将軍さまはボルゾイはお好きじゃないんだけど、弟さまはお好きでね……」

「ほう、弟さまがお見えになったのかい？　ウラジーミル・イワーヌイチさまがか？」オチュメーロフがたずねる。顔全体が感動の微笑にかがやく。「そうだったのかい！　そりゃ知らなかったよ！　遊びに見えたのかい？」

「はい、お遊びで……」

「そうかい……お兄さまが恋しくなられたんだな……そうとは知らなかったよ！　じゃ、そのお方の犬なんだな？　そりゃよかった……さ、連れてってくれ……犬は別にわるくないんだから……実に元気のいい犬じゃないか……こいつの指をがぶりとやったんだと！　ハ、ハ、ハ……こら、何をふるえてる？　よし、よし……チビや……怒ってるのかい……そうか、そうか……」

コックが犬をよび、薪置場から連れ去る……群衆はフリューキンを笑いものにする。

「貴様、ひどい目にあわしてやるからな！」オチュメーロフは彼に脅し文句を投げつけ、外套にくるまって、市の広場をよぎって歩いて行く。

アントン・チェーホフ（一八六〇―一九〇四）

ロシアの作家、劇作家。南ロシアの港町タガンログに雑貨店の三男として生まれる。七九年モスクワ大学医学部に進学する一方で、生活費を稼ぐために「チェホンテ」の筆名でおびただしい数のユーモア短編を発表した。「カメレオン」（八四）もチェホンテ時代の作品である。その後本格的な作家を志すようになり、九〇年、当時流刑地だったサハリン島への調査旅行を経て、「六号室」（九二）、「中二階のある家」（九六）、「かわいい女」（九九）など後期の傑作群を生んだとされる。劇作家としても名高く、『かもめ』（九六）、『ワーニャおじさん』（九九）、『三人姉妹』（〇一）、『桜の園』（〇四）のいわゆる四大戯曲は演劇史を塗りかえた。他方で大学時代に患った結核は作家の身体を蝕（むしば）みつづけ、療養先のバーデンワイラーで死去した。現在でもチェーホフの短編は世界中に愛読者をもち、戯曲は世界中で上演されつづけている。

【訳者】原卓也（はらたくや）（一九三〇—二〇〇四）

やはりロシア文学者の原久一郎（ひさいちろう）の四男として生まれた。五三年東京外国語大学卒業、六六年には同大学に就職、のちに学長まで務めた。訳者としては父との共訳ミハイル・ショーロホフ『静かなドン』（五四）を皮切りに、ドストエフスキー、トルストイのようなロシア文学の古典から同時代的なソ連文学まで生涯に原稿用紙十五万枚を訳したとされるほど多産だった。

⇩教科書掲載……（中学）

東京書籍『新訂 新しい国語一』75『新編 新しい国語一』78『新しい国語一』81『改訂 新しい国語一』84『新編 新しい国語一』87『新しい国語1』90『新しい国語1』93『新編 新しい国語1』97『新しい国語1』02『新編 新しい国語1』06『新しい国語2』12『新編 新しい国語2』16『新しい国語2』21

銀の滴降る降るまわりに

梟の神の自ら歌った謡

知里幸惠

「銀の滴降る降るまわりに、金の滴降る降るまわりに。」

という歌を私は歌いながら流に沿って下り、人間の村の上を通りながら下を眺めると昔の貧乏人が今お金持になっていて、昔のお金持が今の貧乏人になっている様です。海辺に人間の子供たちがおもちゃの小弓におもちゃの小矢をもってあそんで居ります。

「銀の滴降る降るまわりに、金の滴降る降るまわりに。」

という歌を歌いながら子供等の上を通りますと、(子供等は)私の下を走りながら言うことには、

「美い鳥! 神様の鳥! さあ、矢を射てあの鳥、神様の鳥を射当てたものは、一ばんさきに取った者は、ほんとうの勇者、ほんとうの強者だぞ。」

言いながら、昔貧乏人で今お金持になってる者の子供等は、金の小弓に金の小矢を番えて私を射ますと、金の小矢を私は下を通したり上を通したりしました。

その中に、子供等の中に一人の子供がただの(木製の)小弓にただの小矢を持って仲間にはいっています。私はそれを見ると貧乏人の子らしく、着物でもそれがわかります。けれどもその眼色をよく

見ると、えらい人の子孫らしく、一人変わり者になって仲間入りをしています。自分もただの小弓にただの小矢を番えて私をねらいますと、昔貧乏人で今お金持の子供等は大笑いをして言うには、

「あらおかしや貧乏の子、あの鳥、神様の鳥は私たちの金の小矢でもお取りにならないものを、お前の様な貧乏な子のただの矢腐れ木の矢を、あの鳥、神様の鳥がよくよく取るだろうよ。」

と言って、貧しい子を足蹴(あしげ)にしたりたたいたりします。けれども貧乏な子はちっとも構わず私をねらっています。私はそのさまを見ると、大層不憫(ふびん)に思いました。

「銀の滴降る降るまわりに、金の滴降る降るまわりに。」

という歌を歌いながらゆっくりと大空に私は輪をえがいていました。貧乏な子は片足を遠く立て片足を近くたてて、下唇をグッと噛(か)みしめて、ねらっていてひょうと射放しました。小さい矢は美しく飛んで私の方へ来ました、それで私は手を差しのべてその小さい矢を取りました。クルクルまわりながら私は風をきって舞い下りました。

すると、彼(か)の子供たちは走って砂吹雪をたてながら競争しました。土の上に私が落ちると一しょに、一等先に貧乏な子がかけついて私を取りました。すると、昔貧乏人で今は金持になってる者の子供たちは後から走って来て、二十も三十も悪口をついて貧乏な子を押したりたたいたり、「にくらしい子、貧乏人の子、私たちが先にしようとする事を先がけしやがって。」

と言うと、貧乏な子は、私の上におおいかぶさって、自分の腹にしっかりと私を押さえていました。もがいてもがいてやっとの事、人の隙から飛び出しますと、それから、どんどんかけ出しました。

昔貧乏人で今は金持の子供等が石や木片(こっぱ)を投げつけるけれど、貧乏な子はちっとも構わず砂吹雪をたてながらかけて来て一軒の小屋の表へ着きました。子供は第一の窓から私を入れて、それに言葉を

添え、斯々のありさまを物語りました。

家の中から老夫婦が眼の上に手をかざしながらやって来て、見ると、大へんな貧乏人ではあるけれども紳士らしい淑女らしい品をそなえています、私を見ると、腰の央をギックリ屈めて、ビックリしました。

老人はキチンと帯をしめ直して、私を拝し、

「ふくろうの神様、大神様、貧しい私たちの粗末な家へお出で下さいました事、有難う御座います。昔は、お金持に自分を数え入れるほどの者で御座いましたが今はもうこの様につまらない貧乏人になりまして、国の神様、大神様をお泊め申すも畏れ多い事ながら今日はもう日も暮れましたから、今宵は大神様をお泊め申し上げ、明日は、ただイナウだけでも大神様をお送り申し上げましょう。」

という事を申しながら何遍も何遍も礼拝を重ねました。老婦人は、東の窓の下に敷物をしいて私をそこへ置きました。それからみんな寝ると直ぐに高いびきで寝入ってしまいました。私は私の体の耳と耳の間に坐っていましたがやがて、ちょうど、真夜中時分に起き上がりました。

「銀の滴降る降るまわりに、金の滴降る降るまわりに。」

という歌を静かにうたいながらこの家の左の座へ右の座へ、美しい音をたてて飛びました。私が羽ばたきをすると、私のまわりに美しい宝物、神の宝物が美しい音をたてて落ち散りました。一寸のうちに、この小さい家を、りっぱな宝物、神の宝物で一ぱいにしました。

「銀の滴降る降るまわりに、金の滴降る降るまわりに。」

という歌をうたいながらこの小さい家を一寸の間にかねの家、大きな家に作りかえてしまいました、

家の中は、りっぱな宝物の積場を作り、りっぱな着物の美しいのを早つくりして家の中を飾りつけました。富豪の家よりももっとりっぱにこの大きな家の中を飾りつけました。

私はそれを終ると、もとのままに私の冑(よろい)の耳と耳の間に坐っていました。家の人たちに夢を見せてアイヌのニシパが運が悪くて貧乏人になって、昔貧乏人で今お金持になっている者たちにばかにされたりいじめられたりしてるさまを私が見て不憫に思ったので、私は身分の卑しいただの神ではないのだが、人間の家に泊まって、恵んでやったのだという事を知らせました。

それが済んで少したって夜が明けますと、家の人々が一しょに起きて目をこすりこすり家の中を見るとみんな床の上に腰を抜かしてしまいました。老婦人は声を上げて泣き、老人は大粒の涙をポロポロこぼしていましたが、やがて、老人は起き上がり私の処(ところ)へ来て、二十も三十も礼拝を重ねて、そして言う事には、

「ただの夢ただの眠りをしたのだと思ったのに、ほんとうに、こうしていただいた事。つまらないつまらない、私共の粗末な家にお出で下さるだけでも有難く存じますものを、国の神様、大神様、私たちの不運な事を哀れんで下さいましてお恵みのうちにも最も大きいお恵みをいただきました事。」

という事を泣きながら申しました。

それから、老人はイナウの木をきりりっぱなイナウを美しく作って私を飾りました。老婦人は身仕(みじ)度(たく)をして小さい子を手伝わせ、薪(たきぎ)をとったり水を汲(く)んだりして、酒を造る仕度をして、一寸の間に六つの酒樽(さかだる)を上座にならべました。それから私は火の老女、老女神と種々な神の話を語り合いました。

二日程たつと、神様の好物ですから、はや、家の中に酒の香が漂いました。そこで、あの小さい子に態(わざ)と古い衣物を着せて、村中の昔貧乏人で今お金持になっている人々を招待するため使いに出して

やりました。ので、後見送ると、子供は家毎(ごと)に入って使いの口上を述べますと、昔貧乏人で今お金持になっている人々は大笑いをして、

「これはふしぎ、貧乏人どもがどんな酒を造ってどんな御馳走(ごちそう)があってそのため人を招待するのだろう、行ってどんな事があるか見物して笑ってやりましょう。」

と言い合いながら大勢打ち連れてやって来て、ずーっと遠くから、ただ家を見ただけで驚いてはずかしがり、そのまま帰る者もあります、家の前まで来て腰を抜かしているのもあります。

すると、家の夫人が外へ出て、人皆の手を取って家へ入れますと、みんないざり這(は)いよって顔を上げる者もありません。すると、家の主人は起き上がってカッコウ鳥の様な美しい声で物を言いました。

斯々の訳(わけ)を物語り、

「この様に、貧乏人でへだてなく互いに往来も出来なかったのだが、大神様があわれんで下され、何の悪い考えも私どもは持っていませんのでしたのでこの様にお恵みをいただきましたのですから、今から村中、私共は一族の者なんですから、仲善くして互いに往来をしたいという事を皆様に望む次第であります。」

という事を申し述べると、人々は何度も何度も手をすりあわせて家の主人に罪を謝し、これからは仲よくする事を話し合いました。私もみんなに拝されました。

それが済むと、人はみな、心が柔らいで盛んな酒宴を開きました。私は、火の神様や家の神様や御(ご)幣棚(へいたな)の神様と話し合いながら、人間たちの舞を舞ったり躍(おど)りをしたりするさまを眺めて深く興(おもしろ)がりました。そして二日三日たつと酒宴は終わりました。

人間たちが仲の善いありさまを見て、私は安心をして火の神、家の神、御幣棚の神に別れを告げました。それが済むと私は自分の家へ帰りました。私の来る前に、私の家は美しい御幣美酒が一ぱいになっていました。それで近い神、遠い神に使者をたてて招待し、盛んな酒宴を張りました、席上、神様たちへ、私は物語り、人間の村を訪問した時の、その村の状況、その出来事を詳しく話しますと、神様たちは大そう私をほめたてました。神様たちが帰る時に美しい御幣を二つやり三つやりしました。彼(かれ)のアイヌ村の方を見ると、今はもう平穏で、人間たちはみんな仲よく、彼のニシパが村に頭(かしら)になっています、彼の子供は、今はもう、成人して、妻ももち子も持って、父や母に孝行をしています、何時でも何時でも、酒を造った時は、酒宴のはじめに、御幣やお酒を私に送ってよこします。私も人間たちの後に坐(ざ)して何時でも人間の国を守護(まも)っています。

と、ふくろうの神様が物語りました。

知里幸惠(ちりゆきえ)(一九〇三―二二)

アイヌ文学の翻訳者、アイヌ文化の継承者。北海道幌別(ほろべつ)郡登別村(現登別市)の生まれで、旭川区立女子職業学校を卒業。両親は子どもの前ではアイヌ語を使わなかったが、アイヌ語を話す母方の祖母モナシノウクと身近に過ごした。一九一八年にアイヌ語採録のために北海道を訪れた金田一京助に才を見出され、祖母が伝えるアイヌの神謡の筆録をすすめられた。二二年、『アイヌ神謡集』出版準備のため東京の金田一宅に滞在し、校正作業を終えたところで過労による心臓発作で死去した。なお、『アイヌ神謡集』収録の神謡十三編は、幸惠が伯母にならったローマ字を用いて、ページ左にアイヌ語のローマ字表記、ページ右に日本語訳を対訳の形で載せた点が特色である。収録された神謡は祖母の複雑な節回しを幸惠が語り直したものといえ、その点で幸惠は創作者・翻訳者（翻案者）としての両側面を持つ。本書では日本語訳の部分のみを、適宜行替えした形で収めた。

⇩教科書掲載……（中学）

教育出版『中学国語1』81『改訂　中学国語1』84『新訂　中学国語1』87『新版　中学国語1』90『中学国語1』97『伝え合う言葉　中学国語1』12『伝え合う言葉　中学国語1』16『伝え合う言葉　中学国語1』21（収録タイトル：藤本英夫「銀のしずく降る降る」）

＊教科書では藤本英夫による評伝の中に、本作の冒頭部が引用されている。

解説

現代——新しい古典

カフカ「掟の門」は、一九九〇年に初めて教育出版『最新現代文』で教材化されますが、その後断続的な採用を経て、二三年の大修館書店『文学国語』と数研出版『文学国語』に採録されました。カフカの採録は実はそれほど多くなく、「断食芸人」や『変身』、「町の紋章」が七〇～九〇年代に散発的にとられた程度でした。「掟の門」は、現代の新しい古典となった教材と言えます。「掟の門」採録の一つのポイントは、この小説のわからなさにあると考えられます。たとえば数研出版『文学国語』の指導書は、「掟の門」を読んで「明確な答えを得られない」ことは「生徒が社会に対して感じている不安と同じ」であり、生徒はだからこそ、自分なりの答えを考えられるとしています。

新学習指導要領の方向性は、二〇一六年の中央教育審議会の答申に基づいて決められましたが、この答申で強調された時代認識が「予測困難な時代」です。グローバル化やAI等の情報技術の進展が社会や未来を予測できない複雑さをもたらし、そうした中でも自身で考え、新たな価値を作り出す力が求められるようになりました。

こうした観点から、「掟の門」はまさに状況認識を引き受ける教材だと言えます。自身が不条理な状況におかれても、自力で解決の道を探してほしいという、祈りのようなものがそこには透かし見えます。桐原書店の『探求　文学国語』(23)では、カフカ『変身』の後にコラム「不条理文学の巨頭　カフカとカミュ」が設けられ、「非合理的な現実に直面したとき、人はそれでもそこに合理的な理由や意味を求めて、自分を納得させようとする」と記されています。立ち向かうべき敵が見えにくい時代相を反映した教材が、カフカの作品だと言えるでしょう。

これと比べると、チェーホフ「カメレオン」は、もう少し前の「現代」を反映した教材です。「カメレオン」は、東京書籍の中学校『新訂　新しい国語一』(75)に初めて収録され、その後現在まで長く収録が続いています。ただし、本教材としての収録は〇二年までで、以後「資料編」に移されました。代わりに採録されたのがヘッセ「少年の日の思い出」で、本作は新たな定番教材により押し出された作品ということになります。
「カメレオン」について一九七五年の指導書は、警察署長オチュメーロフを「周囲の状況に応じて自分の立場を変えて恥じない人間の愚かさや俗物性」を映した人物としています。また九〇年の指導書で立項された「教材採録の意図」には、「民主主義社会であるとはいえ、個が確立されてなく、いまだに、権力追従、権威盲信といった風潮がみられる現在の日本において、少年少女に強く期待される内容をもつ」との教材観が示されています。

七〇年代後半の国語教育では、考える「主体」や「個」が強調されました。高度成長が終わり、社会が一丸となって復興に邁進する姿勢に疑問符が付されたからです。指導書が言う「権力追従」は、身近なところでは学校や働く場所での上下関係に当たるでしょう。「個」を押し殺す圧力の中で力強く生きてほしいという願いが「カメレオン」に込められていたと考えられます。

権力への疑問という主題は国語教材では根強いテーマでした。たとえば五〇～七〇年代に中高国語教科書で広く採用されていた森鷗外「最後の一句」や、現在まで長く定番教材として採用されている「高瀬舟」は、こうした主題を内包した教材です。鷗外の作品が「権力追従」を正面から問うている作品だとすれば、「カメレオン」は反面教師となる人物を登場させ、それを生徒自身に考えさせる教材だったと言えるかもしれません。

知里幸恵『アイヌ神謡集』を引用した、藤本英夫による知里の評伝が中学校教科書に採用されたのは八一年のことでした。「北海道旧土人保護法」の廃止が決定した九七年を最後に一時収録がなくなりますが、〇七年の学習指導要領改訂（中学）で「伝統的な言語文化」の重視がうたわれたことを背景に、一二年に採録が復活しました。「伝統的な言語文化」の重視に際して、近代の日本政府が抑圧してきたアイヌの言語文化をめぐる教材が復活したことは、時代の皮肉とも言えます。「伝統的な言語文化」がむしろ一枚岩ではないことを明らかにするのが、知里のテクストだからです。とはいえ、神謡集はあくまでも評伝の中に図版として収録されたものであることにも留意すべきでしょう。たゆまぬ努力を続けた人物の評伝という教材に内包される形で、アイヌの神謡という作品が教材としての命脈を保ったと言えます。

新学習指導要領では、「他者と協働」して課題解決をはかること、相手の立場に立った言語の運用を重視しています。日本の中で最も身近だが不可視化されたアイヌの言語文化が改めて注目されたことには、大きな意義があると言えるでしょう。「予測困難な時代」において、はっきりした答えが見えない中でも自ら決断し、他者と粘り強く協同していくこと。試行錯誤の中で選ばれた教材は、時代の像や生徒の未来に託された願いを浮かび上がらせます。

（戸塚）

新しい高校国語科目と外国文学

Column 01

新学習指導要領に基づく高校の新しい国語科目「言語文化」と「文学国語」で、採録された外国文学の作品を並べてみると、以下の通りである。

ヘミングウェイ／高見浩訳「橋のたもとの老人」（『言語文化』大修館書店）、ティム・オブライエン／村上春樹訳「待ち伏せ」（『言語文化』筑摩書房、『新言語文化』三省堂）、タゴール／内山眞理子訳「きみの呼びかけに」（『文学国語』大修館書店）、カフカ／池内紀訳「掟の門」（『文学国語』大修館書店、『文学国語』数研出版）、アゴタ・クリストフ／堀茂樹訳『悪童日記』、呉明益／天野健太郎訳「歩道橋の魔術師」、リルケ／茅野蕭々訳「秋」（『精選文学国語』明治書院）、カフカ／中井正文訳『変身』（『探求文学国語』桐原書店）、サン＝テグジュペリ／内藤濯訳『星の王子さま』（『新文学国語』三省堂）、魯迅／竹内好訳「藤野先生」（『新文学国語』三省堂、『文学国語』数研出版）、レベッカ・ブラウン／柴田元幸訳「涙の贈り物」（『精選文学国語』三省堂）。

今回の高校国語の科目再編では、話す・聞く・書く能力の育成に割く標準時数の明示と観点別評価の導入で、結果的に収録される教材数が減少した。こうした変化のために起こったのは、外国文学教材の絞り込みと、学習テーマの枠組みから逆算した教材選択だと考えられる。

たとえば「文学国語」の教科書ではカフカが三社で採用された。新学習指導要領の文言には「社会」や「他者との関わり」が目立つが、プラハ生まれのユダヤ人で、ドイツ語で創作したカフカの作品を読むことは、異質な文化について考え、翻って自らの社会を考えることにつながる。実際、数研出版『文学国語』や桐原書店『探求文学国語』では、カフカの履歴が詳しく紹介されている。

また、「翻訳」や「世界文学」といった枠組みで外国文学が単元化されていることも特徴である。三省堂『精選文学国語』の「涙の贈り物」は、翻訳論の山本史郎「『雪国』の謎」と併録され、観点別評価でも「文体の特徴や表現の特色に注意して作品を読み、翻訳小説の魅力について考える」教材と位置づけられた。桐原書店『探求文学国語』収録の『変身』の場合、学習の手引きで複数の訳文の読み比べが課され、「涙の贈り物」では原文と訳文を比較する課題が設けられている。翻訳（数研出版、桐原書店、三省堂）や世界文学（大修館書店）についてのコラム等が付された教科書もある。

このように、新しい国語教科書では、翻訳論や世界文学論といった、現代の文学論を知る入り口として、外国文学が位置づけられた。無論こうした枠組みは、時代により変化してきた。教科書採録の外国文学を見ることは、外国文学の文化的位置づけをたどり直すことにつながる。（戸塚）

第2章

九〇年代

たやすく書かれた詩

尹東柱

伊吹郷 訳

窓辺に夜の雨がささやき
六畳部屋は他人(ひと)の国、

詩人とは悲しい天命と知りつつも
一行の詩を書きとめてみるか、

汗の匂いと愛の香りふくよかに漂う
送られてきた学費封筒を受けとり

大学ノートを小脇に
老教授の講義を聴きにゆく。

かえりみれば　幼友達を
ひとり、ふたり、とみな失い

わたしはなにを願い
ただひとり思いしずむのか？

人生は生きがたいものなのに
詩がこう　たやすく書けるのは
恥ずかしいことだ。

六畳部屋は他人の国
窓辺に夜の雨がささやいているが、

灯火（あかり）をつけて　暗闇をすこし追いやり、
時代のように　訪れる朝を待つ最後のわたし、

わたしはわたしに小さな手をさしのべ
涙と慰めで握る最初の握手。

尹東柱（ユンドンジュ）（一九一七—四五）

朝鮮の詩人。旧満洲の間島省龍井（ヨンジュン）の明東村（ミョンドン）（現吉林省龍井市）に生まれた。祖父は牧師で、東柱も幼児洗礼を受けた。平壌の崇実（スンシル）中学校で日本当局の神社崇拝に抗議して自主退学し、のち、ソウルの延禧（ヨンヒ）専門学校で英文学を専攻した。一九四二年に日本の立教大学に選科生として入学、半年後に同志社大学英文科に移った。四三年在学中に治安維持法で検挙され、福岡刑務所で獄死した。生前に詩集は出さなかったが、遺稿が詩集『空と風と星と詩』（四八）としてまとめられた。日本では長くその名は忘れられていたが、八四年に全詩集の翻訳が刊行され、また八六年に詩人・茨木のり子の『ハングルへの旅』で紹介されたことで知名度が高まった。詩の基底にある抵抗の精神と、清新で透明感のある抒情が高く評価された。

【訳者】 **伊吹郷**（いぶきごう）（一九四〇—）

翻訳者。尹東柱の実弟尹一柱（ユンイルジュ）が八三年に刊行した全詩集に基づく『尹東柱全詩集　空と風と星と詩』（八四）を翻訳・刊行した。同書は尹東柱が在籍した大学、住居跡などを訪ね、当時の特高や判事への聞き込みを行って書かれた詳細な解説と、裁判関連資料を付したもので、以後日本で尹東柱が研究される上での基礎文献となった。茨木のり子は伊吹の解説および翻訳に基づいて尹東柱の紹介を行っている。

⇩教科書掲載………（高校）

筑摩書房『新編　現代文』90『新編　現代文』96『新編　現代文　改訂版』99『展望現代文』05『精選現代文B』14『精選現代文B　改訂版』18『文学国語』23（収録タイトル：茨木のり子『空と風と星と詩』）

＊茨木のり子のエッセイの中に、本書収録詩が引用の形で掲げられている。

生まれたらそこがふるさと

李正子

秋の灯のこぼるる厨(くりや)に母と煮る青唐辛子からく匂うや

長鼓(チャンゴ)打つ憑(つ)かれむまでに打つ音に紛(まが)いて風のなかの父の声

〈生まれたらそこがふるさと〉うつくしき語彙(ごい)にくるしみ閉じゆく絵本

李正子〔イチョンジャ〕（一九四七―）

在日コリアン二世の歌人。三重県上野市生まれ。日本名香山正子。父は戦中に労働のために渡日した。父母の勧めで婿を迎え、のちに喫茶店を開いた。高校の頃、『万葉集』や与謝野晶子、石川啄木の短歌に惹(ひ)かれて歌を詠み始めた。二十歳の時に「朝日歌壇」投稿歌を近藤芳美(よしみ)に採用され、のち近藤の『未来』に加わる。民族や祖国への複雑な心情を率直に詠んだその歌を近藤は高く評価し、第一歌集『鳳仙花(ポンソナ)のうた』（八四）の刊行を励ました。「内鮮一体」の一翼を担った戦前の在日朝鮮人短歌と異なり、李はあえて「鮮人」という蔑称を用いるなど、日本語で歌を詠むことの葛藤をも主題化してみせた。「生まれたらそこがふるさと」は堀内純子(すみこ)の児童文学『はるかな鐘の音』の一節。歌集に『ナグネタリョン』（九一）、『マッパラムの丘』（〇四）など、エッセイ集に『ふりむけば日本』（九四）がある。収録歌は『ナグネタリョン』所収。

⇩教科書掲載……（中学）

三省堂『現代の国語2』02『現代の国語2』06『現代の国語2』12

＊「生まれたらそこがふるさと……」一首を採録。

（高校）

筑摩書房『ちくま現代文』96『ちくま現代文 改訂版』00

＊本書収録歌は『ちくま現代文』掲載五首のうちから三首を採った。

切手蒐集

カレル・チャペック

Karel Čapek

関根日出男 訳

「これはまさに真実さ」老カラスさんはいった。「だれでも自分の過去をほじくり返してみれば、そこにまったく別の人生を送り得た材料がいくらもころがっているのに気づくというのは。ひとたび……間違ってにせよ、好き好んでにせよ……どれか一つを選んだら生涯それで通すのさ。でも困ったことに、その別のあり得た人生という奴(やつ)が死に切っていないんでね。時折、もぎとられた足に抱(いだ)くような痛みを覚えるもんだ。

たしか十歳の時だったと思うが、わたしは切手の蒐集(しゅうしゅう)を始めた。おやじはいい顔をしなかった。勉強がおろそかになると思って。でもわたしにはロイジーク・チェペルカという友だちがいて、その子と切手蒐集熱にとりつかれていた。ロイジークは手回しオルガン弾きの子で、ぼさぼさの髪をしてそばかすだらけだった。子供だけにできるやり方でわたしはこの友だちを愛した。そう、わたしは年寄りさ、妻も子供もおった。だが友情に勝るほど美しい人間感情はないと思うね。でもそれができるのは若いうちだけ、時がたてばひからび、利己的になってしまう。このような友情は、まったくもって有頂天とか陶酔、あり余る生命力や感情過多から来ている、たくさんあればだれかに分けてやらなくちゃあ。わたしの父は公証人で、地方名士会長でもあり、すごくいかめしくきびしい人だった。父親がのんだくれのオルガン弾きで母親が働きづめの洗濯ばあさんというロイジークを、わたしは心の中に迎え入れた。そして感心し、あがめた。だってわたしよりすばしこく、自分で何でもやり、すごく勇敢で、鼻にそばかすがあったし、石を左手で投げられたし——今となってはもう、彼をそんなに愛したすべては思い出せない。でもわたしの一生で最大の愛であったことはたしかだ。

で、ロイジークは切手蒐集を始めた頃のわたしの親友だった。何かを集めることに意味があるとするのは男たちだけだ、という人がいるかもしれない。さよう、それは、どんな男でも、敵の首や、ぶんどった武器や、熊の毛皮や鹿の角や、かすめられるものなら何でも集めた時代の名残(なごり)り、つまり本能だと思う。だが切手蒐集というのは、単なる財産ではなく尽きざる冒険だ。心をわくわくさせながら遠い国、ブータンとかボリヴィア、あるいは希望峰のかけらに手が触れられる。こんな未知の国と、独りだけの親密な関係が結べるってわけだ。だからこの切手蒐集の中には、旅とか航海という男の世界冒険の真意がひそんでいる、それはかの十字軍遠征におけると同じだ。

さっきいったように、父はいい顔をしなかった。父親というものは、息子たちが自分と違ったことをやるのを喜ばないものだ。そう、わたしも息子たちにはそうだった。父親にとってそれはほんとうにおかしな気分だ、息子に大きな愛情を持っているが同時に、ある種のひがみ、不信、敵意などを抱くというのは。子供が好きになればますますこの別の感情が湧いて来る。そこでわたしは自分の切手コレクションを手に、おやじに見つからないよう屋根裏部屋にかくれなければならなかった。そこには麦粉入れだった古い箱があった。ここへわたしたちは二匹のねずみのようにもぐり込んで切手を見せ合った。ほら、これはオランダだよ、こいつはエジプトだぜ、これはスヴァーリェ、スウェーデンだ。この宝物といっしょにこんな風にひそんでいなければならないなんて、ぞくぞくするほどすばらしい気分だった。切手を手に入れる時はまた別の冒険で、知ってる家でも知らない家でも訪ねていって、古い手紙から切手をはがさせてくれとせがんだ。時には屋根裏部屋や書机に、ひき出しいっぱいの古い書類があった。床に坐り、ほこりだらけの紙の山を一枚一枚しらべて、まだ持っていない切手を探すのがわたしの一番幸福な時間だった——愚かにもわたしはダブってるのは集めなかった。で、古いロンバルジアやドイツのとある国や、ある自由都市のやつを見つけた時、がまんできない程うれしくなり、無上のしあわせの一つ一つに胸がじーんとなった。ところで外ではロイジークが待っていた。ようやく外へ出るとわたしは、もうドアのところでささやいた——おい、ロイジーク、ハノーヴァーが一つあったよ！——持って来た？——うん！——そこで二人はこの獲物を手に、家へ、二人の箱めざして走り出した。

わたしの町にはいろんな安物、ジュートやキャラコやサラサや木綿製品を作る織物工場があった。こんなものが全世界の有色人種のために特にわが国で作られているのだ。そこでわたしは紙屑かごの中から切手を探してもいいといわれた。これは獲物の一番豊富な猟場で、シャムや南アフリカ、支那、リベリア、アフガニスタン、ボルネオ、ブラジル、ニュージーランド、インド、コンゴなどを見つけた——これらの単なる名前が、今ではそれ程神秘的に慕わしく響くかどうかわからない。ああ、この喜び、マラッカ海峡植民地の切手を見つけた時のすごい喜び——それに朝鮮！　ネパール！　ギニア！　シェラ・レオーネ！　マダガスカル！　そう、この興奮は狩人や宝を探す人、またはこんな発掘をする考古学者にしかわからない。探して見つける、これは人生が人間に与えうる最大の緊張と満足だ。だれでも探し求めるものはあろう、切手でなければ真理とか金毛わらびとか、せめて石の矢じりとか灰皿とか。
ロイジークとの友情と切手蒐集、それはわたしの一生で一番すばらしい歳月だった。それからわたしは猩紅熱にかかり、ロイジークはわたしのところへ来れなくなった。それでうちの玄関のところに立って、わたしに聞こえるよう口笛を吹いたりしていた。ある時だれもわたしに気をつけてなかったか何かで、わたしはベッドから抜け出し、さっと屋根裏部屋のコレクションを見に行った。だいぶやつれていたので、やっとの思いであの箱の蓋を開けた。だが中は空っぽだった。切手の入った小箱はなかった。

この痛み、恐れをいいあらわすことはできない。石になったようにそこに立ちつくし、胸がつかえて、泣きさえできなかったように思う。まずぞっとしたのは、わたしの切手、一番の喜びが失くなったこと、だがもっとぎくっとしたのは、無二の親友のロイジークが、わたしが病に臥している間に盗んだに違いない、ということだった。これはひどい驚き、落胆、絶望、悲しみだった——年端も行かぬ子供がそれに堪えられたらおかしい。どうやって屋根裏部屋から戻って来たか、もう覚えていない。だがそれからまた高熱で床に臥し、気分のいい時にはいつもそのことに思いをめぐらしていた。父にも叔母にもいわなかった——おふくろはもういなかった。二人ともわたしのことをまったく理解してくれないとわかっていたから。それで少し二人によそよそしくなった。この時以来わたしは二人に身近な子供らしい感情を持つことはなくなった。ロイジークの裏切りは、わたしにとって致命的な打撃だった。人生での最初で最大の人間に対する幻滅だった。乞食め、わたしは独りごちた、ロイジークは乞食だ、だから盗むのさ、乞食と友だちになったからいけないんだ。このことが頭に叩きこまれた。それ以来わたしは人を差別するようになった——わたしは世間的無邪気さを失った。だがその頃はまだ、それがわたしをひどくふるわせ、そのすべてがわたしの内部によどんで行くのに気がつかなかった。

熱病から回復した時、切手のコレクションを失った痛手からも立ち直った。ただまだ心が疼いたのは、ロイジークに新しい友だちがいるのを見た時だ。だがわたしの方に走り寄って来て、長く会わずにいたのでちょっとてれていた時、わたしはそっけなく、大人っぽい調子でいった。「あっちへ行けよ、お前となんか口をきかないから」ロイジークは顔を赤らめ、ちょっとしてからいった。「じゃあ、いいよ」それ以来頑なに、貧乏人らしくわたしを憎むようになった。

さてこれがわたしの全人生、パウルスさんなら、わたしの人生選択とおっしゃるだろうものを左右した事件です。わたしの世界はけがれていたんだ。人間不信に陥り、憎むこととさげすむことを覚えた。もう友だちなんかなく、大人になった時、自分が独りぼっちで、だれをも必要とせず、だれにも何も与えないことに誇りを持ち始めた。それからだれにも愛されてないことを見てとると、愛などにはそっぽを向き、あらゆる感傷を軽蔑するんだと自分にいいきかせた。それでわたしは、他人を見下す、名誉を求める、利己的で知ったかぶりの、しかもまったくボロを出さない人間になった。部下に対してはがみがみ屋で頑固だった。愛情のない結婚をし、子供たちは、きびしいしつけと畏怖の中で育てた。わたしは勤勉さと誠実さによって少なからざる功績をあげた。これがわが人生、わたしの全人生さ、義務以外の何ものにも目をくれなかった。神に召されてからも、わたしがどんなに有能な働き手で、模範的な性格の持ち主だったかは、新聞種となろう。だがそこに人間嫌い、不信、頑固さを人々が見てとったら――

三年前にわたしは妻を失くした。だれにも打ち明けなかったが、とても悲しかった。そんな淋しさから、父や母の残していったありとあらゆる思い出となるものをひっくり返してみた。写真、手紙、小学生の頃のわたしのノート――きびしかったおやじがこんなものを大事にとっておいてくれたのを見て、胸がいっぱいになった。やはりおやじはわたしが好きだったんだな。屋根裏部屋には戸棚がいっぱいあった。とあるひき出しの底に、父が捺印(なついん)して封をした小箱があった。これを開けてみると、中に五十年前にやったあの切手のコレクションがあった。

何のかくし立てをいたそう、頬を伝って涙が流れた。わたしはその小箱を宝物のように部屋へ持って行った。じゃああの時、そうだったのか、このショックの中でわかった。わたしが病気になった時だれかがこの箱を見つけ、勉強がおろそかにならないよう、父がとり上げてしまったのか！　そんなことしなければよかったのに。でもこの行為の中にも、父の心づかいと愛があったのだ。よくはわからない。だが父とそれに自分自身がかわいそうになって来た――

それからはっとした。じゃあこの切手は、ロイジークが盗んだのじゃあなかったんだ！　ああ、何てあいつを傷つけたことか！　今またあのそばかすだらけのもじゃもじゃ髪のいたずらっ子が目に浮かんだ。どんな男になったことやら、まだ生きているだろうか！　いろんなことを思い出してみた時、心苦しく恥ずかしくなった。たった一度、誤った疑いを抱いたがために無二の親友を失い、それ故に子供らしさを失った。それ故に貧しい人たちを軽蔑しはじめ、それ故に尊大ぶり、それ故にもはやだれとも打ちとけなくなった。それ故に一生、不快さと抵抗なしに切手を見ることはできなかった。だからフィアンセ、妻に一度も手紙を書かなかったし、感情をむき出しにすることなどには超然としているふりをした。妻はこれでずいぶん苦しんだ。それ故にこんなに頑固に、独りぽっちになってしまった。それ故に、ただそのために、わたしはこんな人生行路を歩み、自分の義務を非の打ちどころのない程立派に果たして来たのだ――

もう一度自分の一生をふり返ってみた、すると急にそれが空(むな)しく意味のないものに思えて来た。だって全く別の生きざまもあり得たのに。もしあんなことがなかったら――わたしにはあれほど情熱、冒険心、愛情、空想、それに奇妙きてれつな物を信ずる心があった――ああ、ほんとに何にでもなれたのに、旅行家にも役者にも軍人にも！　人を愛し、彼らと飲み交わし、彼らの心がわかり、何でも出来たのに！　心の中で氷みたいなものがとけたような気がした。一枚一枚切手を手にしてみた。みんなあった。ロンバルジア、キューバ、シャム、ハノーヴァー、ニカラガ、フィリピン、あの頃行ってみたいと思ったすべての国が。でも今はもう目にすることもあるまい。一枚一枚の上に何かの断片があった、起こり得たことと、起こらなかったことの。わたしは切手を前に一晩中坐り、自分の一生を裁いた。そしてわかった、それは何かよそよそしい、とってつけた、自分のものでない人生で、わたしの本当の人生は、実はこの世に存在しなかったのだと」カラスさんは手を振った。「わたしが何にでもなれた――そしてあのロイジークを傷つけたことがを考えると――」

ヴォヴェス神父はこの話を聞いて顔を曇らせ、ひどく悲しげになった。きっと自分の人生で何か思いあたる節があったのだろう。「カラスさん」神父は感動していった。「そんなことは考えなさるな、仕方ないじゃないか、今となってはもうやり直すわけにもいかんし、また始めるわけにもいくまい――」

「そうさな」カラスさんはため息をついた。それから少し顔を赤くしていった。「でもね、これだけは――この蒐集だけはまた始めたんだよ！」

カレル・チャペック（一八九〇―一九三八）

チェコの作家、ジャーナリスト。当時オーストリア＝ハンガリー帝国領だったボヘミアの町マレー・スヴァトニョヴィツェで医者の息子として生まれる。〇九年カレル大学（プラハ大学）哲学部に進学。一五年哲学博士。卒業後しばらくして新聞の編集者として働くようになる。作家としては兄の画家、作家のヨゼフとともにチャペック兄弟として活動し、SFから児童書までさまざまなジャンルの作品を残した。とりわけ戯曲『ロボット R. U. R.』（二〇）において、「ロボット」という語をつくったことは有名である。ほかにも園芸随筆『園芸家12カ月』（二九）や愛犬との生活をつづった『ダーシェンカ』（三三）、ナチスを風刺したSF『山椒魚戦争』（三六）など、本邦でも版を重ね、繰り返し訳されている作品も少なくない。ノーベル文学賞の期待も寄せられるが、肺炎により死去。現在もチェコの国民作家として愛されている。本作は短編集『もうひとつのポケットからでた話』（二九）に収録されている。

【訳者】

関根日出男〔せきねひでお〕（一九二九―二〇一七）

医師、翻訳家。旧制松本医学専門学校（現信州大学医学部）卒。東京都内に耳鼻科医院を開業。医業のかたわらチェコ文化研究・紹介にたずさわる。訳書にクンデラ『冗談』（七〇）など。チェコ音楽研究家として、作曲家のヤナーチェクやドボルザークについての著作や訳業もある。

⇩ 教科書掲載……（高校）

学校図書『高等学校国語1 新版』88『高等学校国語1 改訂版』91『高等学校国語1』94（94年版のみ収録タイトル：「切手収集」）

休暇に

ボレスワフ・プルス

Bolesław Prus

塚田充 訳

夕方、いつものように、僕のところに、学校の友達がやってきた。二人とも同じ村の、互いのところから数ベルスタ〔ロシアの里程約三、五〇〇フィート〕へだてたところに住んでいて、ほとんど毎日のように顔を合わせていた。金髪(ブロンド)の好男子で、その優しいまなざしで、娘っ子達を少なからず、うっとりと夢心地に誘うことだってできた。僕はといえば、彼の落ち着いた態度とか、その冷静な判断といったものに惹(ひ)きつけられていたのだ。

その日、友人は何か気にやんでいる、といったように見受けられた。地面をじっとみつめたまま、興奮した面持ちで、自分の足を鞭(むち)でびゅん、びゅん打ちつけているのだった。ありありと目に見える彼の苦悩の原因を訊(たず)ねたものかどうか、ためらっていると、彼は自分の方から話し始めた。

——今日——彼はいった——つまらんことをしてしまったんだ。

僕は意外に思った。〝つまらないこと〟をしでかすなどということは、彼のようにいつも自分を抑制しているような人間には到底、あり得ぬことだ、と思われたのだ。

——朝っぱらから——彼は続けた——村で火事があったんだ。農家が焼けちまったんだよ……

——それで君が火の中にとびこんだ、とでもいうのかい？……——僕は少し嘲るような調子でいった。

彼は肩をすくめ、僕には少し顔を赤らめたように思われた。だが、落日の閃光が顔にさしていただけなのかもしれない。

——火が燃え移ってしまったんだ——少し経ってから、彼はまた続けた——百姓の屋根裏部屋の大麻に、そして数分後には、藁葺き屋根に。丁度、その時俺は、セー〔ジャン＝バティスト・セー　一七六七—一八三二　フランスの経済学者〕の本に熱中していたところだったんだが、黒い煙の渦と、煙突の裂け目からでてくる炎をみると、野次馬根性がもたげてきて、ぶらぶらと火事場にでかけていってしまったんだ。人々は野良仕事にでていて、僅かな人しか見かけられなかった。二人の女達が、この不運を嘆いていた。そしてオルガン弾きのかみさんが、聖フロリーナ〔火事から守る女神〕の絵を魔除けにして火事を追い払おうとしていた。空のバケツを持って百姓がうろうろと動き回っていた。主人は妻と畑にでてしまっていて、家が閉まったままなのだ、ということを俺は彼等からきいた。

「これが、こういった家屋の建築様式なんだ！……——俺は考えた。——家の中にまるで火薬でもつめこんだようになって燃え落ちていく……」

実に、二、三分の中に、屋根全体が燃えさかる炎に包まれてしまっていた。煙が目にしみてちくちくとさしてきた、そしてその炎が猛烈な勢いで吹きつけてくるので、俺はジャケットを焦がすのではないか、という怖れで二、三歩、後に退かざるを得なかった。

その間に、もっと多くの人々が、鳶口や、斧や水をもって駆けつけてきていた。ある者は、垣根には火の燃え移る何の危惧もないというのに、それをぶち壊し始めていた。他の者たちは、バケツで水を火にぶっかけては、消火しようとしていた。しかしその水は火に届かないうちに、群がり集まってきた人々をびしょびしょに濡らし、一人の女を地面になぎ倒してしまった。俺は、周囲の建物には、全く危険がないと思ったので、彼等には、何の注意も与えなかった。しかし家を救出することはできなかった。

突然、誰かが叫んだ。

「あそこには、子供がいるんだよ、赤ん坊のスタシェックだ！……」「どこに？」——口々に訊いている。「家の中だ、窓の下の捏鉢の中だろう……さあ、窓ガラスを打ち壊すんだ、そうすりゃあ、まだ助け出せるだろうよ……」

誰もしかし行動に移すものはいなかった。屋根の藁は、もう炎の中に燃え落ち、対束は灼熱した針金のようになっていた。

告白すると、このことをきいたとき、俺は胸が異常なほどわななくのをどうすることもできなかった。

「もし誰もいかないのなら——考えた——俺がいく……男の子を救うのに、三十秒あれば足りる。時間は充分にある、だが——何というひどい熱さだ！……」

「さあ、誰かいけよ！——女達が叫んでいる。——おー、お前達は、犬畜生なのか、男と名のる価値はねえぞよ！……」——「そんなに賢こぶってるんなら、手前が火ん中さ、入っていったらどうだよ！——誰かが人だかりの中で悪態をついている。——あそこにいったら死んじまう、子供は雛っ子みてえにか弱えもんだ、もう生きちゃおるまい……」

「えらいことだ！——俺は考えた——誰もいかない、だがまだ俺はたじろいでいる！　しかし——俺の中の理性がささやいた——何が俺をこんな無意味な冒険へとかり立てているのか？　だが子供はどこにいるのだろう？……捏鉢から落っこちてしまっているんじゃないか？……」

梁(はり)という梁はすでに、黒焦の炭になって、鈍い音を立てながら曲がり始めていた。

「しかし、やはりあそこに突入せねば……俺は考えた——一瞬一瞬が貴重なものとなってきていた。しかし子供を虫けらのように焼いてしまってはならぬ。——だが、もう生きてはいないのではないか？……——とつおいつこう自問自答した——もしそうだったらジャケットが勿体(もったい)ないってもんだ……」

と、遠くの方で女の鋭い叫び声がした。

「子供を助けてけれ！……」「あの女をつかまえていろ！……——それに答えて叫んでいる。——火の中に飛びこんでしまったら、もうお終(しめ)えだぞ……」

何かつかみ合いをしている音を自分の背後にきき、そして同じ女の叫び声を聞いた。

「いかせてけれえ！……あれはあたいの子なんだ！……」——「しっかり彼女を胴じめにしてろよ！……」それに答えている。

もう堪(た)えきれなくなって、前へと突き進んだ。熱風と煙が俺を包み、まるで屋根を引きはがすように、ばりばりと音を立てていた、煙突からは煉瓦(れんが)が降り落ちてきていた。髪の毛がちりちりと焼け焦げるのが感じられたので、いまいましい思いで引きさがった。「何という愚かなセンチメンタリズムか——俺はまた考えこんだ——一握りの灰のために己を案山子(かかし)にしようというのか？……そんな安っぽいてだてで、英雄になりたかったのか、と人はいうに違いない！……」

その時、突然、若い娘が農家の方へ走っていきながら俺に一寸触れた。窓ガラスの破れる音を聞いているのをみた。

た、そして突風が煙の渦を包んだ時、俺は彼女が、泥にまみれた足が見える程、身を部屋の中に傾け

「何をしてるんだ、気でも狂ったのか?!――俺は叫んだ――あそこには死骸があるだけだ、子供はもう生きちゃいまい……」――「ヤグナ！　ここにくるんだ！」群衆の中から叫び声が聞こえてくる。

天井が抜け落ち、火の粉が天空に舞い上がっていく。俺は目の前が暗くなっていくのを感じていた。

「ヤーグナ！……」悲しみにくれた声が、何度も繰り返しいっている。

「すぐ！……すぐ！……」娘は、帰り際に俺の脇を走り抜けていきながら答えていた。

目を覚まして大声で泣きわめく男の子を重そうに、両手で抱きかかえていた。

――それで子供はまだ生きていたのかい？――僕がきいた。

――ピンピンしていたよ。

――それで女の子は……子供の姉さんだったのかい？

――とんでもない！――彼はいった――全くの他人さ。どこかまた別の農家の手伝いをしていて、せいぜい十五歳位だよ。

――それで彼女は何ともなかったのかい？

――スカーフと髪の毛を少し焼いてしまっただけだ。ここにくる途中、俺は彼女をみかけたんだが、前庭のところで馬鈴薯(ばれいしょ)の皮を剝いていたよ。そして調子外れに低い声で口ずさんでいた。何か褒め言葉をかけてやりたいと思ったんだが、突如としてこう考えたんだ。他人の不幸に対する彼女の無鉄砲ともいえる熱情と俺の世俗的なことなかれ主義……俺は慚愧(ざんき)にたえなくて、彼女に対して一言もいうことができなくなってしまったんだ。

俺達ってのは、どうせこんなとこだ！……──彼はそうつけ加えるようにいうと、鞭で道端の野草の茎をたち切り始めた。

空には星々が瞬き始め、涼しい風が池の蛙（かえる）のげろげろという鳴き声や眠りにつこうとする水鳥のちっちっという声を運んできていた。いつもこの時間には、二人とも将来の計画について話し合っているのだが、今日は、一言も口をきこうとはしなかった。僕には、あたりの藪（やぶ）がこうささやいているように思われてならなかった。

──お前達ってのは、どうせこんな奴等（やつら）だ！……

ボレスワフ・プルス（一八四七─一九一二）

ポーランドの作家。南東部の町フルビェシュフの、零落したシュラフタ階級の家に生まれる。青年時代に帝政ロシアのポーランド支配に対して起こった一月蜂起（六三）に参加、一時投獄される。その後数学や自然科学の勉強に取り組むが、学資不足のためワルシャワの工場で働く。そのかたわらジャーナリストとして社会評論や探訪記事を発表する。最終的に膨大な量の評論を残した。七〇年代中盤から小説も執筆するようになり、庶民の生活をリアリスティックな視線で描いた。本作「休暇に」は一八八四年の作品。代表作に長編『前哨地』（八六）、『人形』（八七─八九）、『ファラオ』（九五─九六）など。社会奉仕活動にも奔走した。日本では、二葉亭四迷が短編「ミハウコ」（八〇）を「椋（むく）のミハイロ」（一九〇八）として早くも翻訳紹介している。

【訳者】

塚田充〔つかだみつ〕（一九三二―）

作家、翻訳家。早稲田大学仏文科卒業後、ワルシャワ大学ポーランド文学科で学んだ。つかだみちこのペンネームで活動、ヴィスワヴァ・シンボルスカ、チェスワフ・ミウォシュなどの翻訳がある。ほかに諏訪部夏木の筆名でも著作がある。

⇩教科書掲載……（**高校**）

学校図書『高等学校現代文 改訂版』92『高等学校現代文』95

トウモロコシ蒔き

シャーウッド・アンダスン

Sherwood Anderson

橋本福夫 訳

わたしたちの町へやってくる農家の人たちもこの町の生活の一部分なのだ。土曜日は重要な日になる。子供たちが町の高等学校に通っている場合も多い。

ハッチ・ハッチェンスンの場合もそうだ。彼の農場は、町から三マイル離れた所にあって、小さな農場ではあるが、そのあたりではもっとも手入れのゆきとどいた、最善の運営のされ方の農場の一つとして、知られている。ハッチは、ゆがみ節くれだったからだの、小柄な年寄りだ。彼の農場はスクラッチ・グラヴェル・ロード沿いにあるのだが、その方面には手入れのゆきとどいていない農園が多い。

ハッチの農場はきわだっている。住宅にはいつもペンキが塗り直してあり、果樹園の果樹は幹の半ばあたりまで石灰で白っぽくなっているし、納屋やいろんな小舎（こや）には修理がほどこしてあり、畑はいつ見てもこざっぱりしている。

ハッチはもう七十歳に近い。一家の主人としてのハッチのスタートはどちらかといえばおそいほうだった。彼の農場の以前のあるじだった父親は南北戦争に参加し、重傷を負って帰ってきたので、戦争後も長らく生きながらえてはいたものの、大して働けるからだではなかった。ハッチは一人息子だったので家に踏みとどまっていて、父親が亡くなるまでその農場で働いていた。父親の死後、その頃にはハッチはもう五十歳に近かったのだが、四十歳の小学校の女教師と結婚し、夫婦は一人の息子をもうけた。その女教師もハッチと同じように小柄な女だった。結婚後はどちらも土地に密着した暮らし方をしてきた。身につけている服にぴったりからだの合う人たちがいるものだが、この夫婦も百姓生活にぴったり合う人柄らしかった。これはわたしが前から気がついていることだが、結婚生活がうまくいっている人たちには、ある種の共通点があるようだ。そういう夫婦はしだいにおたがいに似かよってくる。顔までが似てくる。

彼らの一人息子のウィル・ハッチェンスンは、小柄ではあったが、ずばぬけてたくましい少年だった。彼もわたしたちの町の高等学校に入学し、町の野球チームのピッチャーをやった。いつも陽気で、ほがらかで、機敏なやつだったので、わたしたちみんなの大のお気にいりだった。

一つには、子供の頃から、彼はおもしろい絵をかくようになっていたからでもあった。あれは生まれつきの才能だった。魚や豚や牛を描いていたのだが、そういう動物の絵がわたしたちの知っている人間に似ていたのだ。わたしはその時まで気がつかなかったのだが、人間は、牛や、馬や、豚や、魚とも、ずいぶん似かよった顔かたちに見えるものらしいのだ。

町の高等学校を卒業すると、ウィルは母のいとこが住んでいたシカゴへ行き、そこの美術学校の学生になった。わたしたちの町出身のもう一人の青年もシカゴにいた。実際にはその青年はウィルよりも二年前に行っていたのだ。ハル・ウェイマンという名前で、その青年のほうはシカゴ大学の学生だった。彼は大学を卒業すると郷里へ帰り、わたしたちの町の高等学校の校長に就職した。

ハルはウィル・ハッチェンスンよりいくつか年上だったし、以前は親しい友人だったわけではないのだが、シカゴでは二人は行動をともにするようになって、一緒に演劇を観にいったりしており、のちにわたしがハルから聞いたところによると、幾度も何時間も話しあったりした仲だったのだそうだ。やはりハルから聞いた話だが、郷里にいた少年の頃と同じように、シカゴでもウィルはすぐに人気者になったらしい。彼はいい顔だちをしてもいたので、美術学校でも女学生たちに好かれていたし、率直な性格の持ち主だったから、あらゆる若い人たちのあいだでも評判がよかった。

彼は毎晩のようにどこかのパーティに出席するようになっていて、すぐに彼の描く独特のおもしろみのある絵が多少は売れだし、金が稼げるようになったとハルは話していた。彼の絵は広告にも使われ、彼はたっぷり報酬を得ていたらしいのだ。

彼は家へもいくらか送金するようにすらなっていた。今までの話からも想像がつくだろうが、ハルは、こちらへ帰ってきてからは、しじゅうハッチェンスン農場へ、ウィルの両親に逢いにいっていたのだ。午後や夏の夕方に、歩いたり自動車に乗ったりして訪れ、両親と一緒に坐りこんでいたわけだ。話題はいつもウィルのことだった。

父親も母親も何よりも一人息子を頼りにしており、しじゅう息子のことを話にもち出し、息子の将来に夢をかけているのには、心をうたれるとハルは話していた。前からこの夫婦は町の人たちと一緒には、近所の人たちとですら、あまり出歩いたりすることのない夫婦だった。しじゅう、朝早くから夕方おそくまで、働いてばかりいる種類の人たちで、ハルの話だと、小柄な老妻が夕飯の支度をしたあとでも、月の出ている夜などには、二人はまた畑へ出て畑仕事をしていることが多かったそうだ。

前にも話したように、その頃にはもうハッチ爺さんは七十歳近くになっており、細君のほうは彼よりも十歳は若かったろう。ハルの話だと、彼がその農場へ出かけてゆくと、いつでも二人は仕事をやめて帰ってき、彼と一緒に坐りこむことにしていたそうだ。どこかの畑で一緒に畑仕事をしていようと、道路にハルの姿が見えると、二人は走って帰ってきたりした。ウィルからの手紙を受け取っていたのだ。ウィルは毎週便りをよこしていた。

小柄な老いた母親も父親のあとから走ってくるのだ。「ウェイマンさん、また手紙が来ましたよ」とハッチが叫び、ついで、すっかり息をきらしていた細君も、「ウェイマンさん、手紙が来ましたよ」と同じことを言うのだった。

すぐにその手紙がもち出され、朗読されることになる。それらの手紙はいつも愉しい内容のものだったとハルは言っていた。ウィルは小さな写生で手紙を飾っていた。彼が出会ったり一緒にすごしたりした人たちや、シカゴのミシガン街の自動車の流れ、四つ角に立っている巡査、急いでオフィス・ビルに駆けこんでゆく若い速記者たちなどを、ユーモラスに描いた絵などもあった。老夫婦はどちらも一度だって都会へは行ったこともなかったので、珍しがり、熱心に眺めた。二人はそれらの絵の説明をしてくれと求め、ハルの話だと、まるで二人とも子供みたいに、彼の思い出せるかぎりの大都会での彼らの息子の生活ぶりを、どんな些細なことでも知りたがったそうだ。彼はいつも老夫婦に、一度その地を訪れてみてはとすすめ、彼らは何時間もその問題について話しあったものだった。

「そんなこと。わしたちにゃ行けはしねえですよ」とハッチは言った。

「行けるはずがねえじゃありませんか」と彼は言った。彼は子供の頃からずっとその小さな農場で暮らし続けてきたのだった。彼が若かった頃には父親は病人だったわけだから、ハッチが何もかもとりしきるしかなかったのだ。農場というものは、正しく運営するとなると、しごく骨の折れるものなのだ。しじゅう雑草とも闘わなきゃならない。家畜の世話をしてやる必要もある。「誰がうちの雌牛の乳をしぼってくれますか?」とハッチは言った。自分か細君以外の人間に、ハッチェンスン家の雌牛を一頭でもさわらせるなどということは、思っただけでも彼の心がいたむらしかった。彼は、自分が生きているあいだは、誰かほかの者に自分のうちの畑のどれかを耕させたり、トウモロコシ畑の手入れをさせたり、納屋の中の家畜の世話をさせたりする気にはなれなかった。彼は自分の農場についてそういった感じを抱いていた。ちょっとひとには説明しにくいことなのだがね、とハルは言った。彼はこの二人の老人を理解している様子だった。

ハルがわたしの家へやってきてその報せ(しらせ)を伝えたのは、ある春の夜、それも真夜中すぎてからのことだった。わたしたちの町には夜間にも鉄道の駅に電信局員を置いてあり、ハルは電報を受け取ったのだった。実際にはその電報はハッチ・ハッチェンスンに宛てたものだったのだが、電信局員はそれをハルのところへとどけたのだ。ウィル・ハッチェンスンが死亡したのだった。というよりも事故死したのだった。これはあとでわかったことなのだが、ウィルはほかの数人の若い人たちとともにパーティに出席していたらしく、そのパーティでは多少は酒も飲んでいたのかもしれない。いずれにしても、自動車が転覆し、ウィル・ハッチェンスンはその事故で死亡したのだった。電信局員はハルにその報せをハッチェンスン夫婦に伝えにいってもらえないかと頼み、ハルはわたしに同行を求めたというわけだった。

わたしはわたしのくるまを出そうと申し出たのだが、ハルはことわった。彼は「歩いてゆこうではないか」と言った。彼は訃報を伝える瞬間をさきにのばしたがっており、わたしにもその気持ちは理解できた。それは早春のことだったのだが、わたしは、黙りこくって歩いたその時の一瞬一瞬を、いまだに記憶しており、木々には小さな葉が開きかかっていたことや、小川を横ぎったことや、月光のせいで水が生動しているように思えたこともおぼえている。わたしたちは先へ進みたくなくて、口もきかずに、ぶらぶらと歩いていった。

やがてそこへ着いてしまい、ハルは農場の住宅の玄関のほうへまわり、わたしは道路に残っていた。どこか遠くで犬が一匹吠(ほ)えているのが聞こえた。どこかの遠くの家で赤ん坊が泣いているのも聞こえた。どうやらハルは玄関にたどり着いてからも、ノックするのをためらい、十分間は突っ立ったままでいたらしいのだ。

やがて彼もついにノックをし、ドアを叩(たた)いている彼の拳がすさまじい音を響き渡らせたような気がした。まるで銃でも発射したみたいだった。ハッチ爺さんが戸口へ出てき、ハルが爺さんに話しかけている声が聞こえてきた。どういうわけでそうなったのかはわたしにはわかる。彼は町からやってくる途中も、ずっと、優しい言い方で老夫婦に伝えるのにいい文句を考え出そうとして、苦心していたのだが、いざその瞬間になると、彼はそのとおりにはやれなかったのだ。彼はだしぬけに何もかもぶっつけたみたいな、ハッチ爺さんの顔にまともにぶっつけたみたいな、かたちになった。

それでおしまいだった。ハッチ爺さんはひとことも口をきかなかった。ドアは開いたままになっており、爺さんは奇妙な長い白いねまきを着て、月光の中に突っ立っており、ハルが訃報を伝え、ドアがまたバタンと閉まって、ハルは立ったままほうっておかれた。

彼はしばらくは突っ立っていたが、やがて道路にいたわたしのそばへ引き返してきた。「さて」と彼は言い、わたしも「さて」と言った。わたしたちは道路に立って見まもり、耳をすましていた。家からは何の物音も聞こえてこなかった。

　そのうちに――十分間くらいだったか、それとも三十分くらいだったかもしれないが――わたしたちは、どうしたらいいかわからず――立ち去ることもしかねて――黙って突っ立って、耳をすまし、見まもっていたわけだが――ハルが「あの夫婦は息子の死を事実だと信じこめるように、自分たちをなっとくさせようとしているんだろうよ」と囁いた。わたしもなるほどそうだろうと思った。あの二人の老人は自分たちの息子のウィルのことを、死と関連させてではなく、常に生と関連させて考えていたに相違ないのだから。

　わたしたちが見まもり、耳をすましていると、やがて、長い時間がたってからのことだったが、ハルが不意にわたしの腕にさわった。「見ろよ」と彼は囁いた。白い物を身にまとった二つの人影が家から出てきて、納屋のほうへ向かった。あとでわかったことだが、ハッチ爺さんはその日畑を鋤きかえす仕事をしていたのだそうだ。納屋のそばの畑は鋤を入れ、まぐわでならす仕事が終わっていた。

　その二つの人影は納屋へ入っていったと思うと、やがて出てきた。二人は畑へ入ってゆき、ハルとわたしはこっそり納屋のほうへ中庭をよぎってゆき、こちらは姿を見られないようにして、これからどういうことが起きるか見ていられる場所に陣取った。

　それは信じられないような光景だった。爺さんは手動トウモロコシ蒔き器を手にしており、細君のほうは種子用のトウモロコシを入れた袋をかかえていて、ああいう報せをうけたその夜に、月光の中で、トウモロコシを蒔きつけているのだった。

　それは髪の毛のよだつような光景だった――いかにも不気味だった。老夫婦はどちらもねまき姿のままだった。彼らは一うねずつ端から端まで蒔いてゆき、納屋のそばの陰の、わたしたちの立っていたすぐそばまで来たりもしたが、一うねの端までたどり着くごとに、柵のそばにひざまずき、しばらくはじっとしていた。すべてのことが沈黙のうちに行われていった。わたしの今までの生涯のうちでも、わたしが何かを理解したのはその時が初めてだったのだが、今ではあの夜に理解したことや感じとったことを、はたして表現できるかどうか、すこぶるあやしい気がしている——それはある種の人々と大地とのつながりに関することなのであって——大地にトウモロコシの種子を蒔きつけていたあの二人の老いた人たちの、大地への一種の沈黙の叫びかけのことなのだ。彼らはまるで地面に死を蒔きつけて、もう一度生を生え出させようとしているかのようだった——だいたいそういった感じだったのだ。

あの老夫婦は大地に何かを求めてもいたにちがいないのだ。だが、わたしがそんなことを言ってみても何の役に立とう？　あの老夫婦が自分たちの畑の中にひそんでいる生命と、自分たちの息子の中の失われた生命とに関連して、何を企てていたのかは、とうてい言葉では明白に表現できるはずもない事柄なのだから、わたしの知っていることといえば、ハルとわたしとは、耐えられるかぎり、あの光景を見まもってはいたものの、ついにこっそり町へ引き返したのだが、ハッチ・ハッチェンスン夫婦は、あの夜、彼らの求めていたものを手に入れたに相違ないのだ。ハルがその翌朝、彼らの息子の遺骸を郷里へ運ぶ打ち合わせをしに、老夫婦に逢いにいった時には、どちらも奇妙なほどもの静かで、自制力を取り戻しているように思えたそうだった。ハルもあの人たちは何かをつかんでいるような気がしたと言っていた。「あの夫婦は自分たちの農場を持っており、ウィルの手紙もまだ持っていて、これからも読めるわけだからね」とハルは言った。

シャーウッド・アンダスン（一八七六—一九四一）

アメリカの作家。オハイオ州カムデン生まれ。貧しい家庭環境で育ち、軍隊生活などを経て、さまざまな業種に携わる。二十四歳のとき、シカゴの広告会社にコピーライターとして勤務。その後、実業家として身を立てたが、神経衰弱によって失踪事件を起こし、事業を放棄する。他方で文筆にのめりこみ、シカゴ文芸復興の作家たちの知遇をえて、一九年に発表した連作短編集『ワインズバーグ・オハイオ』で注目を集める。私生活では四度の結婚をした。南米旅行中、腹膜炎で死去。中西部を舞台にした土着性と登場人物の内面——時に性的な生活をふくむ——に踏みこんだ描写の組み合わせは、フォークナーやヘミングウェイなど後続の作家に影響をあたえた。「トウモロコシ蒔き」は三四年に発表された作品である。

【訳者】

橋本福夫（はしもとふくお）（一九〇六—八七）

アメリカ文学者、翻訳家。三〇年に同志社大学卒業後、パン屋や塾講師などの職業に携わる。戦後は長野県追分に浅間国民高等学校を山室静らとともに設立。専修大学、青山学院大学などで教鞭（きょうべん）をとる。翻訳者としては純文学からミステリまで幅広く手がけたが、リチャード・ライト、ラルフ・エリソン、ジェイムズ・ボールドウィンなど黒人文学の紹介にも力を注いだ。J・D・サリンジャー『キャッチャー・イン・ザ・ライ』を『危険な年齢』の題で初訳（五二）したことでも知られる。

⇩ 教科書掲載……(**高校**)

三省堂『現代文 改訂版』86『現代文 三訂版』89『現代文 四訂版』92

解説

九〇年代——「日本人」とはだれか

収録した尹東柱の詩は、詩人の茨木のり子が著書『ハングルへの旅』の中で紹介したもので、教科書には茨木の評論が抜粋のかたちで採られていました。茨木は七〇年代からハングルの学習をはじめ、やがて韓国の詩の紹介を手がけるようになります。韓国現代詩に日本の読者の目をひらいた茨木の功績は大きく、特に九〇年に発表した『韓国現代詩選』は、「清新なショック」をあたえたと、当時をふりかえって韓国文学翻訳家の斎藤真理子は語っています（斎藤真理子「時代を越える翻訳の生命」茨木のり子訳編『韓国現代詩選〈新版〉』亜紀書房）。なお『韓国現代詩選』からは、姜恩喬の「林」が国語教科書に採録されています（学校図書『中学校国語2』97）。

また在日コリアン二世の歌人李正子の作品も、同時期に筑摩書房の国語教科書に採録されていたものです。尹が朝鮮語弾圧のさなかにあえて朝鮮語で詩を書いた詩人なら、李正子は在日コリアンとして戦後日本で暮らす生きづらさを短歌のかたちにこめた歌人です。

八九年にはやはり在日コリアンである李良枝が「由熙」で芥川賞を受賞しており、あらためて在日コリアンの文学に注目があつまるきっかけになりました。「由熙」は九一年には早くも抜粋が三省堂『高等学校国語1三訂版』に収録されましたが、ほかにも李恢成や李相琴のような在日コリアンによる作品が各社の国語教科書に収録されるようになります。こうしたこともあり、九〇年代から二〇〇〇年代前半は韓国文学や在日文学が国語教科書で「ブーム」になっていた時期と言えそうです。

しかしこのような「ブーム」の前には、八二年より使用予定だった筑摩書房の教科書『国語Ⅱ』への検定で、在日コリアンの作家・高史明によるエッセイ「失われた私の朝鮮を求めて」が、文部省（当時）から「長すぎる」などの意見がつけられ、結果出版社側が削除するという出来事がありました。戦前の日本による植民地支配と日本語教育についてつづったこのエッセイの削除については全国紙でも取り上げられ、議論を呼びましたが、そのような前史を踏まえたうえで、教科書関係者が採録に知恵をしぼったすえに生まれた九〇年代の「ブーム」と言えそうです。ただし、二〇〇〇年代後半以降は在日文学や韓国文学の採録はめっきり減り、あまり収録されなくなってしまった点は明記しておく必要があります。二〇〇二年にはサッカーのワールドカップが日韓で共催され、隣国への関心が高まったにもかかわらずのことでした(しかし、二三年度より使用されている筑摩書房『文学国語』で尹の詩は「復活」しました)。

また九〇年代は冷戦が終結し、国際秩序が激変した時代でもありました。いわゆる「東欧」の国々では社会主義政権が倒れ、民主化がすすみました。チェコ(九二年まではチェコスロバキアという国でした)のカレル・チャペック「切手蒐集(しゅうしゅう)」やポーランドのボレスワフ・プルス「休暇に」の採録は、原作の書かれた年代こそちがいますが、ある程度そういった国際情勢を反映したものと言うことができるでしょう。八九年に改正された学習指導要領(高校・国語)では、「内容の取扱い」として「広い視野から国際理解を深め、日本人としての自覚をもち、国際協調の精神を高めるのに役立つこと」と新たに定められていました。実際、指導書では「最近の東欧情勢など国際政治面の変化は、高校生にも必要な認識」だとしめされていました(学校図書『高等学校現代文 教授資料』92)。チャペックの作品ではほかにも「あて名のない手紙」、「飛ぶことのできた男」などが教材化されていますが「切手蒐集」が一番長く使われた作品で、なにかを蒐集する点、子ども同士の友人関係がテーマになっている点、大人になってから過去をふり返っている点など、どことなくヘルマン・ヘッセの「少年の日の思い出」を思わせる内容ですが、読後感はこちらのほうが明るいです。

シャーウッド・アンダスン「トウモロコシ蒔(ま)き」では、南北戦争で負傷して帰ってきた父親が残した農園をずっと守ってきたハッチは、五十近くになってもうけたひとり息子ウィルを大切に育て、大都会シカゴの美術学校まで出してやります。南北戦争を太平洋戦争におきかえてやれば、こういった家族の光景も戦後の日本では普通に見られたことでしょう。本作品がはじめて採録されたのは八六年ですが、八〇年代から九〇年代には中学校や高校で学んでいたのは戦争経験者のまさに孫の世代だったと言えそうです。

九〇年代にはじめて採録された外国文学作品に、ティム・オブライエン「レイニー河で」「待ち伏せ」、テネシー・ウィリアムズ「ガラスの少女像」、ウィリアム・サローヤン「ディア・ベイビー」「冬を越したハチドリ」、O・ヘンリー「二十年後」、ディーノ・ブッツァーティ「急行列車」、ル・クレジオ「時は流れない」、バルラジュ・コマル「井戸」、トーベ・ヤンソン「猫」、ガブリエル・ガルシア=マルケス「光は水のよう」、リヒャルト・デーメル「雨のあと」、ルイ・アラゴン「明日のために」などがあげられます。

(秋草)

読みものとしての「手引き」

Column 02

一　この小説の構想について研究し、話しあおう。
二　この小説のテーマは何か、またそれはどういうことをわれわれに考えさせるか。
三　この小説のやまはどこか、また、そこまでどのようにして読者を引っぱっていっているか。
四　他のモーパッサンの小説、たとえば「首飾り」「聖水授与者」等を読み、その主題・構想等について研究し、発表せよ。

現在の手引きとは、言葉遣いからして雰囲気が異なっている。小説の「やま」を読むというのは、今であれば「クライマックス」とか「山場」などというところだろうが、古い教科書にはこの言い方がよく出てくる。「研究」といった言葉も、現在の教科書では全くといっていいほど出てこない。当時と現在とでは高校進学者の数も大きく異なるし、旧制高校的な教養主義の雰囲気が、設立後間もない新制高校にもある程度共有されていた。

「首飾り」や「聖水授与者」といった、モーパッサンの他の作品を複数読む活動（現在の教科書の手引きなら、せいぜい一作品だろう）も注目される。この頃の外国文学教材の位置づけは、読者を世界文学の読者たらしめることを到達点としており、「ジュール伯父」は読者が世界文学の読者た

国語教科書の教材には、学習の手引きという課題が付されている。戦前の国語教科書は名文や名作のアンソロジーであり、教材を用いて教師がその内容を教えることが国語の授業だった。戦後、アメリカの民間情報教育局（CIE）の指導が入り、教材を通して何を学ぶかという観点から教科書が編まれるようになる。学習の手引きは、そうした国語教育の枠組みの変化の結果生み出されたものである。

教材を複数集め、学習目標などを設定したまとまりを単元と呼ぶが、単元を通して到達すべき学習目標から逆算されて学習の手引きは作られ、学習目標は時代時代の学習指導要領と対応している。したがって、学習の手引きを読むと、教材採録の理由や教材の組み合わせの意図、教科書会社の個性や当時の国語教育観などが見えてくる。過去の教科書を手にとってみると、教材本文以上につい読みふけってしまうのが、学習の手引きなのである。

ここでは、モーパッサン「ジュール伯父」の手引きを、古い時代のものと新しい時代のものとで比べてみたい。同作は一九五三年から九九年まで、断続的に約五〇年にわたって採用された外国文学教材だからである。

まずは、五三年『高等国語（三下）』（大修館書店）収録の「ジュール伯父」の学習の手引きを見てみよう。

るための入り口とされているのである。

学習活動からは、四七年版の学習指導要領が目指した単元学習や経験主義の影響も見てとれる。「テーマ」や「やま」について生徒自身に「考え」させ、「構想」について「話しあ」う活動が取り入れられている。発信型であるというだけでなく、言葉の構築物としての小説を自ら考えて理解し、言語運用能力を伸ばすという、主体的な言葉への関わり方が想定されているのだ。

一方で、「小説の構想」について高校生が「研究」し、「話しあ」う活動が教室で活発に展開されたかどうかには疑問符がつく。問われている課題も大づかみなものであり、いきなりこうした問いを問われても、生徒がとまどった可能性も大いにあるだろう。後年の教科書の手引きのように、生徒の学習実態を踏まえた問いを設定するという意識はまだ薄かったと言える。

これが、九九年の第一学習社『高等学校改訂版現代文1』だと、次のように大きく様変わりする。

学習一

一　この作品の構成の特徴をあげてみよう。

二　「僕」と、両親をはじめとする大人たちの、ジュール伯父に対する気持ちを、次のそれぞれの時点ごとにまとめてみよう。また、その気持ちの根底にあるものは何か、考えてみよう。

1　ジュール伯父の帰国を待ち焦がれていたころ

2　船中でジュール伯父に会ったとき

3　会ってからいくらかたった今

三　次のそれぞれのものは、作品全体の中でどういう役割を果たしているか、考えてみよう。

1　五フラン銀貨

2　フロックコート

3　牡蠣(かき)

四　この作品の主題について話し合ってみよう。

学習二

一　この作品の「あらすじ」を、二百字程度で書いてみよう。

二　「世の中では、結果のみが、行為の重大性を決定する」（二九九・9）という考え方に対する自分の意見を、四百字程度でまとめてみよう。

全体に、小説を読み解く過程を逐一導く細かな問いが設定されている。「構成の特徴」を挙げて筋の変転を押さえ、大人たちの「気持ち」を時系列に沿って整理し、心理と物語の流れを理解する。さらに「五フラン銀貨」や「牡蠣」など「もの」の役割を考えて細部に注目し、「主題」を考え小説全体の読みを統合する流れである。教える側からすれば、この問いを順番にこなせば一通りの読解の授業になるわけで、こうした変化には教職志望者や学校教育の社会的位置の変質、教師の多忙化など、様々な要因が絡み合って反映していると言える。

「話し合ってみよう」といった発信型の活動は従来からあるものだが、学習二では書く活動が課され、しかも「世の中では、結果のみが、行為の重大性を決定する」という一節について、「自分の意見」を書く活動が課されている。ここには、七七年版学習指導要領で強調された、「思考力」の育成という提言が響いているだろう。

実際、六五年の『国語　現代文三』（教育図書研究会）は同じ「世の中では……」の一節を取り上げつつ、「この文章を、ジュールおじにあてはめて説明しよう」と問うており、あくまでも作品そのものの読解に収斂させていた。翻って、九九年版の手引きは、作中の命題を実生活の中で捉え直し、小説の世界を現実世界へ接続する課題になっている。国語という科目が、教室空間の外へ広がっていくべきものと捉えられているのである。

だが、九九年版の手引きの最大の特徴は、作中の記述に根拠を見出し、分析的に導ける問いだという点に求められるだろう。一般に同一教材の学習の手引きは過去のものを改良して作られるが、たとえば学習一・三の「もの」の役割を問うという記述に沿った分析的な問いは、後年になってから新たに付加されたものである。

より古い時代の教科書を見ると、「この小説の構想のおもしろさはどこにあるか」（『高等国語四訂版二』三省堂、59）、「この小説に描かれている人生から、どんな感じを受けるか。共感できるかどうか」（『中学校国語三』学校図書、66）と、生徒がどう感じるかを問う課題が頻出している。この二つの教科書では「ジュール伯父」は小説の「鑑賞」の単元に位置づけられているのだが、「鑑賞」は長年にわたって国語教育の重要なキーワードだった。作品の美的な部分を主観的に「鑑賞」し、文学作品としての核を読者が享受するという姿勢が、文学研究や国語教育で大いに重視された時代があった。

だが、そうした「鑑賞」の過程を、教師が客観的な基準で判断し評価することは難しい。こうして、「鑑賞」の指導は徐々に下火になっていく。代わりに、客観的な読解方法や、言語の運用能力を育てるべきだという国語力観が、戦後長い時間をかけて議論され、定着していく。九二年には日本言語技術教育学会が発足し、客観的で科学的な読みの方法を教えるべきという考え方が改めて強調された。最新の国語教科書の手引きでも、読むための「方法」をキーワード解説するなど、客観的な技術を教える方向性は強化されている。学習の手引きにはこのような国語教育観の変化も反映されることが多い。

こうした変化を一概に発展と括ることはできないだろうが、社会の様々な要素が手引きを時代に合ったものへと変貌させてきたことは確かである。「ジュール伯父」が五〇年にわたり掲載されてきたことは、ただ同じ教材が載り続けていたことを意味しない。教科書で扱われる作品は同じでも教材は生きており、時代の力と押し引きしながら常に変化していくのである。

（戸塚）

第3章

八〇年代

夢

ラングストン・ヒューズ
Langston Hughes

木島始 訳

しっかり夢を守るのだ
なぜなら　もしも夢が死んだなら
いのちは　飛ぶことのできない
翼の折れた鳥だから

しっかり夢を守るのだ
なぜなら　もしも夢が消えさると
いのちは　雪で凍りつく
草木の生えない野原だから

ラングストン・ヒューズ（一九〇二―六七）

アメリカの詩人。ミズーリ州出身。コロンビア大学中退後、船員など職を転々としながら詩作を行う。ワシントンのホテルで働いていたときに詩人ヴェイチェル・リンゼイに才能を認められ、アフリカ系アメリカ人の文化運動ハーレム・ルネサンスの中心的存在になる。詩集に『晴着を質屋に』（二七）、『黒人街のシェイクスピア』（四二）、『驚異の野原』（四七）、『片道きっぷ』（四九）など多数。黒人としての意識から、生活の悲哀をブルースやジャズ、方言を取り入れた自由詩で描いた。また民衆に連帯や政治意識の目覚めを訴えかけ、五〇年代には赤狩りの標的にされたこともある。著作には詩のほかに自伝や小説もある。「夢」は二三年初出、詩集『夢の番人』（三二）に収録された。ほかのヒューズの詩同様、曲をつけて歌われることもある。

【訳者】

木島始（きじまはじめ）（一九二八―二〇〇四）

詩人、米文学者。東京大学卒。在学中から左翼的な詩誌『列島』に加わる。五三年『木島始詩集』刊行。専修大学、法政大学などで教鞭（きょうべん）をとる。詩のほかに児童文学や評論、作詞、翻訳といった分野でも活躍した。五二年、ヒューズの共編詩集を『ことごとくの声あげて歌え』として翻訳刊行。以降ヒューズの作品を数多く翻訳し、ヒューズ自身とも文通によって交流した。

⇩教科書掲載……（中学）
光村図書『国語 一』84

夏の読書

バーナード・マラマッド
Bernard Malamud

加島祥造 訳

ジョージ・ストヨノーヴィチはこの近所の少年であるが、十六歳になったとき、衝動的に高校をやめてしまった。そしてその後は職をさがすと、高校を出たかときかれていいえと答えねばならず、そのたびに恥ずかしい思いをしたが、けっして学校にもどろうとはしなかった。今年の夏は就職難で、仕事が見つからなかった。なにもすることがなかったので、夏季学校へでもゆこうかと思ったが、そこでは同級になる子供たちが小さすぎた。夜間の学校にはいってみようかとも考えたが、先生にあれこれ指図されるだけでも気が進まなかった。教師は自分を尊敬して扱ってくれないものだ、ときめこんでいたのだ。その結果は、ろくに町にも出ずに、ほとんど一日じゅう家にばかりいた。年はもう二十歳(はたち)近かったから、女友達と遊びたい年頃だったが、そうするだけの小遣い銭がなかった。ときおり数セント手にはいるだけなのだ、なにしろ父親が貧しかったからだ、それに二十三歳の姉もいて、彼に似て背が高くやせていて、名はソフィと言ったが、彼女も自分のわずかばかりの収入をしっかり握って離さなかったからだ。母親は死んでいたから、彼女が一家を切りもりせねばならなかった。

朝もごく早くから起きて父親は魚市場へ働きに出かける。ソフィは八時ごろ家を出て、地下鉄に長いこと揺られたあとでブロンクス区にある食堂へゆく。ジョージは自分ひとりでコーヒーを飲み、後は家のなかでぶらぶらしていた。家は肉屋の二階にある五部屋の安アパートであり、それが彼の神経をいらつかせると、掃除を始める――ぬれたモップで床をふいたり、あちこち片づけたりした。だがほとんどは自分の部屋にすわっていた。午後には野球放送を聞いた。さもないときは、ずっと以前に買った『世界年鑑』をいくつかとりだした。彼はこんなものや、それにソフィが持ちかえる新聞や雑誌を読むのが好きだった。彼女はそれらが食堂のテーブルに残されていると、家に持ちかえってくるのだった。雑誌はどれも映画スターやスポーツ選手の写真ばかりあるものだったし、新聞も『ニューズ』や『ミラー』といった低級なものだった。ソフィ自身も、目についたものはなんでも読んだが、ときにはよい本も手にした。

一度、彼女はジョージに、一日じゅう自分の部屋でなにをしているのだとたずねた、すると彼は自分もうんと読書してるのだと答えた。

「あたしが持って帰ってくるもののほかに、どんなものを読むのよ？　あんたは値打ちのある本を読んだことあるの？」

「すこしはね」とジョージは答えたが、それは本当ではなかった。前にソフィの持っている本を一、二冊読もうとしたことがあったが、どうしてもその気になれずに終わっていた。このごろでは作り話には我慢できず、癪にさわるばかりだった。彼は自分にもなにか趣味があればいいと思っていた――子供のときから大工仕事が得意だったが、そんな仕事をやれるようなところはどこにもなかった。ときおり、陽のあるうちに散歩へ出かけたが、たいていは熱い太陽が落ちてしまって街が涼しくなってから出かけた。

夕食をすますと、ジョージは家を出て近所をぶらつく。むし暑い晩だと店の主人や細君たちは店の前の傷んだ熱い舗道に椅子を持ちだしてすわって息をいれたりしていて、ジョージはそんな連中の前を通りすぎた。菓子屋の角のあたりには幾人かの若い連中がたかっていた。そのなかの二、三人は彼もずっと前から知っていたが、別に口をききあう仲ではなかった。彼は特別にゆく所はなかったから、近所をうろついたあとですこし足を伸ばして公園にゆく——そこは最後の楽しみにしている場所で、薄暗い照明のある小さな公園である。ベンチや木立や鉄の柵があって、どこかしら自分ひとりで独占しているような感じがある。ここのベンチに腰をおろし、繁った木立や柵のなかに咲いている花などをながめながら、将来のもっとよい暮らし方を考える。自分が学校をやめてからついた種々の仕事のことも考えた——配達人、倉庫係、集金人、最後は工場での職工——そしてそのどれもが彼には不満だった。自分もいつかはよい仕事について、並木のある通りに面したポーチつきの家に住みたい、と思った。ポケットにはいつでも何か買えるだけの金があり、いっしょに出かけられる女友達があればいい、そうすれば、とくに土曜の晩など、こんなに寂しい思いをしないですむと考えた。みなが自分を好きになり尊敬してくれればいいなあと思った。しじゅうこうしたことを思っていたが、とくに夜になって独りきりでいるときがそうであった。十二時ごろ、彼は立ちあがって、自分のいる地区、暑くて無表情なあたりへもどってくるのである。

あるとき、ジョージは散歩の途中で、仕事からひどく遅くなってもどってくるカタンザラ氏と出会った。酔っているのかと思ったが、すぐにそうではないとわかった。カタンザラ氏はずんぐりした体をした禿げ頭の人で、ＩＲＴ線地下鉄の駅の切符売場に勤めているが、ジョージの家から一ブロックむこうの、靴直し屋の二階に住んでいる。暑い季節のあいだ、夜になると、この人はシャツ姿で家の前の石段にすわり、靴直し屋の窓からくる明かりで高級な『ニューヨーク・タイムズ』紙を読んでいる。はじめのページからしまいまで読み通し、それから寝にゆく。彼が新聞を読んでいるあいだじゅうずっと、彼の細君は——白い顔をした肥ふとった女だが——だぶつく胸の下に太い白い腕を組んで窓枠にのせ、窓べから身をのりだし、街路を見つめている。

ときどきカタンザラ氏は酔って帰ったが、おとなしい酔い方だった。騒ぎを引き起こしたことはなく、ただぎごちない歩き方で通りをやってくると、ゆっくり石段を登って玄関にはいる。酔ってはいてもふだんとおなじようで、ただ歩き方がぎごちなく、静かで、そして眼めがぬれているだけだ。ジョージはカタンザラ氏が好きだった、というのも自分がまだ小僧っ子のころ、氏がよくレモン・アイスを買えといって五セントくれたのを覚えていたからだ。カタンザラ氏はこの近所の連中と違ったタイプの人だった。ジョージに会ったときも他の連中のしないような質問をするし、新聞に出ていることならなんでも知っているようだった。あの肥った病気の細君が窓からながめているあいだに、彼はそんな記事を読むのだ。

「ジョージ、今年の夏はなにをしておるのかね?」とカタンザラ氏はたずねた。「夜になると、よく歩きまわっているのを見かけるが」

ジョージはすこし困った気持ちになった。「散歩が好きなもんだから」

「じゃあ、昼間はなにをやっておるね?」

「いまのところ、ほとんどなにもしていないんです。仕事を待ってるところなんでね」自分が働いていないと白状するのが恥ずかしかったので、ジョージは言った、「家にいるんです——だけども教育をつけようと思って、うんと読んでるんですよ」

カタンザラ氏は興味ありげな色を浮かべた。暑そうな顔を赤いハンカチでふいた。

「なにを読んどるのだね？」

ジョージはためらった、それから言った、「前に図書館に行ったときに読む本のリストをもらったんです。それでその本をぜんぶこの夏は読んでゆくんです」彼はこう言いおわると、気まずい情けない気持ちを感じた、しかし彼はカタンザラ氏には自分を偉くみせたかったのだ。

「そのリストにはいくつぐらいの本があるんだね？」

「数えたことないけど。でも百ぐらいかな」

カタンザラ氏は歯の間からひゅうと音をさせた。

「もし、やりとげたらですね」とジョージはまじめくさって言った、「これは自分の教育のたしになると思うんです。高校で受ける教育とは違った意味でですよ。ぼくは高校でうけるのとは違ったことを知りたいんです。ぼくの言う意味、わかると思いますけど」

切符売りはうなずいた、「それにしても、百冊の本といえば、ひと夏で読むには大仕事だなあ」

「もうすこし長くかかるかもしれないけど」

「幾冊か君が読んだら、君とわしとでそのことについて駄弁（だべ）ろうじゃないか、ええ？」とカタンザラ氏は言った。

「全部読みおわったら、そうしましょう」とジョージは答えた。

カタンザラ氏は家にかえり、ジョージは散歩をつづけた。その後、自分に読書をうながす気持ちはあったが、しかしジョージは相変わらず以前とおなじことしかしなかった。やはり夜の散歩をやり、終点はあの小さな公園だった。しかしある晩、通りひとつむこうの靴直し屋が彼を呼びとめて、君は感心な若者だと言った、それでジョージはカタンザラ氏が、自分の読んでいる本のことについてすっかりおしゃべりしたな、と見当をつけた。その靴屋から、街の向こうの方まで話は伝わっていったにちがいない、なぜなら、直接に話しかけようとはしないにせよ、二、三人のひとがジョージを見て微笑(ほほえ)みかけたからだ。彼はなんとなしこの近所が感じよくなり、前よりも好きになった。もっとも、ここに永久に住みつこうと思いこむほど好きになったのではない。前から彼はこのあたりの人たちを毛嫌いしなかったが、そうかといって非常に好きだとも言いきれなかった。これはこの近所の環境のほうが悪いのであって、彼のせいではなかった。彼の驚いたことに、父も姉も彼の読書計画のことを知っているのだった。父のほうは気恥ずかしくてそのことを口にも出せなかった――だいたいが生まれつき無口のほうでもあった――しかしソフィは前よりも優しくなった、そしてほかのことにかこつけて自分が弟を自慢にしていることを示した。

夏が深まるにつれて、ジョージは万事について気分が良くなるのを感じた。ソフィのために家のなかをきれいにしてやり、野球放送も前よりも楽しんだ。ソフィは彼に週一ドルのお小遣いをくれた。そしてこれはまだ十分ではないし用心して使わねばならなかったが、ごくたまに二十五セントあるきりだったころと比べれば、ずっとすてきだった。この一ドルをなにに使ったかといえば、ほとんどは煙草(たばこ)であり、ときにビールとか映画の切符であったが、それでもすっかり楽しかった。生活というものは感謝して味わう方法を知れば、そう悪くないものだ。ときおり彼は売店でポケット判の安い本を買った、そして部屋にそんな本を置いておくのはいい気持ちだったが、しかしまるで読もうとはしなかった。ただしソフィの持ってくる雑誌や新聞は隅から隅まで読んだ。そして夜がいちばん楽しめる時間なのだった、というのは靴屋の前を通るとき、店の前にすわっている人々が彼を尊敬していると手にとるように感じとれたからだ。彼は背を伸ばして歩いた、そしてこの人々とはあまり口をきかず、むこうでもそうではあったけれども、みなが彼を大いに認めていることはよく知っていた。二、三度は、あんまり気分がよかったので最後の公園の部分を省略したりした。そして近所だけをうろついたのだが、このあたりの人々は、彼が草野球のあるときはいつもやっていた子供時分から、彼をよく知っていた。そこらあたりを歩きまわった後、家に帰ってくると、いい気分で服を脱ぎベッドに行った。

この数週間のあいだに、彼はカタンザラ氏とはただの一度だけ口をきいた、そしてそのときこの切符売りは本についてなにもいわずなんの質問もしなかったが、相手の沈黙はジョージにすこし不安な気持ちを与えた。しばらくのあいだ、ジョージはカタンザラ氏の家の前を通らなくなった、ところがある夜、ついうっかりしていつも通る道とは違った方角からそこへ近づいてしまった。もう十二時を過ぎていた。通りには、ひとりふたりの人のほか、人っ気はなかった、そしてジョージはカタンザラ氏が頭上の街燈の明かりでまだ新聞を読んでいるのを見て驚いた。最初、彼は石段のところで立ちどまって氏と話したいと思った。自分がなにを言いたいかわからなかったが、しかし話しだせば言葉は口から出てくるだろうと思った。だが考えるにつれて、ますます氏と口をきくのが恐ろしくなり、やめようと決心した。別の道から家へ帰ろうとまで考えたのだが、しかしそうするにはカタンザラ氏の近くに来すぎていて、もし自分が逃げ去るのを見たら、カタンザラ氏はいやな気がするかもしれなかった。そこでジョージは目だたぬように道路を横切った、まるでむこう側にある店のウインドーに興味を感じたかのようなふりをして、事実そのウインドーをのぞきもし、それから自分のしていることにビクついて歩きつづけた。カタンザラ氏がいまにも目を上げて自分を見はしまいか、道の反対側なんぞ歩いてきたないやつめと怒鳴りはしまいか、と恐れた、だが氏はただそこにすわっているだけだった、汗をにじませた下着だけの姿で、街燈の薄明かりに禿頭(はげあたま)を光らせて『タイムズ』紙を読んでいて、その頭上では彼の細君が窓から身をのりだしていて、まるで夫とともにおなじ新聞を読んでいるかのようだった。ジョージは彼女が自分を見とめてカタンザラ氏に大声で知らせはしまいかと思ったが、彼女は夫のほうから目を離そうとしなかった。

ジョージは廉価本を二、三冊読みあげるまでは、あの切符売りから遠ざかっていようと心にきめた、しかし読みはじめて、そのどれもが小説だと知ると、興味を失ってしまい、それ以上はつづけなかった。それに彼はほかの読みものにも興味を失ってしまった。ソフィの雑誌や新聞は読まれぬままに放っておかれた。彼女はそれらの束が彼の部屋の椅子に積みあげられているのを見つけ、どうしてそれを読まないのかとたずねた。ほかに読むものがあるからさ、と彼は答えた。あたしもそのせいだと想像していたわ、とソフィは言った。それでジョージは一日じゅうほとんどラジオをつけっぱなしにしていた。人間の声に聞きあきると、音楽に切りかえた。家をさっぱり片づけておいたから、掃除を忘れた日でもソフィは文句を言わなかった。彼女は相変わらず親切であり、例の特別の一ドルをくれつづけた、ただしジョージとしては以前ほどにすべてが気分よいわけではなかった。

だが考えてみれば、けっこう満足はできる現状であった。それに、昼間は気分の晴れないときでも、夜の散歩がいつも元気づけてくれた。それからある晩ジョージはカタンザラ氏が舗道をこっちへやってくるのを見た。ジョージは回れ右をして逃げだそうとしたが、しかしカタンザラ氏の歩き方から氏が酔っているとわかった。酔っているんなら、こっちには気がつきさえしないかもしれない。そこでジョージはまっすぐ歩きつづけてカタンザラ氏のすぐ前までできた。すっかり緊張していていまにも宙に飛びあがらんばかりだったが、それでもカタンザラ氏が顔も体もこわばらせて、ゆっくりと言葉もなしに自分の右横を通りすぎたときには、やっぱり思ったとおりだと考えた。うまくやり過ごしたのでほっと安堵(あんど)の息をもらしたとたん、彼は自分の名を呼ぶ声を聞いた、そして気がつくとカタンザラ氏がすぐそこに立っていて、ビヤ樽(だる)の中味みたいなにおいをさせていた。ジョージを見つめているその眼は哀(かな)しげであり、ジョージはまったく間(ま)がわるい気持ちになってしまって、できればこの酔いどれを突きのけて歩き去ってしまいたいような気になった。

しかし彼はこの人にたいしてそんな態度をとれなかった、おまけに、カタンザラ氏はズボンのポケットから五セント銅貨をとりだしてそれを彼に手渡したのだった。

「ジョージ、レモン・アイスでも買いなよ」

「もうそんな年じゃないですよ、カタンザラさん」とジョージは言った、「ぼくは大人だから」

「いいや、大人なもんか」とカタンザラ氏は言い、それにたいしてジョージはなんの返答も考えつかなかった。

「君はあのたくさんの本をどれくらい読めたかね?」とカタンザラ氏はたずねた。しゃんと立っていようと努めているのだが、やはり体はふらついていた。

「まあ、うまくいってるようです」とジョージは言い、自分の顔が赤くなってゆくのを感じた。

「あまり自信がないようだな、ええ?」切符売りはいたずらっぽい微笑をしたが、ジョージは彼のこんな笑い方をしたのははじめて見たのだった。

「自信ありますとも。ちゃんと読んでるんですよ」

カタンザラ氏の頭はかなりぐらついていたが、その眼はしっかりしていた。それはこちらであまり長く見ているると痛くなるような小さな青い眼であった。

「ジョージ」と彼は言った。「あのリストのなかでこの夏に読んだ本をひとつだけ言ってごらん、わしはおまえのために乾杯するでな」

「ぼくはだれにも乾杯なんかしてもらいたくないですよ」

「一冊だけ名を言ってくれんかね、そしたらこっちも質問できるからな。もしかすると、それはわしだって読みたくなるような本かもしれんしな」

ジョージは自分が外面だけは普通だが内側はばらばらになってゆくのを感じた。

答えることができぬまま、彼は目を閉じた、そしてまた眼をあけたとき——それは幾年も過ぎたあとのような感じだった——彼はカタンザラ氏が、不憫な気持ちから、立ち去ってしまっていたのを知った、しかし彼の耳には氏が立ち去るときに言った言葉がまだ響いていた、——「ジョージ、わしのしたような間違いをするんじゃないよ」

つぎの晩、彼は自分の部屋を出るのがこわかった、そしてソフィがあれこれ言ったけれども、ドアをあけようとしなかった。

「そこであんたなにをしているのよ?」と彼女はたずねた。

「なにも」

「本を読んでるの?」

「いいや」

彼女はちょっと黙りこみ、それからたずねた、「あんた、読んだ本をどこにしまっておくの? あんたの部屋にはくだらない本がすこしあるきりで、ほかには見当たらないみたいだけど」

彼は話そうとしなかった。

「それなら、あんたはあたしが苦労して稼ぐ一ドルの値打ちもない人よ。あんたのために一生懸命になって損したわ。さあ出ておいでよ、そして仕事でもめっけなよ」

彼はほとんど一週間も自分の部屋に閉じこもった。ただだれもいないときに台所へ忍びこむだけだった。ソフィは彼をののしった、それから、出てきておくれと頼んだ、そして年寄りの父は泣いた、しかしジョージは動かなかった、ひどい陽気で、彼の小さな部屋は窒息しそうだったが、出てゆかなかった。ひと息ごとに肺のなかに炎を吸いこむようで、呼吸するのさえ楽ではなかった。

ある夜、これ以上は熱さに耐えられなくなって、夜中の一時に街へ飛びだした——彼自身の影のようなやせた姿。だれにも見られずにあの公園までそっと行きたかった、しかし近所にはあちこちに人が出ていて、ぐったりと大儀そうに、夜のそよ風がくるのを待っていた。ジョージは眼を伏せたまま、恥ずかしい気持ちで、彼らをさけて歩いていったが、しかしほどなくこの人々がまだ彼に好意的であるのを知った。カタンザラ氏が彼の嘘をまだだれにも話していないのだ、と彼は推測した。それともカタンザラ氏はつぎの朝の酔いからさめたとき、ジョージと会ったことなどすっかり忘れてしまっていたのかもしれない。ジョージは自分への自信がすこしずつもどってくるのを感じた。

そのおなじ晩に、町の角にいた一人の男が彼に、君はうんとたくさんの本を読みおわったというが本当か、とたずねた、そしてジョージは本当だと答えた。その人は、君の年頃でそんなにうんと読むなんてすばらしいことだと言った。

「うん」とジョージは言った、しかし彼はほっとした気持ちだった。これ以上はもうだれも本のことを口にしないだろうと考えたからである、そして二、三日後になって、偶然にまたカタンザラ氏に出会ったときには、この人もそれを口にしなかった——じつをいえば、彼が本をすべて読み終えたという噂をひろめたのはこの人にちがいない、とジョージは想像していたのであるが。

秋になったある夜、ジョージは家を出ると、幾年も行ったことのなかった図書館へと走っていった。そこには、見まわす所どこにも本があった。そして内心の震えるのを抑えるのに骨折ったけれども、容易に百冊の本を数えあげると、それからテーブルの前にすわって読みはじめた。

バーナード・マラマッド（一九一四—一九八六）

アメリカの小説家。迫害を逃れてきたユダヤ系ロシア人移民の両親のもと、ニューヨークのブルックリンに生まれる。ニューヨーク市立大学卒業後、コロンビア大学大学院に進学。オレゴン州立大学コーヴァリス校、ベニントン大学で教鞭をとった。長編『ナチュラル』（五二）で実質的なデビュー。長編『アシスタント』（五七）で注目を浴びるが、真に評価が高いのは短編小説家としてである。ユダヤ的な問題意識が根底にありながら、それを普遍化し、人間一般の生活の苦悩を描いた。「夏の読書」は五六年発表、全米図書賞を受賞した第一短編集『魔法の樽』（五八）に収められた。本作品は様々な訳者の手によって訳され、戦後に限ればもっとも訳文のヴァリエーションのあるアメリカ文学作品のひとつと思われる。

【訳者】加島祥造（かじましょうぞう）（一九二三—二〇一五）

アメリカ文学者、詩人。早稲田大学卒業。カリフォルニア大学クレアモント大学院修了。横浜国立大学、青山学院女子短期大学教授など歴任。四七年、田村隆一や鮎川(あゆかわ)信夫らと同人誌『荒地』に参加。壮年期に老子に傾倒し、その思想を現代詩に落としこんだ作品を発表。翻訳家としてはリング・ラードナーやフォークナーなどアメリカ文学を中心に訳書多数。一ノ瀬直二の筆名でも活動していた。

⇩教科書掲載……(高校)

角川書店『高等学校現代国語 二』74『高等学校現代国語 二 改訂版』77『高等学校総合国語 1 四訂版』91(繁尾久訳)／学校図書『高等学校国語2』83『高等学校国語2 改訂版』86(収録タイトル：「ひと夏の読書」西川正身訳)／第一学習社『高等学校 新現代文』96『高等学校 改訂版 新現代文』00

美人ごっこ

ユーリイ・ヤーコブレフ
Юрий Яковлев

宮川やすえ 訳

子どものころぼくたちは、キャラバン通りでは埃だらけの疲れたラクダが、鈴を鳴らしながらゆっくり歩いて通り、イタリア人街には髪の毛の黒いイタリア人が住んでいて、キス橋の上では通る人がみんなキスをするものだと思っていた。それから、それは名前だけで、キャラバンもイタリア人もいないことがわかったばかりか、今では町もすっかり名前が変わってしまった。けれどもキス橋だけは、むかしどおりのキス橋だ。

子どものころ、ぼくたちのアパートの中庭は、ざらざらの石で舗装されていた。石は出っぱったり引っこんだり、でこぼこに並んでいたから、雨が降り続くと、引っこんだところに水が溜まり、出っぱったところが島のようにとび出した。ぼくたちは靴を濡らさないように島から島へとびはねていったものだが、家には、びしょ濡れの足で帰るのだった。

春になると、ぼくたちの中庭はほろにがいポプラのやにの匂いでいっぱいになり、秋にはリンゴの匂いでいっぱいだった。リンゴは野菜置き場になっている地下室からにおってくるのだった。ぼくたちは、この庭が好きだった。退屈なんかちっともしなかった。そのうえ、ぼくたちはいろんな遊びを知っていた。ボールをバットで打ったり、かくれんぼうをしたり、ドッジボールをしたり、棒をはね上げて遊んだり、ナイフなげ遊びをしたり、口から口へ伝える〝腐った電話〟遊びをしたりした。遊びはたいてい、年上の子どもたちが教えてくれたものだが、ぼくたちには自分たちで作った遊びもあった。たとえば、「美人ごっこ」。

だれがこの遊びを考えだしたのか、わからなかったけれど、子どもたちはみんなこの遊びが気に入っていた。ぼくたちの仲間連中、男の子も女の子も古いポプラの木の下に集まると、かならずだれかが「美人ごっこをしようよ」と言いだしたものだ。

みんな輪になって、数え言葉を数えながら、つぎからつぎへと、ひとりずつ指していく。

「エーナ・ベーナ・レース……」

なんだか秘密めいたこの言葉が、すらすらと口をついて出てくる。

「クピンテル・コンテル・ジェス」

ぼくたちは、どうしてだかいつも、七号室のニンカを主人公にするのが好きで、一番最後の数がニンカを指して終わるように、気をつかったものだ。いつもニンカは目をふせ、手で服のしわをのばしていた。輪の真ん中に入って美人になるのを、ニンカはとっくに知っていたのだ。

ほんとうは、七号室のニンカほど、みにくいむすめはいなかった。広くてぺちゃんこの鼻、大きくて変なかたちの唇。その唇のまわりには、パン粉のようなそばかすが散らばっていた。おでこにも、パン粉のようなそばかすがあって目はどんよりとくもっていた。髪の毛はばさばさでうすく、足を引きずり、おなかを前に突きだして歩きまわった。だが、ぼくたちはこのことにちっとも気がつかなかった。そのころのぼくたちには、心の美しい人が美人で、ろくでなしがみにくいのだ、ということより他にはわからなかったのだ。七号室のニンカは、ぼくたちが美人に選ぶにふさわしい立派なむすめだった。

ニンカが輪の真ん中に入ると、遊びの決まりどおりに、ぼくたちは「ほめ」はじめる。本で読んだ中から見つけた言葉を、ひとりずつ言っていく。

「ニンカの首は、白鳥のようだ」

とひとりが言うと、

「首だけではなくて、本物の白鳥」

とほかの子が言いなおして、ほめあげる。

「ニンカの唇は、さんごの唇」

「ニンカの髪は、金の巻き毛」

「ニンカのひとみは青いんだけど……ううんと、ううんと……なんだったっけ……」

「忘れるんじゃないぞ！ 海のように青い」

ニンカは、生き生きとかがやいてきた。青白い顔がぽっと赤く染まり、からだをきゅっと引きしめ、しなを作って、片足をわきによせた。ぼくたちの言葉は、ニンカの鏡だった。その鏡に映っているニンカは、すばらしい美人だった。

「ニンカの肌は、しゅすの肌」

「ニンカのまゆは、黒貂（くろてん）のまゆ」

「ニンカの歯は……歯は……」

「歯がなんだって？……真珠の歯」

ぼくたちも、ニンカが本当に白鳥で、さんごで、真珠のような気がしてくるのだった。ニンカほど美しいむすめはどこにもいなかった。

ぼくたちのほめ言葉のたねが尽きると、ニンカは何かしら話をしはじめる。

「きのう、わたしがね。あたたかい海で泳いでいたらね……」

ひやっとつめたい秋風に身をちぢめながら、ニンカは話し続けた。

「日がとっぷりくれたころには、真っ暗い中で海がきらきらと光っているじゃないの。そうよ。それはわたしが光っていたのよ。わたしは魚だったの……いいえ魚じゃなくて人魚だったのよ」

美人は、じゃがいもを洗った話だとか、公式を暗記したことだとか、かあさんの洗濯の手伝いをした話なんかしないものだ。

「そうよ。わたしと並んで、いるかが宙返りしていたわ。いるかも光っていたのよ」

そこでだれかが、我慢しきれなくなって言う。

「そんなこと、あるはずがなあい！」

ニンカはその子のほうに手をのばした。

「匂いをかいでごらんなさい。なんの匂いがする？」

「石けん」

ニンカは頭を振った。

「海よ！　なめてごらん。手がしょっぱいわ」

どんよりとくもった湿っぽい夕闇に包まれて、雨が降っているのかいないのか、はっきりわからない。ただ、ガラスに水の泡ができてはこわれているばかりだった。だがぼくたちは、ありもしない海た。

——あたたかくって、きらきら光っていて、塩っからい海のそばにいるような気持ちに、ひたってい

ぼくたちはこうして遊んでいたのだ。

雨がひどい時には——門の下に集まった。

暗くなると——街燈(がいとう)の下に群がった。きびしい真冬の寒さでさえ、ぼくたちを庭から追いだすことはできなかった。

いつだったか、ぼくたちの建物に新しい家族が引っ越してきた。それで庭にも、新入りの者が出てくるようになった。その子はのっぽだったが、も少し背が低く見えればいいな、というようにちょっと背中をまるめていた。ほおには大きなほそ長いほくろがあったから、このほくろをはずかしがって、その子は反対側のほおばかりを、ぼくたちの方へむけるのだった。鼻はかぎのように高く、まつげは女の子のように長かった。その子は、そのまつ毛もはずかしがっていた。

新しく来た子は、いつもわきに離れて立っていた。ぼくたちはその子を呼んで、美人ごっこをしようよと言いだした。その子は、どんなことをするのか知らないで仲間に入った。ぼくたちが目で合図しあって、美人にえらんだのは……その子だった。白鳥の首、さんごの唇と言いはじめたとたんに、その子は真っ赤になって輪から逃げだした。

ぼくたちは腹をかかえて笑うと、うしろからどなった。

「おまえなんかいなくたっていいさ。さあ、みんなであそぼう！」

ところがもういちど輪を作ると、ニンカが突然、あとずさりをはじめたのだ。

「わたしも、もうやらないわ……」

　ぼくたちはおこった。

「いったいぜんたい、どういうこと？　どうしてやらないの？」

「だって……」

と言うと、ニンカはぼくたちから離れていった。

するど、急に遊ぶのがいやになって、ぼくたちは退屈になってきた。

ところがニンカは、新しい子にぐいと近づいた。

「美人ごっこの時にはね、いつもわたしが選ばれるのよ」

「きみが？　どうしてなの？　きみが美人だって」

　その子はびっくりした。

　ぼくたちは、その子とけんかをする気はなかったのだ。ただちょっとからかってやりたかっただけなのだ。だがニンカは、顔をのばし、口のまわりやおでこに散ったパン粉のようなそばかすを、もっとはっきりうきたたせた。

「それでも、わたしが選ばれるのよ！」

「ばかばかしい。どっちにしたって、きみたちの子どもっぽい遊びは、ごめんだね」

とその子が言うと、なぜかニンカはすぐにその子の味方をした。

「そうよ、そうなのよ」

　その子が現れてから、ニンカはなんだか変わってきた。たとえば、ニンカはその子のうしろにくっついて、通りを歩きまわるようになった。その子のあとをつけていることをだれにも見つけられたくないように、ニンカは反対側をそっと歩いていた。けれど、ぼくたちはそのことをよく知っていた。そうしてぼくたちは、ニンカの気が変になったのか、何かの遊びをしてるんだなと、思っていた。たとえば、追跡ごっこだとか……。その子がパン屋にはいるとニンカは向こう側に立って、ガラスのドアからじっと目を離さないでいた。朝も入り口のところでそっとその子を待っていて、学校までうしろからついて歩いた。

七号室のニンカが、影のようにうしろからつけているなど、その子は思ってもいなかった。だがこのことを知った時とびあがっておこった。

「人のまわりを、うろちょろするな！」

とその子は、ニンカにどなりつけた。

ニンカは、ひとことも物を言わないで、真っ青になって遠くへとんで逃げた。そのうしろからその子は追いうちをかけた。

「自分の顔を鏡でよく見ろよ！」

その子はニンカに、鏡を見ろとどなりつけたのだ。ぼくたちは、どんな鼻だろうと、口だろうと、あごだろうと、髪を振り乱していようと、どこにきびがあろうと、そんなことを気にしたこともなかった。それにニンカは、鏡を見たら、美人ごっこの時に、ぼくたちがほめる言葉のとおりの姿が映っているのだと思っていた。ニンカはぼくたちを信じていたのに、ほおにほくろのあるこのよそ者が、ぼくたちの鏡をこわしてしまったのだ。生き生きしていて明るくて心のあたたかかった鏡が、冷たくて意地の悪い、ひらべったいガラスの鏡に変わってしまった。ニンカは生まれてはじめて、焼きつくように鏡の中をのぞきこんだ。鏡は美人を打ちのめした。鏡を見るたびに、ニンカの中の何かが死んでいった。白鳥の首も、さんごの唇も、海のように青いひとみも……。

そのころぼくたちは、何がなんだかよくわからなかったものだ。『ニンカはどうしちゃったんだろう？』とぼくたちは、小さな頭を悩ますだけで、自分たちの友だちがどんな気持ちなのか少しもわからなかった。ニンカは、よそよそしいわからない人になっていった。ぼくたちもニンカから離れるし、ニンカもぼくたちには近寄りもしないで、黙ったまますそばを通りすぎるようになった。そのうえ、ほおに大きなほくろのあるあの子に会うと、ニンカはとんで逃げるのだった。

ぼくたちの町には、よく雨が降った。何日も、どしゃぶりの日が続くこともあった。でも、こんなことには慣れっこになっていたから、ぼくたちは別に気にもしなかった。大人は傘をさして歩いたが、子どもたちは門から門へとかけこみ、出っぱった石の島を伝ってとんで行った。

その晩はすごい雨で、風がひっきりなしに吹いていた。町はずれでは大水が出たといううわさだった。だがぼくたちは家に帰りたくなかったので、門の下でからだを寄せあってじっとがんばっていた。

ところが七号室のニンカは、新しくきた子の家の窓の下に立っていた。どうして、ニンカはあの子の窓の下にいなくちゃならないんだろう？　あいつをじりじりさせてかんしゃくを起こさせる気なんだろうか？　それとも千かぞえるまで雨の中に立っていられるかどうか、自分をためしているのだろうか？　それとも二千までかな？　ニンカは、とっくに小さくなったつんつるてんのオーバーを着ていたが、ぼうしはかぶっていなかった。ばさばさの髪の毛がぐっしょり濡れて、ほおに張りつき、顔が長くなったように見える。目は、しずくが二つ凍りついたように光っていた。下水が音をたてて流れ、窓のしきいががたがたと揺れ、通るひとの傘がひゅうひゅう鳴っていた。ニンカには何も見えなければ、聞こえもしなかった。したたり落ちる冷たい水も感じなかった。ニンカは死ぬほど思いつめて、窓の下に立っていたのだ。

ぼくたちは、門からさけんだ。

「ニンカ！　ぼくたちのところへ来いよ。ニンカ！」

ニンカは動かなかった。ぼくたちは雨の中に走って出て、ニンカの手をつかんだ。ぼくたちは、ニンカが死んでしまってはいけないと思ったのだ。だがニンカは、かみつくようにどなりつけた。

「あっちへ行ってよ！」

ぼくたちは離れた。そしてくるりと背中をむけると、通りを眺めはじめた。

通るひとはみな頭を傘でおおっていそいでいる。これじゃあ町に、陰気な黒いパラシュート部隊が上陸したみたいじゃないか。通行人の上陸部隊だ！

それから、ニンカのかあさんがニンカのそばに歩いて行くのを見つけた。かあさんは長いあいだニンカに、家に帰りなさい、帰りなさいとすすめていた。

それからやっとかあさんは、むすめを雨の中からその建物の入り口まで連れて行くことができた。入り口には、うすぼんやりした電灯がともっていた。そこでニンカのかあさんが顔を明かりの方へ向けて、こう言っているのが聞こえてきた。

「わたしを見てね。わたしが美人だと思う？」

ニンカはびっくりしてかあさんを見たが、何がなんだかすこしもわからなかった。美人であろうとなかろうと、かあさんはやっぱりわたしのかあさんだもの……。

「わからないわ」とニンカが言った。

「もうわかってもいい年ごろだよ。かあさんは美人じゃないよ。みっともないだけさ」

ニンカのかあさんは、ぴしゃりと言った。

「ちがうわ、ちがうわ」

とニンカは、思わずさけんだ。それからかあさんにしがみついて、わっと泣きだした。

ニンカはかあさんがかわいそうなので泣いているのか、それとも自分がみじめで泣いているのか、ぼくたちにはわからなかった。

「でもね、なんにも心配することはないのよ」

とニンカのかあさんは、もう落ち着いた声で話して聞かせた。

「しあわせにはね、美人だけがなるとはかぎっていないのよ。美人じゃないものだって、およめに行けるんだから」

「わたし、結婚なんかしたくない！」

ニンカがきっぱり言ったので、ぼくたちもそうだそうだとうなずいた。

「そう、そう、そりゃそうよ」

と言うと、かあさんはふと気がついたように、

「どうしても結婚しなきゃならないってこともないわね……」

と言った。

それからふたりは、雨の中へ出て通りを歩いて行った。ぼくたちも、黙ってうしろからついて行った。いいや、おもしろがってあとをつけたのではない。何かニンカの役に立つかもしれないと思ったのだ。

ふいに、ニンカのたずねる声が聞こえてきた。

「かあさん、およめにいったの?」

「いいえ」

「だけど、わたしには、とうさんがいたんでしょう?」

かあさんは返事をしなかった。ニンカの言ったことがまるで聞こえなかったらしい。ニンカはおこって、乱暴な口をきいた。

「わたしを、コウノトリでも運んできたというの?」

「そう、コウノトリよ。コウノトリが飛んできて、また行っちゃったの。そうしたらあとに、おまえが残っていたのよ」

とかあさんは、さびしそうに言った。

ふたりは大通りから横町に入り、傘もささずに歩いて行く。でも今のふたりには、雨が降っていようといまいと、どっちでもいいことだった。だがぼくたちは、寒くてふるえあがっていた。

「じゃ、わたしのとうさんはコウノトリってことね?」

ニンカは、そう言うと、くっくっ! と笑いはじめた。「それならそれでいいの。わたしが小学校の先生になったら、コウノトリのニーナってあだながつけられるでしょうよ。きっと羽根も生えてくるわ。キャベツの中から拾ってきたのじゃないだけ、まだましよ」

「からかうのはよしなさい」

とかあさんが言った。

「からかってなんかいないわ」

ニーナは、ほんとうにもう笑ってはいなかった。それどころか、声が細かくふるえていた。

「ねえ、その人どこにいるの……コウノトリさん？」

かあさんは、ぷいと横を向いて、ほおから雨のしずくを拭きとった。

「そのひとも、きれいじゃなかったのね？」

ニンカは立ちどまると、かあさんのひじの上をしっかりつかんで顔をのぞきこんだ。ニンカは、今まで見まちがいをしていたのかしら？　自分のとなりにいるのは、よそのひとじゃないかしらというように、かあさんをじっと見つめた。むすめは残酷な鏡にうつして見るように、母を冷たくながめたのだ。そしてそこで見たのは、ほんとうの母の姿だった。

それは建物の暗い壁に、ぴったりからだをくっつけていた、ぼくたち、よその子どもならとっくに知っている、ニンカのかあさんのみにくい姿だった。石けんや着古した着物の匂いがわかるほど、それほどぼくたちはふたりの近くにいた。七号室のニンカは、ぼくたちと会ったわけでもないのに、そけているのに気がついたのか、がらりと声を変えて静かに言った。

「かあさん、美人ごっこをしましょうよ」

「ばかばかしい！」

「いやよ、いやや。やるのよ。わたしが教えてあげるわ。わたしの言うことをよく聞いてね」

ニンカは、かあさんの手をしっかりにぎると、そっとそばに寄り、あのよそ者が来るまで、ぼくたちがニンカに捧（ささ）げていたいつもの言葉を、ひと息に言いはじめた。

「かあさん、かあさんの首は白鳥の首、大きなひとみは青い海、かあさんの髪は金の巻き毛、唇はさんご……」

雨は、真っ暗闇の中の、見えない黒雲から、降り続けていた。足もとにはつめたい海がひろがり、町のトタン屋根が、がたがたと音をたてていた。だが、うなる風や、秋の終わりの刺すような寒さを突き抜け、ふたりの不幸をなぐさめる言葉が、生き生きとあたたかい流れになって流れていた。

「かあさんの肌は、しゅすの肌。黒貂のように黒いまゆ、歯は真っ白い真珠の歯」

こうして、ニンカとかあさんはぴったり寄りそって、先へ先へと歩いて行った。もう何も言わなかった。ふたりは、すっかり落ち着いていた。ぼくたちの考え出した遊びが、ふたりをたすけてくれたのだ。エーナ・ベーナ・レース……。ぼくたちは手をにぎりあって壁のそばに立ち、ふたりが闇の中に消えて行くまで見送っていた。クピンテル・コンテル・ジェス……。

七号室のニンカは、一九四二年第二次世界大戦中に、ムガ郊外の戦場で死んだ。ニンカは野戦看護婦だった。

ユーリイ・ヤーコブレフ（一九二二―九五）

ソ連・ロシアの作家。ペトログラード（現サンクトペテルブルク）生まれ。四〇年に小学校（十年制）を卒業後、独ソ戦に参加。当初は高射砲部隊の照準兵、のちに戦場新聞の編集同人を務める。なお母親は包囲戦の最中に亡くなっている。除隊後、ゴーリキー文学大学に入学。卒業後、一時期ジャーナリストとして活動したようである。四九年に詩集『私たちの住所』を刊行。児童文学の分野で多くの著作を残し、特に短編を評価された。一九六二年に短編「雲を集めて」でイズヴェスチヤ短編賞を受賞。一九七二年には児童文学への貢献の功績で労働赤旗勲章受章。サマンサ・スミス記念児童・外交センター所長を務めた。本作「美人ごっこ」は一九六八年の作品。ソ連で映画化されている。

【訳者】

宮川やすえ〔みやかわやすえ〕（一九二六—二〇一三）

児童文学者、翻訳家。岡山県出身。拓殖大学卒。のち外務省ロシア語研究会に学ぶ。拓殖大学教授を務めた。ロシア、ソヴィエトの児童文学の紹介に力をそそぎ、訳書にソフィヤ・プロコフィエワ、ゲンナディ・ツウィフェロフなど多数。

⇩ 教科書掲載……**（高校）**

旺文社『高等学校国語1』82『高等学校国語1［改訂版］』85『高等学校国語1 再訂版』88『高等学校国語1［三訂版］』91

垂直な梯子

William Sansom

ウィリアム・サンソム

前川祐一 訳

　両の掌にべとべとと汗の玉が吹きだしてきたし、一段一段のぼるにつれて、だんだんからだが重くなる。と、そう感じたとたんに、この少年フレッグは、わめきたいような気持ちになった。だが、わめいてもどうにもならない。ふとしたはずみで、この危険な梯子をのぼる破目におちいってしまったのだ。彼はいま、ガスタンクのどてっぱらにはりついた垂直な鉄梯子にしがみついていた。空にむかって目もくらむほどに聳えたてっぺんまで、一歩一歩のぼってゆくより仕方がなかった。

　なんだってこんなことを、自分から買ってでてしまったのだろう。こわいなとは思ったのだが、地上から眺めていたせいか、わいわい言っているうちに、やれそうな気になってしまったのだ……彼は、落ちないように梯子にしがみついている両手を、大地のほうへのばしたい気になった。

　春もたけなわなのに、急に真夏をおもわせる暑さだった。公園にも街路にも陽光がみなぎり、気温がにわかにのぼったので、フレッグと仲間の子供たちは、厚ぼったい冬服でうだっていた。一面の新緑がまぶしく、眼に痛いほどだし、新芽や瑞々しい樹液が水分を発散するので、なんだか空気もべとつくみたいだった。ひやりとした冬の気配はどこにもなくて、女の子たちは頭が痛いと訴えていたし、みんなが、毛のシャツの肌ざわりに似た、もやもやした、いやな気分になっていた。彼らは公園の裏門を出て、裏町へとぶらついて行った。小さな古い家々が並び、中にはあばら家のように荒れたのもある。短い街路、石ころ道、狭い舗装がつづき、灰色の風景をいろどるものといっては、一軒の煙草屋と、街角にぽつんと立った給油所があるだけで、あたりがすすけているのは、どこかに工場がある証拠だった。はじめのうちは、静かで、ほとんど人通りもないこの裏町のほうが、公園よりも気持ちがいいと思ったが、すぐに、はげ落ちた壁土や煉瓦の粉でざらざらした空気、薄暗い窓やほこりっぽい石段、いかにもうるおいのないあたりの風景にうんざりしてきた。だから、突然、家並みが終わって広場がひらけ、廃墟になったガス工場の敷地が見えたとき、フレッグと連れの子供たちは、くず鉄やこわれた煉瓦にまじって生えているいら草や牧草の緑に歓声をあげたのだった。

子供たち、というのはフレッグのほかに女の子二人と男の子が二人だが、空き地にはいっていって、その古いガスタンクの前に立った。工場の廃墟の中で、これだけは昔のままの姿でこの空き地を睥睨し、あたり数百フィート四方の建物からとびぬけて高く聳えていた。だから、彼らはそのさびたどてっぱらに煉瓦を投げた。

さびはがれてとび散り、鉄板はにぶい音をたてた。フレッグは、ブルーネットの髪の女の子に見てもらいたかったので、ほかの仲間に負けまいとできるだけ高く煉瓦を投げた。それに手榴弾投げもしてみせたのは、少しはそれも知っていることを示したかったし、兵士みたいな魅力もだしたかったからだ。彼は背後にその子のまなざしを感じて、肩を張った。その子の眼は、切れの短いぱっちりと開いたまぶたの下に、黒い瞳がまるで男の子みたいに明るく輝いている。唇はとびだして、そっぱがもりあがるのをかくしきれないぐらいだから、ときどき笑っているみたいな顔つきになる。いつもむずかしい顔をしているが、フレッグは、その真面目くさった、思いつめたような顔だちがすきだ。全体からうける感じは、抜け目がなくて、いかにも、活発な男を好みそうな女の子だった。そのときも、彼女は真面目そうな顔をして、大きな声で言ったのだ。

「煉瓦のとどくところまでは登れないでしょう」

こうして、あのあと味のわるい冗談がはじまった。はじめは悪気はないのだが、だんだん本気になって、ついには感情的な、底意地の悪いものにかわってしまうあれだ。誰だって、まずいことになりそうだとは感じる。みんながそう思う。が、だからこそ、この冗談はどうにもおさまらなくなってしまう。ひとりが恐ろしくなる。と、かえって大声で笑って、危険だとか悪いことだとかいう不安を無理に吹きとばしてしまう。たちまち、男の子が叫んだものだ。「できるもんか。背の高さぐらいしか登れないさ」

フレッグはうす笑いを浮かべてふりむいた。そこで、あの少女は、すかさずもう一度大声でわめくと、かん高い声で笑いながら空を見あげた。すでに、五人の子供たちは、みんな不安を感じていた。が、とたんに、せいぜい二三秒の間があったかどうか、あの男の子がまた叫んだ。「きまってらあ、できるもんか」フレッグは答えた。「なんのてっぺんにだって登れらあ」もうひとりの男の子がはやした。「ファニー伯母さんの頭の上に登ってみろ」少女が言った。「なら、あのガスタンクのてっぺんまで登ってごらんなさいよ」

「へっちゃらさ」すると少女は、待ってましたとばかりに、具体的なことを言いだして、ひっこみをつかなくしてしまったのだ。「さあ、登んなさいよ。ほら、このあたしのハンカチ、これをあのてっぺんにしばってきてよ。あたしの旗をひるがえらせてよ」

しかし、フレッグにはまだ逃げる機会があった。笑ってごまかしてしまえばいいという気がした。だが、このとき、少女は興奮で顔を真っ赤にして、とびはねながら、夢中で手をたたいていた。で、フレッグはぼーっとなった。彼はうまいいいわけをみつけようと口をもぐもぐさせたが、言葉はでてこなかった。唇のふるえをかくすのが精一杯だった。こんなわけで、「よし、行くさ」と言ってしまったのだ。そして、彼はガスタンクの方にむいた。

いよいよとなってみると、それは大した高さではなかった。とても一人前のガスタンクとよべるしろものではない。普通のガスタンクなら、てっぺんの鉄格子の手すりは、五六階建ての屋根のかさ石ぐらいの高さがあるはずだ。これまで、フレッグはガスタンクをただの鉄のかたまりだと思って眺めていたが、いまやひとつひとつの細かい部分がはっきりした形をもって眼にとびこんできた。彼はじっとそれを眺めながら、どっしりと大きな形や、赤さびた鉄の胴まわりのあちらこちらに赤い鉛が塗りたくってある様子や、鉄板が変にゆがんで、円味をおびた胴体がところどころしぼんで、まるで中が真空でへこんだみたいに見える様子や、鉄板にへばりついた梯子が、どてっぱらをてっぺんまではいあがっている様を頭にいれた。梁(はり)が格子縞(こうしじま)に走り、支柱がいり組み、ボルトが散在している。

梯子は二つあった。ひとつはどてっぱらに垂直にとりつけられたヤコブの梯子〔ヤコブが夢に見た天までとどく梯子〕で、もうひとつは、ゆるい傾斜でガスタンクの腹をジグザグにのぼる階段で、これには手すりもついている。はじめは垂直な梯子だけだったのだが、これをのぼるには余計な危険をおかさねばならないので、あとからこの階段がつくられたのに違いない。梯子がいまでは実際に使われていないことは、下のほうが二十フィートばかりちぎれていることからもわかる。だが、どうやらペンキの塗り変えがおこなわれているらしく、ペンキ屋の木の梯子が、下から立てかけてあって、垂直な梯子のちぎれた下端に、その先がとどき、またのぼれるようになっていた。フレッグは、すばやく木の梯子の足もとを見た。梯子のすわりは大丈夫かな。次に、眼をあげて、その上端を見た。うまく鉄梯子にわたれるかな。それから顔をてっぺんの方へむけながら、まるでチャックの歯のように、屋上まで無数につづいている鉄梯子のどこかに危険なふしはないかをたしかめようと、眼をすぼめた。

フレッグは目ざとくこれらをたしかめながら、少しずつ梯子へ近づいていった。さいは投げられたのだ。だから、なるべく平気な風をよそおってゆっくり歩きながら、彼は、もうあとにはひけないなと思った。二人の男の子と例の女の子は、いっせいに悪態をついて、「エヴェレスト登攀（とうはん）記のおそまつ」とか、「苦労して登っても、落ちるときはいっぺんだぞ」とか、「頭をハープにぶつけるなよ、ガラハッド騎士〔アーサー王伝説、円卓の騎士のひとり。純潔の士〕みたいに気どってさ」とか叫んだ。だが、もうひとりの少女は、はじめからずっとだまりこくっていた。彼女はさっきから怖（こわ）くなっていた。本当は、彼女はひとことも口だしはしなかった。が、もしなにか恐ろしいことが起こったら、すべてはあたしの責任だと感じていた。彼女はやけみたいにガムを噛（か）んで、あごががくがくとはずれそうにふるえるのをこらえていた。

突然、叫び声がひときわ高くなった。フレッグの足が心もち、安全な階段の方へむかったからだ。ガスタンクを見つめている彼の眼は、ひとりでにこの階段を見ていた。そして、知らず知らずのうちに、足は眼のむく方向にむいていたのだ。と、安全を求める本能がむらむらと頭をもたげて、ひとつの考えが浮かんだ。そうだ、階段をのぼればいい。誰もはっきりとあのヤコブの梯子をのぼれとは言わなかったのだ。言いのがれのチャンスはあるかもしれないぞ。だが、背後の子供たちは見のがさなかった。たちまち、叫び声が大きくなった。「だめだめ」「あんな階段はいくじなしがのぼるものだ」フレッグは、ほんの僅かからだのむきを変えて、また垂直な梯子にむかって歩いた。「階段をのぼるなんて誰が言った」と、彼はどなりかえした。

うしろでは子供たちが、まだわいわい叫びつづけていた。彼に決心を迫り、意地の悪い言葉をなげつけていた。「みろよ、あいつ、どっちに行こうか迷ってるぜ、まるで伯母さんがもからはぐれた赤がもの伯父さんよろしくってかっこうだ」

かくて、ついにフレッグはあきらめた。もう仕方がない。垂直な梯子をつたわってのぼらなくてはならない。いよいよ、そう決心したとたんに、不安はさっぱりと消えた。彼は両方の肩をはった。と、急に、なあに、こんな仕事は朝飯前だという気になった。大した高さではないんだ。心配することはない。毎日、幾百人という男たちがこんな梯子をのぼるのだ。それなのに落ちる人は誰もいない。梯子はしっかりとめてあるから、絶対に安全だ。彼はいままでびくびくしていた自分をひそかに笑いたい気持ちになった。それに、このとき、あの少女が彼のところへ走り寄って、ハンカチをわたしたのだ。彼女が黒い眼をくしゃくしゃさせて彼にほほえみかけたとき、彼女の表情からは、もうあの意地の悪いあざけりの色は消えて、ずっとやさしい、心からの励ましの様子がうかがわれた。それどころか、感動しているようにさえ見えた。「さあ、これが旗よ」と彼女は言った。それから、こうも言った。「本当は、本気にならなくてもよかったのよ。でも、大丈夫ね」しかし、いまさらそんなことを言ったって間にあわない。フレッグはのぼる決心をしてしまっていたし、もう、功名心で浮き浮きしていた。彼はハンカチをもらうと、彼女に芝居がかった投げキッスを与えて、梯子のとっかかりからどんどんのぼりはじめた。

このペンキ屋の梯子は、ゆるい勾配で立てかけてあった。けれども、フレッグは十フィートばかりのぼっただけだった。やっと二階の窓の上くらいの高さだったろう。ここで、彼は速度をずっと落とした。頭上の横木にかけた手をしっかりと握り、目のとどかない足場を十分にかためながら、ゆっくりのぼりだした。地上からどれくらいはなれたのかまだ見当がつかないが、もうずいぶん高くのぼって、彼と、遠ざかってゆく大地との間には、空気と心もとない木の梯子だけしかないのだとの感じはなまなましかった。彼はからだを支えてくれるものがなくて、宙に浮いているように感じたが、眼をあげて、頭上の鉄板をまっすぐに見あげると、まだほんの地面のそばの一番下の横木に乗っているような気がした。高度感が強く働いて、バランスをとることがなによりも大切になっていたから、からだ中の筋肉が異様に緊張していた。この感じは不愉快なものではなかった。一挙手一投足に危険をはらんだ新しい体操をやっているような気持ちだ。彼は一歩一歩のぼると、木の梯子が終わって、垂直な鉄梯子の一段目に移るところまできた。

フレッグは、ここでしばらく息をついた。彼は、両膝を傾斜のらくな木の梯子の上三段にあずけて休んだ。両手は、垂直にのびた二本のさびた鉄の支柱を握りしめていた。膝は暖かい木の梯子にからみつき、手には冷たくてじゃりじゃりした鉄の感触があった。さびが散って、赤い粉がふりかかった。大きな鉄くずがはがれて、見あげる顔の上に落ちた。それを眼からはらいのけたいと思ったが、驚いたことに、まるで金縛りにあったように、両手が鉄の支柱にしがみついて、どうしようもない。鉄を握りしめている手をゆるめることができないので、顔を左右にふって、さびの粉を払い落とすしかなかった。だが、こうして顔をはげしく動かすだけでもからだの釣り合いが失われそうになって、胃の腑(ふ)をぞーっと冷たいものが走った。彼は木の梯子にのせた膝をにじらせて足場をかためた。そして、胸の動悸(どうき)がいくぶんしずまると、いまの自分のあわてようを笑いとばしたいと思ったが、ゆるめたら最後だとばかりくの字形にかたくこわばった両の膝を動かすことができなかった。そんなこんなで、彼はほとんど休んだ気にはならなかった。すぐに彼は、鉄梯子にかけた手に力をいれた。鉄の支柱はまるで岩にでもうちこまれたもののようにびくともしなかった。

彼は顔をあげて、ガスタンクのてっぺんが空に接するあたりまで、目もくらむばかりに重なった梯子を眼で追った。鉄のどてっぱらにはりついてこの角度から眺めると、ガスタンクは思ったよりもずっと高かった。紺碧(こんぺき)の空が、ほとんどそのてっぺんにふれんばかりに迫って見える。赤さびた色がぼけるあたり、灰色の陰がだんだんと濃くなって、曲線をなす頂上は、遠く黒々とかすんで、頭上におおいかぶさるようだ。五六ヤードはなれた位置から、円筒形をなす全体像を眺めたときに感じたように、どっしりと安定しているにちがいないのだが、このどてっぱらから見ると、いかにも頭でっかちで、だから、この弓なりにそった鉄板の背後をささえている支柱は取り去られてしまった感じだ。眼に見えないから、あるとは信じられない。この巨大なガスタンクの安定性はすでに失われていて、頭でっかちの大きな帆のように、突然倒れかかってきそうだと、フレッグは知らず知らずのうちにそんな想像をしていた。彼はいそいで眼をそむけると、顔の前の両手に神経を集中した。登りはじめた。

下からは、まだ子供たちの叫び声が聞こえていた。が、あの少女の叫び声はやんでいた。きっと、たたえるようなまなざしで、フレッグの一歩一歩を見つめているのだ。彼は、また、あの子のおこったような顔つきと、ひどいそっぽの口もとを思いだした。すると、新しい力が湧いて、彼はがっちりと横木を握りしめた。と、そのとき、彼は下からの叫び声の調子が変わったような気がしてぞっとした。まるで、ずっと遠くなったみたいに聞こえたのだ。そして、彼らの言葉がはっきりとは聞きとれなくなった。この高さまでくると、彼は地上とは全然ちがう空気の層に突入したような気がした。たしかに空気がつめたくなったし、はじめて、軽い風のそよぎが感じられた。見おろすと、仲間の子供たちがおそろしく小さく見えた。からだの見分けはつかないで、ただあおむいた顔が見えるだけだ。平気の平左だという様子を示すために、手をふりたいと思ったが、とたんにその気もくじけた。支柱にしがみついた両手がどうにもいうことをきかないのだ。彼はにが笑いを口にうかべただけで、また梯子にむかった。

彼は不安そうに生唾(なまつば)をのみこんで、ゆっくりと登りつづけた。一段また一段と、手をのばし、足をひきあげ、また手をのばす。鉄梯子を十段登ったところで、彼は、はじめて両掌がねっとりと汗ばんでいるのに気がついた。そして、あたかも、一瞬のがれられない破局におそわれでもしたかのように突然に、自分は内心おそれているのだということをさとった。これはどうにも抑え切れない実感だった。もうこの気持ちをごまかすことはできなかった。からだ中が恐ろしさでおののいている。両手は、あわれなほどいっしょうけんめいにしがみついている。で、いまにも指がばらばらにくだけ散ってしまいそうだ。手の神経があまりに長時間の緊張を強いられたために、はれあがって、いまにも、張りつめた皮膚をつきやぶりそうな具合だ。横木にのせた両足は、もう力もぬけて、びくびくと足場をさぐっていたが、つぎには鉄にへばりついたように動こうともしない。こうなると、からだはすっかり均衡を失って、手足の神経や筋肉が、お互いに勝手に動きだしそうな気がする。からだのリズムの統一がきかなくなって、思わず知らずのうちに、危険なけいれんを起こしてひきつりそうだ。

彼のからだは梯子からはずれそうになってぶらさ

がっている。ひとつ間違ったら、地上まで三十フィートを落ちてゆくことは必定だ。手足だけが梯子にしがみついて、かろうじて墜落をまぬがれているが、からだの本体は梯子をはなれて空中にぶらさがっている。両腕が、まるで、理屈では割り切れないぐらい自由に動くはえの足のように、不自然な角度でねじ曲がって、ぐったりしている。恐怖感にとらえられたせいか、いまになってはじめて、こいつは成功の見込みはないぞという感じがした。てっぺんまでのぼりきれるはずがない。たった三十フィートの、建物なら三階建てくらいの高さでこんなにこわいのだもの、六十フィートものぼったらどんな気がすることか。だが……彼はぐっと足に力をいれた。こわいことはこわいが、絶望はしなかった。一段一段のぼるのはおそろしかったが、彼は心に言い聞かせた。いつかは終わるんだ。もうしばらくの頑張りだ。

追憶が心に浮かんでは消えた。まざまざと浮かんだと思うと、たちまちかき消すように消える。なにしろ、眼も心も、さびた鉄の横木と、血の気の失せた両手のにぎりこぶしから片時もはなれないのだ。が、一瞬、彼は、ずっと以前に子供部屋で眼をさますと、窓が、まるで冷たい月の光が映っているみたいに明るかったことを思い出した。実は月の光ではなくて、あれは空間の感覚だった。窓が空間を反映しているらしかった。彼はベッドからはいだすと、窓ぎわの椅子にのぼってみた。思ったとおりだった。外には空間があるだけだった。果てしない空間がひろがっていた。だが、明るく見えたのも不思議ではなかった。なにもないはずがないと眼をこらしているうちに、はじめはひろびろとした空間だけだと思われたのに、やがて、いつにかそれとはっきりわかるものがあたりに充満しているのが見えてきた。静かな水が、巨大な幕のように眼路のかぎりをとざしていた。かなたのテニスコートも家並みも見えなくなっていた。すべては水の中にしずんで、なめらかな水の幕が、ぐるりに弧を描いてひろがる遠くの地平線までおおいつつんでいた。水は音もなくわが家の壁をねぶり、かくれた月の光の中で暗く光りながら打ち寄せていた。その黒いおだやかな水幕の下には不思議な巨獣たちがかくれているのだ。彼はこの水に魅せられてしまった。窓からその水の中にとびこんで、頭からゆっくりと沈んでゆきたいと思った。けれども、彼の立っているところは高すぎた。窓ぎわにひとりでいると、すごく高いような気がして、うちよせる水が細密画の絵のように、遠く遠く下の方に波うっているみたいだった。ずっとあとになって、病気になったとき、熱で頭がぼんやりして、病室の調度品が遠くの方にあるように小さく見えたのとおなじだ。小さな窓ぎわにひとりでいる彼には、まわりの空虚さがおそろしかった。空と水と孤島のようなわが家の石壁しかなかった。彼は一方ではおびえながらも、怖ろしい誘惑にかられてひきこまれそうだった。

そのとき、一隻の軍艦が通りかかった。彼はわれにかえった。軍艦の出現によって救われたのだ。そしていま、梯子の上の彼に、突然、希望がよみがえってきた。あのときの軍艦みたいに大きな、安定したものが、今度も救いに現れてくれるかもしれない。

だが、また十段ものぼると、彼の汗はますます激しくなった。両腕は汗とさびとでべとべとになり、内股の筋肉がひきつった。さびのかけらが、またひとつひたいにかかったが、今度は汗でへばりついた。彼はからだ中がぐったりしたように感じた。恐ろしさのために力がぬけたようになって、しかもからだの位置が不安定だから、無理な力をふりしぼらなくてはならなかった。ほとんど全身の重みが、伸びきった両腕にかかっている。筋肉という筋肉が緊張して痛い。一段のぼるごとに体重がまして、まるで両腕から鉛の袋がぶらさがっているみたいだ。両足はもはやからだを支えてはくれない。まるでたががはずれたみたいで、梯子にくっつけておくだけでも、いちいち筋肉を働かせなくてはならないありさまだ。風が強くなった。それが、彼の上衣に吹きあたり、彼のまわりを吹きぬけてゆく。静かな風の響きを聞いていると、広い天空にひとりぼっちだという感じが身にしみた。「下を見てはだめだ」と、彼のこめかみで血がささやいた。「下を見てはだめだ。どんなことがあっても、下を見てはだめだ」

ガスタンクの四分の三はのぼっていた。地上から五十フィートだ。フレッグは必死になった。急に一切の考えが頭から消えてしまった。一刻も早く地上におりたいと、ただそれだけだった。そうすれば、あとはどうなってもいい。彼はのぼるのをやめて、息をはずませながら梯子にしがみついた。ゆっくりと、恐る恐る眼を下にむけた。あんまり下まで見えて目がくらんだらすぐに顔をあげるつもりだ。ひとつ下の桟が見えた。もうひとつ下が見えた。脇の下が見えた。それから腰だ……そして、ずっと下に大地が見えた。彼はあわてて顔をあげた。

彼は梯子にすがりついた。涙が眼にあふれた。一瞬、目まいがして、赤いものが眼の中をかけめぐった。彼は眼をとじて、なにも見まいとした。が、すぐにまた眼をあけた。なにかが起こりそうでこわかったのだ。両手を、梯子の横木を、赤さびた鉄板をにらんでいなくてはならない。微塵（みじん）の変化も見逃してはならない。ガスタンクを支えた支柱がゆるんできしむかもしれないし、この巨大なガスタンクがひっくりかえるかもしれない。ぼんやりした意識の中で、このガスタンクは何年もの間、安全だったのだ、いまだって絶壁のようにびくともするものではないとわれとわが身に言いきかせながらも、やはりおそろしくて、いまにもこの建造物の寿命がつきて、少し強い風が吹けば、どこかの支柱がちぎれ、全体が傾き、ぺしゃんこにくずれるのではないかという気がした。と、この想像がだんだん現実味を帯びてきて、この巨大な物体が地上にくずおれ、外側の鉄板がまるで布かなにかのようにくしゃくしゃに重なりあっている様子が眼の前にちらついた。

　地面はものすごく遠くなって、いま上から見おろす高さは、これを実際にのぼってきたのだとはとても思えないほどにおそろしかった。地上から見れば、これくらいの高さはもののかずではないと思われたかもしれない。けれども、上から見おろすと、その距離は二倍にも見える。彼が毎日見なれている友だちだとか、街灯だとか、煉瓦べいだとか、歩道のへり石やみぞなど、なにもかもがものすごく小さくなっていた。彼の感覚からすれば、これらのものは、いつも見なれたあの大きさでなければ承知できなかった。それにひきかえ、煙突や、屋根裏部屋の窓や、屋根のかさ石の世界が、地上生活になれた眼で近くから眺めると、むかむかするほどに大きく見えた。上下左右にひろがる鉄板が、刻々に大きくなって、この広大でなめらかな世界に迷いこんでここにしがみついている自分が、だんだん小さくなり、どこかの茫洋（ぼうよう）たる赤土の砂漠に迷いこんだ子供のような気がした。

　このような見なれぬ世界に迷いこんだことが、彼の神経にショックを与えた。これは墜落する以上におそろしいことだった。耐えきれないほどの孤独感だ。突然、なにもかもがこの世のものとは思われなくなった。果てしなくひろい鉄板の上に釘づけにされて、小止（や）みない風に吹きさらされている。まわりにはなにひとつとして彼を束縛するものはないのに、なんだって、こうも孤立感に苦しめられるのだろう。自分の息のせわしさで、胸苦しく感じるほどにからだをふるわせ、息をはずませながら、彼は、やっと一段だけ下にくだった……

　地上でざわめきがおこった。わけのわからぬ叫び声が風にのって彼のところにまで聞こえてきた。彼は、ひときわ高い叫び声を聞きとることができた。それまでだまりこくっていたあの少女の声だ。彼女はかん高い声で叫んでいた。それが、まるでかもめの声のように、空気をつんざいて聞こえてきた。「もとにもどしてよ、もとにもどして、もとにもどしてよ！」と叫んでいるようだった。フレッグには、この叫び声が、地上からしかわからない、なにか新しい危険を知らせているように思われたので、またからだを梯子におしつけて、下を見おろした。彼はほんのちらっと見ただけだった。が、それでもはっきりと見えた。あのおとなしい少女が、叫びながら、鉄梯子の足もとを指さしていた。ほかの子供たちは彼女のまわりに集ってはやしたてていた。彼女は、たしかに「もとにもどしてよ！」と叫んでいる。そして、彼にはやっとその言葉の意味がわかった。だれかが、ペンキ屋の梯子をどけてしまったのだ。

　それが地面においてあるのが、ちょうど子供の描いた梯子の絵のように白くはっきりと見えた。男の子たちが、彼がおりかけたのを見て、面白半分か、いたずら半分に、たったひとつの退路を遮断してしまったのだ。たしか、鉄梯子から地面までは、とびおりれば二十フィートはあった。彼はすばやく考えをめぐらした。おりられるところまでおりて、梯子の一番下から頼んでみたらどうだろう。だが、彼らは、多分、何分もの間、彼をあざけったり、言い合いをしたりして、結局は梯子を立てかけてはくれないだろう。勇気も失せ、力もつきた自分には、あてにならないことを頼みにして何分間も待っていることなどできないと彼は感じた。それに、さっきから気がついていたのだが、子供たちはだんだん遠くへ散って行くようだった。男の子たちは、あのおとなしい女の子を追いまわしていた。彼らの関心は、フレッグをはなれて、その女の子にうつってしまったのだ。みんなが梯子をはずしたのを見て、あの女の子の罪の意識は頂点に達した。彼女はおそろしさに身もだえするほどだった。そして、梯子をもとにもどせとわめいていた。この少女だけが、このおとなしい少女だけが、子供たちを待ちうけているおそろしい運命を予感していた。だが、そのわめき方があんまり激しかったので、かえって、事態の重大さがまぎれてしまった。子供たちは、彼女のわめき声にすっかり気をとられていた。いまや彼らは、彼女が大きな声をだせばだすほど面白いという、この新しい楽しみに夢中になって、あの高い所にのぼっているフレッグのことは忘れた。子供たちはちりぢりに遠ざかっていった。彼が、さびだらけの広大な獄舎にひとりつながれて助けを待っていることなどはいつか忘れて、彼を捨てて帰ろうとしていた。待ってくれーっと、彼は胸もはり裂けんばかりに叫んだ。みんなから軽蔑されるなどといってはいられなかった。これでは、あんまり自分がかわいそうだ。不安がのどにこみあげ、涙がかれて眼がひりひりした。

しかし、子供たちは散って行った。ひき返してくる気配もなかった。子供たちは、彼が進退きわまっているなどとは考えもしなかった。だから、のぼる以外には、フレッグにのこされた道はなかった。彼は必死に、恐怖心をはらいのけようとして、事実、頭を左右にふった。それから、眼の前の二三段をにらみつけると、自分がいま高いところにいるなどとは考えまいとした。ためしに、一段だけのぼってみた。それからまた一段、と、こうしてだんだん高くへはいあがっていった……とうとう、てっぺんまであと十段ばかりのところへきた。建物ならば五階建てぐらいで、きっと、あと一階分ものぼれば頂上につくにちがいない。彼はもうすぐ頂上だと思った。そして、あとどれくらいの距離があるかと、眼をあげて上を見た。

彼は上を見た。そして息をのんだ。からだ中の力が一気に抜けたようになって、今度こそ彼はろうばいした。絶望などというなまやさしい気持ちではない。いまにも手をはなすところだった。からだ中の感覚が叫び声を放ってよろめいた。が、本能的に手だけは握っていた。彼は拷問台でひき裂かれるほどの苦悩を味わった。一方では、ひと思いに落ちてしまいたいとの自暴自棄な気持ちにかられながら、手だけは、どんなことがあろうとも握りをはなそうとはしないのだ。両手は感覚を失っていた。だから、いわばひからびた指の骨だけが、梯子の桟にしがみついていたというほうが本当かもしれない。十本の骨がかぎになって、はずれないように固くひっかかっていた、いや、おそらくは、次の瞬間に圧力がかかれば、かぎがまっすぐに伸びて、いまにもはずれようとしていたのだ。足の甲がひきつってびりびりした。べっとりと冷や汗をかいて気持ちが悪かった。腰が軽くなったみたいだ。ズボンがぬれていた。ふるえがとまらない。めまいがして、彼は蛙(かえる)のように梯子にへばりついた。

ここから眺めるガスタンクのてっぺんは、下の大地を見おろすよりも、もっとおそろしい、異様な姿だった。とりたててこわいものは見えないし、落ちそうだとの不安もなかったが、どこか人間を寄せつけぬつめたさ、寒々とした孤絶感がみなぎっていた。鉄独特の冷たさをただよわせ、風に吹きさらされているそれは、生身の暖かさも、青草のやわらかさも知らない世界なのだ。眼のない顔をあげて人の世を睥睨（へいげい）している。まるで、古代の神の眼のない鉄の面だった。空にとどくほど垂直に聳えていて、この世の北の果てといわれるあのかつお鳥の巣くう灰色の絶壁のように孤独だ。はかりしれぬほどの大昔から存在して、時の支配を超越していた。人の世とはなんの関係もなく、荒天にさらされ、風にうなり、訪ねるものとてなしにひっそりと立っていたのだ。

この頂上を眼の前にして、フレッグは、自分がいかに高くまでのぼったかをまざまざと感じた。すぐそこに、空に接する頂上を眺めると、いかにも足の下には風の渦まく空間がひろがっているという感じがした。彼の眼には、ひとりの男がこの空間を墜落してゆく光景がはっきりとうつった。その男は、手足をばたばたさせて、ちょうど機関車のようなものすごい勢いで落ちると、地上の石にうちつけられてぐしゃぐしゃにつぶれた。男のからだは空中でゆっくりと一回転したが、空想している彼のほうが、実際に落ちるよりもずっと速く落ちるような気がした。

フレッグは、さびにからだをこすりつけながら、口からかすかなすすり泣きをもらした。おそろしさにふるえながら、彼はまたのぼりはじめた。膝と肘を蛙のようにつっぱったので、腹は梯子の硬い横木をこすった。ずいぶん硬いなと彼は感じた。激しい耳鳴りで鼓膜も破れそうだ。彼はあせった。最後の力をふりしぼってはいあがりはじめた。夢にうなされたとき、逃げても逃げても追いかけてくるあのささやき声のような意味のない言葉を心にささやきつづけていた。巨大な力が彼をひっぱって、ひきずりおろそうとする。彼はのぼった。いよいよ最後の横木だ。が、彼の顔の前には、相変わらず赤さびた鉄の壁があるだけだ。彼はぞっとして眼をあげた。たしかにこれが最後の横木だ。梯子が終わっている。それなのに、まだてっぺんではない……梯子の一番上の部分が折れてしまって……ガスタンクはまだ五フィートも聳えている……口もきけず、眼ばかりらんらんと、フレッグは群れをはなれた獣のようにあたりを見まわした……それから、両足を下の段にはさみ、腕は、一番上の横木に、肘より深く脇の下までさしこんで、からだをもたせかけた。ふるえながら、これからどうすればよいのかを考える元気もなかった……

ウィリアム・サンソム（一九一二―一九七六）

イギリスの小説家。ロンドン生まれ。パブリック・スクール（アビンガム校）を出たのち、ボンでドイツ語を学ぶ。ヨーロッパ各地を旅行した。帰国後、銀行、広告代理店などで勤務。またジャズを作曲、ナイトクラブでピアノを弾くこともあったという。大戦中は空襲にさらされるロンドンで消防庁に勤め、その経験をもとに短編集『消防夫フラワー』（四四）を著した。戦後は作家業に専念。人間心理を細やかに描く作風で、短編のほか『肉体』（四九）、『無垢の顔』（五一）など長編も著した。小説のほか旅行記も高く評価される。「垂直な梯子」は六九年に発表された作品。本国ではホラー作品集などに収録されることもある。数少ないサンソムの邦訳のうちの一編である。

【訳者】

前川祐一〔まえかわゆういち〕（一九二六―二〇〇一）

英文学者、翻訳家。東京生まれ。父はフランス文学者の前川堅市。東京大学卒業。津田塾大学、立教大学、中京大学などで教鞭（きょうべん）をとる。T・E・ヒューム、ウォルター・ペイターなどについての研究を著した。翻訳家としてはアーサー・シモンズ、アルフレッド・テニソンやグレアム・グリーンなどを訳した。

⇩ 教科書掲載……（高校）

東京書籍『現代国語 二』74『新訂 現代国語二』77『改訂 現代国語二』80

解説

八〇年代——冷戦下のこどもたち

ラングストン・ヒューズの詩「夢」は、光村図書の教科書『国語 一』（84）で採用されたものですが、これはおそらく国語教科書にはじめてアフリカ系アメリカ人（黒人）による文学作品が掲載された例です。「夢」というと、アメリカの公民権運動の主導者キング牧師の演説「私には夢がある」（63）も連想されますが、当時の教科書や指導書でのあつかいを見てみても、かならずしも作者が黒人である点に重きが置かれていなかったようです。この作品以降、黒人文学は国語教科書にほとんど採用されていません。

「夏の読書」の作者バーナード・マラマッドは、やはりアメリカのマイノリティであるユダヤ系です。本作の主人公のジョージは、高校をやめてしまって、社会からほとんどドロップアウトしかけた青年です。彼が切符売りのカタンザラ氏との会話で面目を保つためにふと口にしてしまうのが、百冊の「本のリスト」なのです。本作が採録されはじめたのは七〇年代中盤ですが、この頃は「若者の読書離れ、活字離れ」が最初に叫ばれはじめた時期と重なります。国語の授業の目的として、「読書の態度と習慣」を身につけることが学習指導要領（高校、70）にも定められており、その観点からも本作品は好個の内容だったと言えそうです。たとえば学校図書の教科書では、本短編の「学習」として「最近読んで感銘を受けた本の感想文を書こう」とうながしています。マラマッドの短編はほかにも「最初の七年間」などが教材化されています。こちらも読書が重要なカギになる作品なのですが、勉強や知識を重視するユダヤ的価値観が背景にあると言えるかもしれません。

ユーリイ・ヤーコブレフはソ連の児童文学者ですが、ある時代までは（ロシアと言うよりは）ソ連の文学者の作品が国語教科書に採録されるということは珍しくはありませんでした。主に中学校や小学校の国語の教科書に、ニーナ・アルチューホワ、スサーンナ・ゲオルギエフスカヤ、ニコライ・ノーソフといったソ連の児童文学者の作品が掲載されていました。これは、当時の日本の児童文学者にソ連に対してシンパシーを感じ、その文学を学び、翻訳しているひとも多かったことがひとつの理由としてあげられるでしょう。またある時期まではソ連の教育理論は国語教育界でも注目され、理論書などが翻訳されていました。教科書に掲載されたソ連の作品の中には、ソ連で実際に国語教材として用いられているものもありました。日本の児童は、こうした作品を通じて鉄のカーテンの向こう側の生活をうかがうことができただけでなく、見方によればそこでの教育すら擬似的に受けることもできていたわけです（そのため、保守勢力から教科書の教材が「偏向」していると批判されたこともありました）。収録作の「美人ごっこ」では、主人公ニンカは第二次大戦中にレニングラード郊外のムガで看護師として働いている最中に命を落としたことが語り手から告げられますが、これも登場人物の愛国心を称揚する非常にソ連的な幕の引き方であります。なおソ連の作品は九一年のソ連崩壊以降、急速に減少していくことになりました。

　イギリスの作家ウィリアム・サンソムの知名度は、今回本書に収録した作家のなかでもそれほど高い方ではありません。なぜこの作品が国語教科書に採録されたのでしょうか。ひとつは作品の構造にあると思われます。本作「垂直な梯子」で、主人公のフレッグは、たいした理由もなく打ち捨てられた工場のガスタンクの梯子をどんどん登っていきます。国語教科書には「高いところ」に登っていく話がたびたび収録されます。レフ・トルストイ「とびこめ」（「とびこみ」「ひととび」のようなタイトルもあります）や、アルチューホワ「大きなしらかば」、テオドール・シュトルム「林檎の熟するとき」、ヘルベルト・オイレンベルク「塔の上の鶏」といった作品です。こうした作品は、どんどんと上に登っていく描写と、落ちたらどうしようという心理を通じて読者（生徒）の関心を持続させやすく（登っていくという行為自体が、大げさに言えば一種の「伏線」になる）、またそのあいだの人物の心理を問う設問などもつくりやすいという点で教材むけだったのかもしれません。なお、「上昇」をともなう作品ということでは、一時期はアルピニストによる山岳小説やルポルタージュの類も国語教科書に数多く採用されており、ハインリヒ・ハラー、ジョン・ハント、エドマンド・ヒラリーのような海外の有名登山家の作品も掲載されていました。山登りに限らず冒険小説や冒険家の伝記は教科書の一種の花形として、戦前から採用されていました。

　八〇年代に採録がはじまった作品にはドロシー・パーカー「共和軍兵士」、アントン・チェーホフ「ワーニカ」、ミハイル・ショーロホフ「子馬」、E・M・フォースター「岩」、ウィルヘルム・アレント「わすれなぐさ」、アルチュール・ランボー「サンサシオン」、ヘンリー・ワズワース・ロングフェロー「玉の緒の歌」、ゴーリキー「海つばめのうた」などがあげられます。（秋草）

「名訳」という定番教材

Column 03

国語教科書には、詩の名訳が採用されてきた歴史がある。名訳とは上手な訳の意味だが、語学的に正確であれば名訳と呼ばれるわけではない。原語から移し換えられた訳文の日本語が表現としてすぐれ、創造的であることが含意されている。また、作家や詩人、研究者など、よく知られた書き手の翻訳が名訳とされることが多い。作品や原文の作者だけでなく、翻訳者の名前とともに認知され流通してきたのが名訳だと言えるだろう。ここでは、堀口大學訳アポリネール「ミラボー橋」を例に、名訳が国語教科書でどのような位置を占めるか考えてみたい。

「ミラボー橋」は、七四年『新現代国語2』（中央図書出版社）で、単元「5　抒情の世界」に「翻訳詩」の括りで採録されている。鈴木信太郎訳ヴェルレーヌ「都に雨の降るごとく」、大山定一訳リルケ「秋」の二篇と併せて、「名訳」（指導書「単元設定の意図」）として位置づけられていた。なお、作品の組み合わせは異なるが、同教科書への「ミラボー橋」の採録は、既に七一年版から始まっている。まずは、「ミラボー橋」の本文を、この教科書の本文から一部引いてみよう。

ミラボー橋　アポリネール／堀口大学訳

ミラボー橋の下をセーヌ河が流れ
　われ等の恋が流れる
　わたしは思ひ出す
悩みのあとには楽しみが来ると

　日も暮れよ　鐘も鳴れ
　月日は流れ　わたしは残る（略）

日が去り月が行き
　過ぎた時も
　昔の恋もふたたびは帰らない
ミラボー橋の下をセーヌ河が流れる

　日も暮れよ　鐘も鳴れ
　月日は流れ　わたしは残る

『新現代国語2』の指導書は、日本の近代詩の発展に寄与した訳詩集として、教科書には収められていない上田敏訳『海潮音』（05）に言及し、これを引き継ぐ訳詩集として、「ミラボー橋」を収める大學訳『月下の一群』（25）を挙げている。つまり「ミラボー橋」は、日本近代における名訳詩集の系譜に連なるものとして教材化されているのである。新声社訳『於母影』、『海潮音』、永井荷風訳『珊瑚集』、そして『月下の一群』と続く名訳詩集の系譜は、日本が西洋文化を範と仰ぎ、それを翻訳し移植することで自文化を育ててきた、近代化の過程を体現する。同じ指導書によれば、「日本の近代詩の理解を深めるためには、どうしても、西洋近代詩の及ぼした影響を抜きにすることはできない」。実際、新体詩の形式も、ロマン主義や象徴主義といった思潮も、翻訳を媒介に日本に入ってきた。日本の言語文化を扱う国語という教科にあって、翻訳詩を扱うことは、その起源を問うことになるのである。

　なお、敗戦直後の国語教科書には、上田敏訳『海潮音』の採録が多かった。ただし、「山のあなたの空遠く／「幸」住むと人のいふ」（カール・ブッセ「山のあなた」）、「秋の日の／ヰオロンの／ためいきの／身にしみて／ひたぶるに／うら悲し」（ヴェルレーヌ「落葉」）といった上田敏の名調子や詩の内容は、中学生・高校生にとって身近なものとは言いがたい（とはいえ、上田敏の訳詩は現代に至るまで採録されている）。七〇年代に入って、口語脈に近く、より現代的な名訳として、大學訳「ミラボー橋」が注目されたのだと考えられる。

　つまり名訳は、日本の近代化という歴史を物語る教材だったと言える。作品が内包する意味以上に、その詩が訳された背景や時代を伝えてきたのである。

　たとえば、尚学図書『現代文』（90）は、教材の配列や全体の構成が近代文学の歴史を体現している特徴的な教科書だが、四部に分かれた「現代」篇の冒頭の解説で、『月下の一群』が昭和期の詩人に与えた広汎な影響が述べられている。この説明を読んだ上で、生徒は同教科書の中の「ミラボー橋」を、中野重治や三好達治ら昭和期の詩とともに読むことになるのである。

　名訳はまた、一般の外国文学教材とは、学習・指導面での扱いが異なっている。それは、「翻訳もまた一つの創造」（『高等学校現代国語3』教授資料、第一学習社、75）という認識が背景にあるためだろう。表現面での工夫（音韻の工夫やリフレインの効果、活字の配置の工夫など）を指摘させる学習活動があり、指導書でも訳者の翻訳の工夫が指摘されている。たとえば、「ミラボー橋」第七連の「日が去り月が行き／過ぎた時も／昔の恋もふたたびは帰らない／ミラボー橋の下をセーヌ河が流れる」という一節について、第一学習社の指導資料は、原文には「昔」に当たる語がないにもかかわらず、定冠詞＋愛の複数形（les amours）を訳者がその他の様々な恋と解釈して、訳語を独自に付加したと解説している。

　このように、名訳教材の指導書では、作品の原文の全体や部分が掲げられ、原文と訳文の差異が指摘されることが多い。こうした特徴は、外国文学教材全般に見られるわけではない。教える側は原文を一応踏まえ、その翻訳が原文にどのような創造性を付与したものかを把握しているべきものとして扱われているのである。

重要なのは、翻訳という行為が創造的だとすれば、西洋からの文化の摂取そのものが創造的な営為となる点だ。日本の言語文化を扱う国語教科書で名訳が繰り返し教材化されてきたのは、近代の日本の文化移入全体の創造性を示そうとするためだったと言えるかもしれない。

だが、なぜこの時期に「ミラボー橋」だったのか。実は、堀口大學訳のジャン・コクトー「耳」など短いものは、中学校教科書に既に採録例があった。これに対して、「ミラボー橋」はこの時期になって初めて、そして中学ではなく高校教科書で採用された。一定程度の長さと構成があり、さらに失恋というテーマを詠っている点から、高校教材で採用されたものだと考えられる。

明治書院『新現代文』(96)の指導書は、高校生の内面的生活として「恋」が重要であると指摘した上で、「ミラボー橋」を、「生徒の恋の体験と少なからずリンクする」教材と捉えている。こうした教材観を見ると、中学教科書で採られていた大學の訳詩が、機知のひらめきを垣間見せる短詩群であったことにも納得がいく。「ミラボー橋」はなるほど恋を扱っているが、それは生々しい恋ではなく、恋をめぐる気分や追憶として提示されている。恋が既に失われてしまっている点、にもかかわらず恋の痛みが詩句の音楽性に包まれて軽やかに提示されている点で、教室で「恋」を取り上げるのに適切な扱いやすさを持つ教材だったのだろう。

また七八年の学習指導要領改訂（高校）では、「言語感覚」の育成や「表現する能力」の重要性が提言されていた。これに呼応するように、指導書は本作を「内容が生徒に身近で文体もリズミカルで分かりやすく、愛唱に足る作品」と規定している。実際に本作は、フランスでも曲をつけられており、教科書の学習活動では表現における音韻上の効果がしばしば問われている。訳文の「表現」に注目しつつ、さらに批評や感想といった生徒の「表現」にも導きやすいという点で、「ミラボー橋」は教材化されているのである。

こうして、一種の定番教材として長く採録されてきた詩の名訳は、現代においてはどのように扱われているのか。現行の教科書でも、過去の名訳が採録される例はあるものの、かつてほど採録数が多いとは言えない。七八年学習指導要領改訂で文学史の扱いが「作品の読解、鑑賞の参考になる程度」と規定され、国語教科書から文学史的な観点が後退したこともその背景の一つだろう。

だが、翻訳に着目した学習活動そのものは実はむしろ多くなっている。訳文を読み比べたり、原文と訳文とを読み比べたりする「言語活動」が中学・高校の教科書には頻出する。複数の文章を比べて考え、発表するといった活動が、学習指導要領において推奨されているためであろう。かつて「名訳」教材で教師の側が理解し教えていたようなことを、今は生徒自身が「活動」の中で自ら考えるというように、教材や学習の位置づけが変化していると言えるだろう。

（戸塚）

第4章

七〇年代

共有

ヨハネス・ベッヒャー Johannes Becher

神崎 巌 訳

ぼくはきみと同じように泣いた。
ぼくはきみと同じように喜んだ。
ぼくにはきみがわかっているのだ。

きみとぼく、
たとえ目鼻立ちは違っていても、
手足のつき方に変わりがありはしない。
小さな点では違っているとしても、
大きな点では変わりがありはしない。

ぼくらを区別しているものは、
はてしない人生の波に洗われるように、

ぼくらの共有しているものに洗われてゆく。
美しいはずなのだ、人生は……
そして人間は……すばらしいのだ。

ヨハネス・ベッヒャー（一八九一―一九五八）

ドイツの詩人。ミュンヘンの裁判官の家庭に生まれる。ベルリンのフンボルト大学で医学や哲学、言語学を学ぶ。表現主義詩人として創作を開始し、詩集『滅亡と勝利』（一四）を出版。第一次世界大戦では反戦運動に参加、戦間期にはドイツ共産党で活動している。ナチス政権樹立以降はソ連に亡命して『国際文学』誌のドイツ語編集長を務める。戦後はドイツのソ連占領地区に戻り、『アウフバウ』誌や『意味と形式』誌発刊に携わる。行政面では要職を歴任し、五四年にはドイツ民主共和国（東ドイツ）文化省の初代大臣に就任。詩のほかに自伝や評論など執筆。東ドイツの国歌はベッヒャーが作詞したものである。東西ドイツの文化的融和を希望したが、党指導部からの批判により失脚させられる。「共有」は詩集『遠い幸福近くに輝き』の増補改訂版（五二）に収められている。

【訳者】 **神崎巖**（かんざきいわお）（一九三五―）

ドイツ文学者、翻訳家。東京生まれ。早稲田大学卒、同大学院博士課程中退。同大学教授を務めた。ハインリヒ・ベルやジャン・アメリーのほか、児童文学の訳書多数。日本民主主義文学同盟会員としても活動した。

⇩教科書掲載……（**中学**）
日本書籍『中学国語2』78

朝めし

ジョン・スタインベック

John Steinbeck

大久保康雄 訳

こうしたことが、私を、楽しさでいっぱいにしてくれるのである。どういうわけか、小さなこまごまとしたことまでが目の前にうかびあがってくる。ひとりでに、いくどとなく思い出されてきて、そのたびごとに、埋もれた記憶のなかから、さらにこまかなことが引き出され、不思議なほど心のあたたまる楽しさがわきあがってくるのだ。

あれは夜が明けてまもなくだった。東の山々は濃い藍色だったが、その背後から射(さ)してくる光が、洗ったような赤で山のふちをかすかにいろどっていた。そして、さらにさきへ行くにつれて、私の頭上あたりでは、その光が冷たい灰黒色になり、西のはずれ近くでは、完全に夜のなかに溶けこんでいた。

寒かった。たまらないほどの寒さではなかったが、かなり冷気が身にしみたので、私は手をこすりあわせて、ポケットへ深く突っこみ、背をまるめ、足を引きずって歩いた。私のいた谷間では、地上はまだ夜明けの紫色がかった灰色だった。田舎道に沿って歩いて行くと、前方に、地面よりはいくらか薄い灰色のテントが見えた。テントのそばの古錆(ふるさ)びた鉄のストーブの裂け目から、オレンジ色の炎がふき出ていた。灰色の煙がずんぐりした煙突からほとばしり出て、長く一筋にふきあがってから、あたりにひろがり、消えていった。

　ストーブのそばに若い女がいるのが見えた。まだ娘といっていい若さだった。色のあせた木綿のスカートと胴着を身につけていた。近づくにつれて、彼女が腕をまげて赤ん坊を抱き、赤ん坊は寒さから母親の胴着のなかに頭を埋(うず)めて乳を吸っていることがわかった。母親は、火を突っついたり、ストーブの錆びた蓋を動かして風を入れたり、オーブンの口をあけたりして動きまわっていた。そのあいだ赤ん坊は乳を吸っていたが、それはすこしも母親の仕事や、その軽やかな、きびきびした、しなやかな動きを、さまたげはしなかった。その動きには何か非常な熟練と正確さがあった。オレンジ色の炎がストーブの裂け目からほとばしり出て、踊るような反映をテントに投げかけていた。

　私はもうすぐ近くまできていたので、ベーコンをいためるにおいや、パンをやくにおいなど、この上もなくあたたかくて、この上もなくよろこばしい、あのなつかしいにおいがただよってくるのを嗅ぐことができた。光は東から急速にひろがっていった。私はストーブのそばへ行って、両手を火にかざした。暖気にふれると、体じゅうがぶるッと震えた。やがて、テントの垂れがぱっと開いて、一人の若者が出てきた。つづいてもう一人、老人が出てきた。二人とも新しいダンガリーのズボンをはき、真鍮(しんちゅう)のボタンが光っている新しいダンガリーの上着を着ていた。どちらも鋭い顔つきをした男たちで、二人ともよく似ていた。

　若いほうの男は黒い不精ひげをのばし、老人のほうは白い不精ひげをのばしていた。頭も顔もぬれていて、髪からしずくが垂れていた。こわいひげにも水玉がついているし、頬も水で光っていた。二人でならんで立って、明るみつつある東の空を静かにながめていた。二人ともいっしょにあくびをして、山のふちの光を見た。それから、ふり向いて私を見た。

「おはよう」と老人が言った。その顔は、愛想がよくもなく、わるくもなかった。

「おはよう」と、私は言った。

「おはよう」と若者も言った。

二人の顔から水が徐々にかわいていった。二人はストーブのところへきて、手をかざしてあたためた。

若い女は、向こうをむいて、自分のしていることだけに目をそそいで仕事をつづけていた。髪の毛を目に垂れかからないようにうしろにかきあげて紐で結び、それが動くたびにゆれた。彼女は大きな荷箱の上に錫のコップをおき、錫の皿やナイフやフォークをならべた。それから、いためたベーコンを深い脂のなかからすくいあげて錫の大皿にのせた。ベーコンは、かわくにつれてジュウジュウ音をたてて縮みあがった。若い女は錆びたオーブンの口をあけ、分厚い大きなパンがいっぱいはいっている四角な鍋をとり出した。

あたたかいパンのにおいが流れると、男たちは二人とも深く息を吸いこんだ。若者は、ひくい声で、「こいつはたまらねえ！」と言った。

老人は私のほうを向いた。「朝めしはすんだのかい？」

「いや」

「そうかい、そんならいっしょにすわんなよ」

それがきっかけだった。私たちは荷箱のそばへ行って、まわりの地べたにすわった。

「おまえさんも綿つみかね？」と、若者は私にたずねた。

「いや」

「おれたちは十二日間分以上も働いたんだ」と若者は言った。

若い女がストーブのそばから言った。「それで二人とも服を新調したんだよ」

二人の男は自分たちの真新しいダンガリーの服を見おろして、ちょっと微笑した。

若い女はベーコンの皿や、褐色の分厚いパンや、肉汁を入れた鉢や、コーヒー・ポットをならべ、それから自分も箱のそばにすわりこんだ。赤ん坊はまだ寒さから母親の胴着のなかに頭をうずめて乳を吸っていた。そのチュウチュウ吸う音を、私は聞くことができた。

私たちは、めいめいの皿にとりわけて、パンにベーコンの肉汁をかけ、コーヒーに砂糖を入れた。老人は口いっぱいに頬ばって、ぐしゃぐしゃとかんでは、のみこんだ。それから彼は言った。

「こいつはうめえや」そして、また口いっぱいに頬ばった。

若者が言った。「おれたちはこれで十二日間もうまいものを食ってるんだ」

みんなすばやくがつがつ食い、お代わりをして、またがつがつ食った。そのうちに、腹がいっぱいになり、体があたたかくなった。熱くにがいコーヒーが咽喉(のど)を刺激した。私たちはコーヒーかすのたまったわずかばかりの飲み残しを地面に投げすてて、またカップにコーヒーをついだ。

いまは日の光が色づいてきて、その赤い輝きのために空気がいっそう冷たくなったように思えた。二人の男は東を向いていたので、顔が夜明けの光に輝いていた。私は、ちょっと目をあげたとき、老人の目のなかに、山と、その向こうから射してくる光のイメージが映っているのを見た。

やがて、二人の男はカップのなかのコーヒーかすを地面に投げすてて、いっしょに立ちあがった。

「さあ、もう行かなくちゃ」と老人が言った。

若者は、私のほうをふり向いた。「綿つみをやる気があるんなら、仕事の世話をしてもいいぜ」

「いや、私は行かなきゃならないんだ。どうもご馳走さま」

老人は、とんでもないというように手を振った。「いいんだ。よく訪ねてくんなすった」彼らはいっしょに歩いて行った。空気は東の山の端から射す光にあたためられようとしていた。

それだけのことなのだ。もちろん私にも、なぜそれが楽しかったのか、理由はわかっている。だが、そこには、思い出すたびにあたたかい思いがこみあげてくるある偉大な美の要素があった。

ジョン・スタインベック(一九〇二―六八)

アメリカの作家。カリフォルニア州サリーナスに生まれる。スタンフォード大学中退後、一時期ニューヨークで新聞記者を務めた。帰郷して山小屋の管理人、養鱒場職員として働くかたわら小説を執筆、発表した。三〇年代後半以降、社会問題を扱った作品によって評価されるようになる。とりわけ砂嵐と大規模農業のため故郷オクラホマを追われた農民がカリフォルニアまで移住するさまを描いた『怒りの葡萄』(三九)はベストセラーになったが、共産主義とのレッテルを貼られて一部の図書館から排斥されもした。その他の代表作に『二十日鼠と人間』(三七)、『エデンの東』(五二)など。六二年、ノーベル文学賞受賞。「朝めし」は三六年に発表され、短編集『長い谷間』(三八)に収められた。直後の『怒りの葡萄』にも主人公が見知らぬ農民から朝食をごちそうになる場面が描かれている。

【訳者】

大久保康雄〔おおくぼやすお〕（一九〇五―八七）

戦後日本の代表的翻訳家。慶應義塾大学中退。大宅壮一主宰の翻訳集団で学んだのち、三八年マーガレット・ミッチェル『風と共に去りぬ』を初訳。ベストセラーになった。戦後も職業翻訳家として膨大な訳書を生みだしたが、下訳者を駆使するそのスタイルから「大久保工房」とも呼ばれた。ヘミングウェイやヘンリー・ミラーは代表的な訳業だろう。

⇩教科書掲載………**（中学）**

日本書籍『中学国語 3』66『中学国語 3』69『中学国語 三』72『中学国語 3』75（収録タイトル：「朝食」）

⇩教科書掲載………**（高校）**

学校図書『高等学校現代国語 一』73（収録タイトル：「朝食」）／光村図書『現代国語 一』73／三省堂『新編現代文』96／明治書院『現代国語 三』65『改訂 現代国語 三』68（収録タイトル：「朝食」）『現代国語 二 新修版』77『現代国語 二 新修二版』80

一切れのパン

フランチスク・ムンテヤーヌ
Francisc Munteanun

直野敦 訳

一

「伝馬船65—31号の舵手はどこにいるか？」

「私です」

「航海日誌を持っておれといっしょに来い！」

そう言って前に立ちはだかった男は港湾事務局の者ではなかったけれども、そのしゃべり方があまりにも威圧的だったので私は彼の言うことに従った。私は航海日誌を手にして彼のあとについて行った。水運会社の建物を過ぎたところで、やっと勇気を出してたずねた。

「私たちはどこへ行くのですか？」

「今にわかる！」

私はかっとなった。

「いったいあなたは何者ですか？」

その男は私のほうを向いて口の端に皮肉な微笑を浮かべながら上着の裏襟についている丸い徽章を指さした。

「ドナウ河水上警察の者だよ」

私は自分が小心者だとは思っていなかったのだが、この言葉には震えあがった。誰かが私を密告したにちがいない。最近、ドナウ河を行く船という船には、警察のまわし者があふれていたので、私がもっと早く逮捕されなかったのが不思議といえばいえた。しかし、逮捕の理由は何だろう？　あの一貨車分の乾葡萄をオレホヴォで売ったことが発覚したのか？　いや、そんなはずはない。万事夜中に運ばれたのだし、もし少しでも発覚したとすれば、最初の港で逮捕されたはずだ。

それとも、あの石油缶を売ってもうけた金をわけてやらなかったために〝リード〟号の舵手とけんかした例の一件がばれたのか？　そのはずはない。奴は、私を告発できるほど自分自身潔白ではないし、そのうえ、もしそんなことをすれば彼自身も臭い飯をくうことになるのだから。たぶん、シシトフでちょろまかしたあの煙草の荷のことで逮捕されたのだろう。そうだ、それがまあいちばん可能性がある。あの税官吏は、おれのやった二千レヴァではあまり嬉しそうな顔をしなかった。それに密告してやるぞ、とおれをおどしたっけ……しかし、あれは、もう一年前の話で、警察のやつらが、これほどまでひまどるとは考えられない。それとも、もしかしたらあのラム酒の樽が嗅ぎつけられたのでは……いや、それなら船室を捜索したはずだ……それなら、一体全体なんのことで逮捕されたんだろう？……

D・D・S・G水運会社と、港湾事務局の堂々とした建物のそばでは、水上警察派出所は、見捨てられた無人の番小屋のように見えた。厚い樫の木のドアに打ちつけられたエナメルの標札がなかったら、また、武装した歩哨が入り口に立っていなかったら、人々は建物の前を無関心に通りすぎただろう。けれども、それがあるため、人々は遠くからこの建物を避けて通った。

厚い樫のドアは、私のうしろで乾いた音をたてて締まった。

「腰かけろ！」

私は椅子の上に腰をおろして、見すぼらしい部屋の中を見渡した。私の目の前の机と二つのちぐはぐな椅子のほかには、戸棚が一つと、書類棚と、二つの——ホルティ〔ハンガリーの第二次大戦中の独裁者〕とヒットラーの——肖像画があるだけだった。

「おまえはルーマニア出身だな？」

「そうです」

「いつからハンガリーに住んでいる？」

「一九四〇年からです〔一九四〇年のウィーン協約によりルーマニアの領土の一部がハンガリーに割譲され、多くのルーマニア人がハンガリー国籍に移った〕」

私は、自分の事件と関係のある質問をされないことを不審に思った。もしかしたら、びくびくする必要はなかったのかもしれない。私は、対等の立場に立っている気になって言った。

「なぜここに私をお呼びになったか、説明していただきたいですね。出発直前なので、船の上でやる用事がたくさんありますからね」

「おまえはもう船には二度と帰れないよ」

私は、棍棒で頭をなぐられたような気がした。私は、不当な扱いに抗議するつもりで、毅然たる態度をとった。

「私がルーマニア国人であるということをご承知おき願いたいと思います。私は大使館に連絡します」

「ははあ！」と警官は声を荒らげた。「きさま、おれをおどす気だな！……よし、若僧、靴を脱げ」

私はてっきり聞きまちがえたのだと思った。私は、間の抜けた顔をして、彼のほうに身体を乗りだした。

「えっ、なんとおっしゃいましたか？……」

「ほほう、今度は、聞こえないふりをするつもりか！靴を脱げ、と言うんだ！」

いったい、これは何事だ？　私は、時間をかせぐために、かがんでゆっくり靴を脱いだ。気持ちを落ち着かせようとしたが、思うようにならない。私は、床板を――まるで、そこから私の救いが来るはずだとでもいうように――馬鹿のように見つめていた。

「靴を机の上に置け！」

こいつは、おれをからかう気なんだ。私は、その警官に、そんな冗談はユーモアがないぜ、と言おうとしたが、思いとどまった。なんでまた、靴を机の上に置けというのだろう？　私は、相手の目を注視した。もし、そこに微笑の影でもあれば、安心できると思ったのだ。しかし、相手は、目をつりあげてきびしい顔をしている。仕方がない。私は、口の端に苦笑を浮かべながら靴を机の上にのせた。

警官は、満足した顔つきで、部屋の中を行きつもどりつした。左に四歩、そして右に四歩。しばらく彼の動きを眺めてから、私は自分の靴に目をやった。ブラティスラヴァ〔チェコスロヴァキアの工業都市〕で、煙草二〇箱とひきかえに買った黒靴だった。ウィーンでなら、煙草五箱とラム酒一リットルで買えただろう。なぜ、おれに、あの靴を机の上に置かせたのだろう?!……きっと、冗談にちがいない。しかし、冗談にしては、気のきかない冗談だ。どっちにしても、私は落ち着けない。靴のせいでそうなんだと思いたいのだが、ともかく、靴を脱がせられては、人間は自己の人格の一部を失う。私は足を重ねあわせた。『畜生、なんでまたきょうに限って、この穴のあいた靴下をはいてきたんだろう？……』

警官は、相変わらず私の前を行きつもどりつしていた。靴を脱がされて、こんな中途半端な状態のままでいるよりは、私は訊問されるほうがいいと思った。ちょうどそのとき、建物の前に車が一台停まった。私を連行するために来たんだという考えが、とたんに私の頭をかすめた。私は興奮をおしかくそうとしたが、できなかった。『しかし、ほんとうにおれを連れて行くために来たんだろうか？』私は気を鎮めようとした。『どこに連れて行こうというのか？……それは……』

　そのとき、ドアが開いて、そのあいだから、クラーク・ゲーブル式のブロンドの鼻髭（はなひげ）をたくわえた若い中尉が姿をあらわした。将校らしく挙手の礼をすると、私をじろじろと眺めてから、机の上の靴に視線を走らせた。瞬間彼の口もとに微笑が浮かびそうになったと思ったが、またすぐにきびしい顔つきにかえった。私は、口惜（くや）しさと湧きあがってくるさまざまな疑惑のために、いらだっていた。

「この靴は誰のだ？」と、中尉は顔をしかめながら言った。

「私の靴です」と、私は口ごもりながら答えた。そして、警官が説明してくれるだろうと期待して、そのほうを見やった。

「おまえの靴だと?!」と、中尉はさも腹立たしげにどなりつけた。「どこにいると思ってるのか？　ヴァラヒア〔ルーマニアの旧名〕か?!　おい？」

　そして、私が彼に答える暇もないうちに、私の頬には彼の拳がとんでいた。「ここに来たのは、机の上に靴を置くためか？」さも汚らわしいというように、机の上から靴をたたきおとすと、まるで人殺しを見るような視線で私をにらみつけながら命令した。「靴をはけ！」

二

　私は、自分が投げこまれた地下室のドアが締まると、湿っぽい壁に身をもたせかけて、暗闇に慣れるように目を閉じた。そして、目を開けるまでに、すでに二つのこと――第一に、部屋の中が非常に暖かく、第二に、床に藁（わら）が敷いてあること――を確かめた。

「また一人連れて来られたぞ」と、私のすぐそばで甲高い声がした。私は急いで目をあけたが、なんにも見えなかった。すると、その甲高い声の男は、マッチをつけて私の顔を照らした。「なんだ、若僧だな！」と、つまらなさそうに言った。

　どこか奥の闇の中から、また誰か一人現れた。

「君はなんで逮捕されたんだい？」

「それがわからないんですよ」

「君はルーマニア人か？」

「そうです」

「それなら、どうしてわからないんだい？」

マッチがもう一度ぱっと明るく燃え上がって消えると、闇がふたたびあたりをおおった。

「でも、あなたがたはどうしてここにいるんですか？」と、私は好奇心にかられてきいた。

「君は新聞を読まなかったのかね」

「ええ、読んでいません。昨夜ブダペストについたばかりで。船乗りです。二週間ほど新聞を読んでいません」

「ああ、なるほどそれでわかった。一週間前に、ルーマニアはロシヤ側に寝返ったんだ〔一九四四年八月二三日、ルーマニアはロシアと休戦しドイツ側に宣戦布告した〕。わかるかい？ だから、おれたちは逮捕されたんだ。君、なにか食い物を持っているか？」

「いや、なんにも」

「それはまずいな。おれたちは二日間なにも食っていないんだ」

地下室の奥から、眠そうな声が私たちの会話をさえぎった。

「おい、もういいかげんにして静かに寝たらどうだね！ 眠ってたら、腹もへらないぞ」

私は、それからもしばらく壁によりかかっていたが、身をかがめて藁をかき集めた。眠るためだ。私はそれほど心配はしていなかった。家族に会えなかったことだけは、残念だった。いつもはブダペストに着くやいなや、真っ先に家にとんで帰っていた。しかし今度は、船にあまりたくさん仕事があったので、家に帰るどころか、夕食さえとる暇がなかった。運転台につききりで仕事をしたあとでは、疲れ果ててもう市内に出かける元気もなかった。そして、今朝は今朝で、起きるとすぐ入れ換え作業があり、さらに岸につけるのでひと仕事し、また外に出る時間がなくなってしまった。『どうして、朝飯だけでも自分で料理しなかったんだろう？』そうだ、仕事を終えてから、昼食は、市内に出て食堂で食べるからいいと思っていたのだ。もし、もう一五分も早く伝馬船から出かけていたら、水上警察のやつに見つけ出されることもなかったのだが。すべてはあとの祭りだった。

夕方が近づくにつれて、私は飢えを感じはじめた。もし地下室のほかの連中が二日も食べていないことを聞きさえしなければ、もちろん私もあわてるはずはなかった。が、それを聞いてからは、急に飢えがひしひしと迫ってきた。

翌日の夕方近くに、地下室のドアが開かれて、私たちは石塀に囲まれた中庭に集められた。

「軍事監獄だよ」と、私たちが背の順に並ばされたあとで、隣の男が私にささやいた。

例のブロンドの髭の中尉が、私たちに告げた。

「脱走せんとする者は、理由の如何を問わず死刑に処せられる」

「何か食物をください！」と、列の中の誰かが叫んだ。

「目的地につけば食事が支給される」

「私たちはどこに連れて行かれるんですか？」

「今にわかる……裏切者ども！……」

三

私たちは、戸を締めきった護送車にのせられ、それから、発車駅で貨車の中に、三〇人ずつ押しこまれた。息苦しいのと、空腹なのとを除けば、私たちは地下室にいたときよりは気持ちは楽だった。少なくとも、ここでは暗闇の中にいるのではないし、目的地につけば一碗の食物にありつけることを知っていたから。

私たちの押しこまれた車両は古くて、床板は腐っていた。一面にちらばった木切れと鋸屑とから、私はすぐに、この貨車が私たちを迎える前に、木材の運搬に使われていたものだと知った。ほかの連中がそのことに気がつく前に、私は、鋸屑をベッド代わりにするために、いっぱいかき集めた。

列車の車輪は、ごとごとものうい音を立てていた。唇が厚くて桜ん坊色をした、浅黒い肌のマリオアーラに首ったけになっているゲオルギッツァの歌を、誰かが歌いはじめた。私の横には、頭を剃った背の低い老人が、目を半開きにしたまま、うとうとしていた。そして、たえず神経質に手を動かしていたが、その手は異常なほど細かった。私は、彼が何者かを見きわめようとして、長いあいだ見つめた。幾度か、老人も私のほうを見た。しかし私が彼のことを探っているのに気がつくと、そのたびに顔をそむけた。ついには、気になったらしく、私のほうに身をかがめて言った。

「あなたはどこから来ましたか？」

その言葉のアクセントは、ユダヤ人に特有のものであった。私は、それにちがいないと思ったので、彼にきいた。

「あなたはユダヤ人ですか？」

私の隣人は、びくっとして身をすくめ、口に指をあてた。

「しっ、人に聞かれないように、その話はやめてください！」

それから、半時間後には、私は彼についてのすべてを知った。彼は、シゲト市〔ルーマニアの北部、当時はハンガリー領になっていた町〕の近くのラビ〔ユダヤ教の僧侶〕で、ユダヤ人としてではなく、ルーマニア人として逮捕されたことをとても喜んでいた。彼は、どうかその秘密を洩らさないでくれと、くれぐれも私に頼んだ。私は彼にそれを約束した。翌日、貨車の中での話といえば、食物のことばかりであった。

誰かが、ティミシュ・トロンタル地方〔ルーマニアの西部の一地方〕では、サルマーレ〔ロール・キャベツに似たバルカン地方の料理〕をどんなふうにつくるかを説明しはじめた。もう一人は、トランシルヴァニア地方では、料理にかけて彼の女房におよぶ者は一人もないことを躍起になって述べたてた。

クルージ市の近くの出身で、官僚的な手続きのためハンガリー国籍をとるのが間に合わずに逮捕された、ハンガリー人の靴職人は、口汚くののしりながら床板をはがしはじめた。やはり、ハンガリー人で気性の激しい男が二人ほど、彼に手助けした。そして、数時間後には、ちょうど車体の車軸の真上で、床板をとりはずすのに成功した。皆、夜が来るのを首を長くして待った。ラビは、何人かが脱走した場合、脱走する勇気のない人々に、あとで災いが及ぶのではないかと心配した。人々は二派に分かれた。一方は脱走に賛成し、他方は反対した。

夜中の二時頃、列車は空襲のため、とある荒野のまん中で停車を余儀なくされた。靴職人はあいた床の口に身体を入れた。

「誰か、ぼくといっしょに来るか?」

彼に従ったのは、三人だけであった。そして四人は貨車の下に降りた。

「あなたも行きますか?」と、ラビが心配そうに私にきいた。

「行きます」

「あなたといっしょに行きたいが、連れて行ってくれますか?」

「もし、行きたければ、どうぞいっしょにいらっしゃい」

爆撃は、一時間足らずつづいた……車両の下に降りた六人は、列車が出発するのを線路の間に寝そべって待っていた。私たちはただひとつのことが気がかりだった。最後の車両のデッキにたぶん歩哨が立っていて私たちに気づき、警報を発するのではなかろうか?

ラビは、細い鞭のようにぶるぶる震えていた。私は、彼の近くにはいよって、貨車にもどるようにすすめた。

「あなたはユダヤ人です。もし今度つかまれば、それこそひどい目にあうでしょう。かりに、今ここで逃げおおせるとしても、そのあとどうしますか？　あなたにとっては、自由の身でいるより、ルーマニア人として捕虜になっているほうが、はるかに有利ではありませんか」

ラビは、しばらく考えこんでいたが、やがて私の言うとおりだと答えた。そして私に別れの握手をすると貨車にもどった。私自身は、彼にいい忠告を与えたと信じて疑わなかった。

「もし、あなた……」

「なんですか？」と、私は心配になってききかえした。

「あなたの忠告に対してお礼をしたいと思って」そう言いながら、ラビは、小さなハンカチの包みをさし出した。

「この中にはパンが一切れはいっています。何かのお役に立つでしょう」

私は、感謝しながら包みを受け取ったが、ラビはまだ車両の開いた口から去ろうとしない。

『まだ何か言うことがあるのかな？』と私は思った。

「あなたにひとつだけ忠告しておきましょう。そのパンは、すぐに食べずにできるだけ長く保存するようになさい。パンを一切れ持っていると思うと、ずっと我慢強くなるもんです。まだこの先、あなたはどこで食物にありつけるかわからないんだから。そして、ハンカチに包んだまま持っていなさい。そのほうが食べようという誘惑にかられなくてすむ。私も今までそうやってもってきたのです」

汽車は動き出した。私はもう彼に感謝する暇もなかった。

私は、歩哨に発見されるのではないかという恐怖にかられて、地面にぴったり顔を伏せた。が、何事も起こらないまま汽車は遠ざかって行った。それでもまだ私は、車輪の響きが聞こえなくなってしまうまでは、身を起こさなかった。どこか近くの、爆撃をうけたところで、ばら色の炎が、空に立ちのぼっていた。

「さて、どっちのほうへ行こう？」と、誰かがたずねた。

「各人、別々の方向だ」と靴職人が言った。

「皆いっしょに出かけるのは意味がない。かえって早く見つかるだけだ」

靴職人ともう一人の男は、線路にそって歩きはじめた。あとの二人は、私たちの左手にひろがった林に向かって行った。私はまだしばらく決心がつかないまま、枕木の上に腰をおろしていた。今となっては、ラビに貨車にとどまるようにすすめたことが後悔された。もし彼が来ていれば、少なくとも一人きりにならずにすんだのだが。遠くのほうからは、立ち去った仲間たちの足音がまだ聞こえていた。それから、無気味な沈黙が訪れた。私は恐怖に襲われた。ためらい気味の足どりで、いやいやながら、爆撃された町のほうへ向かって歩き出した。ふと、あともどりして、林のほうへ向かった仲間たちのあとを追っかけようかという考えが浮かんだ。しかし、林の方角は、暗闇に包まれ、もう彼らを見つけることは不可能だった。私は、はげしい飢えを感じた。喉は渇いて、頭はずきずき痛んだ。目を閉じると、瞼(まぶた)の裏に色とりどりの小さい玉がおどり狂い、それはしゃぼん玉のようにふくらんだり、ちぢんだりした。私は、ラビからもらったパンを思い出し、ポケットの中の包みにさわってみた。パンはかさかさに固くなっていた。老人は、きっとずいぶん前からこの一切れのパンを保存してきたのだろう。よしこれを食べようと思ったとき、ラビの忠告が私の記憶によみがえった。『そうだ彼の言うとおりだ』それに、貨車の中で飢えに悲鳴をあげていなかった唯一の人間は彼だった。パンを持っていたからにちがいない。『私は彼ほどの意志力もない弱虫なのか？』私はハンカチの包みをポケットにしまいこんで、ふたたび重い足どりで歩きはじめた。そして、自分の飢えをいやすために、最初に目に入った家に入ろうと決心した。

　やっと明け方になって、私は爆撃をうけた町の近くに達した。

　町のはずれの家まであと二百メートルぐらいのところで、私は、完全武装した約一個中隊ぐらいの兵士たちがこちらに近づいてくるのを目にした。私は、危ういところで、ひとかたまりの叢(くさむら)のうしろに身をかくした。兵士たちはまるでわざとのように、叢のすぐそばで向きを変えると、国道から原っぱのほうへはいって来た。私のかくれ場から程遠くない所で、指揮官が何か号令をかけた。兵士たちは演習の準備をした。まる五時間のあいだ、私は叢のうしろで震えていた。姿を見つけられはしないかと思うたびに、身を伏せて這(は)いつくばった。そのうえ私は飢えにさいなまれていた。一時、思いきって兵士たちのところへ行って食物を乞うことさえ考えた。が、この考えを、幸運にも自分で否定した。

　やっと一二時近くになって、兵士たちはふたたび隊列をつくって町のほうへ帰って行った。しばらく彼らが遠ざかるのを待って、同じ方向へ私も歩みはじめた。

ところが市の関門の近くで、私は、帽子に羽をつけた二人の憲兵が銃をかついで行きつもどりつしているのを見た。私は、道ばたの溝の中に身を伏せた。そこで、彼らがいなくなるまで待つつもりだった。しかし憲兵たちは、去る様子はまったくなかった。約二百メートルの間を行ったり来たりして、市にはいる者、市から出て来る者全員の身分証明書を調べていた。私は水夫の証明書と、会社の給料支給簿しか持っていなかった。数時間後には、私が願っていたように憲兵が去るどころか、その数はさらに増えた。町にはいりこむことができないことは、もう明らかだった。しかし立ち去ることもできなかった。発見されないで姿を消すためには、すっかり日が暮れるまで待たねばならなかった。私は、靴職人といっしょの道をとらなかったことを後悔した。彼は、今頃は、どこかで真っ白いシーツにくるまって、きっと満腹のあまり身動きもできないでいることだろう。

線路のほうへふたたびもどる道は、果てしなく長いように思われた。真夜中近くになって、私はもう死んだように疲れ果てて、一本の樹(き)の下にすわりこんだ。今度こそ、ラビからもらったパンを食べてしまおうと決心した。しかし数分間とつおいつ考えたあげく、私はそれを翌日まで延ばすことにした。夜は眠るのだから空腹は感じないですむだろうと考えたのだ。私は横になって、死んだように眠った。私はふたたび船の上にいて、倉庫はすばらしい食物でいっぱいになっている夢を見た。そのあとでは、どこかの大きなレストランのコック長になって、あらゆる料理の味見をした。

真っ向から陽(ひ)の光を顔にうけて、私は目をさました。腹の中はからっぽで、喉はからからに渇いていた。けれども私は、ラビからの包みをあけずに立ち上がるだけの意志の強さを発揮した。線路にたどりつくまでは、食べまいと決心した。

私は、ポケットに手を突っこんで、パン切れを指でさすりながら、ゆっくり歩いて行った。前の日出発した地点へまたたどりついたときには、もう正午をすぎていたと思う。しばらくのあいだ、私は枕木を一つ一つ踏みつけながら足早に歩いたが、疲れてしまったので、今度は焼けつくようなレールの上を両手で調子をとりながら歩いて行った。このまま歩きながら食べようか、それともどこか木蔭(こかげ)で休もうかと迷っていたとき、鉄道会社の制服を着た男がひょっこり私の視界に現れた。私は本能的にかくれようとしたが、飢えは、あの男を避けるなと私にささやいた。その男は、私から五〇メートルほど離れたところまで来ると、私に呼びかけた。

「脱走者かい？」

私は肯定のしるしにうなずいた。

「それなら早くここから逃げろ！　昨夜、ここで君の仲間らしいのが二人つかまって銃殺された。一人は、赤い縞のワイシャツを着ていたよ」

『あの靴職人だ！　彼らといっしょに行かなくてよかった！』私の足は震えはじめた。

「わかった、行くよ」と、私はやっとのことで声にならない声を出した。「でも何か食物をくれないか？」

「ここにはなんにも持ってない」

今でも私は、そのときすぐに逃げ出さないでねばったことに驚きを感じる。

「ここで君を待っているから、番小屋から何か持ってきてくれ。もういつから食べていないかわからないんだ」

「それが持ってこれないんだよ。番小屋には、兵隊が二人泊まりこみで見張りしている。早く逃げろ、ひどい目にあいたくなかったら」

私は、もうなるようになれといった捨て鉢な気になった。

「それじゃ、せめてここはどこなのか教えてくれないか」

「エステルゴム〔ハンガリー北部の町〕の近くだ。しかし町は避けたほうがいい。ドイツ兵でいっぱいだから。退却しているんだ」

私は、左手の林がひろがっているほうへ向かった。口惜しさに涙があふれてきた。二〇歳になったばかりなのに、まるでどぶ鼠のように、飢え死にしなければならないのか⁈

太陽はひどく照りつけた。まるで私に腹を立てているかのようだった。私は汗だくになった。そして、身体から力がしだいに抜けていくのを感じた。

私は座りこんで、もう二度と立ち上がるまいと思ったが、自分自身に皮肉に問いかけた。

『どうせ死ぬなら、どうして木蔭で死なないんだ？』

林につくと、私はラビからもらったパンの包みをポケットから取り出した。ハンカチ包みを目にしたとたん、私の胃はひきつり、私は熱病患者のようにあえいだ。もし、このパンを持っていなかったら、と私は考えた、とうていここまでもたどりつけなかったろう。飢えにつき動かされて、兵士たちに食物を乞いに行ったかもしれない。そしてあの靴職人のように銃殺されたかもしれない。そうならなかった、と誰が言えよう！『いや、このパンを今食べてはならない。今は、このパン切れだけが、まだおれに力を与えてくれる唯一のものだ。立ち上がって歩き出さねばならない。ここで時間を無駄にしてはなんの意味もない』私はふたたび包みをしまいこんだ！　歩きながらも、そこに確かにあるかどうか、私はポケットの上から押さえてみた。ときどき、私には、すべてが夢にすぎず、まもなく私は伝馬船の上で目をさますのではなかろうか、と思われた。数時間歩きつづけたあと、私は森はずれに農家を一軒見いだした。数分ののちには、この苦難の道も終わるものと確信して、私は農家に近づいた。そしてまさに呼びかけようとしたとき、木蔭に軍用トラックが数台停まっているのに気がついた。私は歯をくいしばって、ポケットのパン切れを押さえながら農場から遠ざかった。

夕暮れに、私は広い国道のまん中に立っていた。もうどうなってもいいと思っていた。今となっては万事同じだ。私はポケットから、ハンカチ包みをひっぱり出して、食べようと決心した。もう私をひきとめる力は何もなかった。そして、ハンカチの結び目をほどきにかかったとき、私のうしろで耳につき刺さるような警笛が聞こえた。ふりかえると、一台の乗用車が向かってきていた。私はあわてて包みをポケットに押しこむと、手を大きく振った。自動車を停まらせようとしたのだ。すると、自動車は思ったとおりに、私の近くで停車した。運転台にはドイツの兵士が一人乗っていた。『いや、これはしまったことをした！』

私は、自分の気持ちを落ち着かせながら、自動車に近づいた。自分でも不思議に思えたほど、私はもう恐怖を感じていなかった。

「私はD・D・S・G水運会社の水夫です」と言いながら、私は水夫の証明書を示した。「ブタペストまで行きたいのです」すると彼は私に乗れと手で合図した。

運転台の横にかけて、私はしばらく飢えを忘れた。が、まもなく、胃はふたたびはげしくひきつりはじめた。私は必死にそれに耐えた。私が飢えていることに、兵士が気づいてはならない。少しでもあやしまれたら、万事休すだ。私は、眠りにおちないようにと、全身の力をふりしぼった。

ブタペストについたときには、もう夜が白みはじめていた。私は市の中心街でおろしてくれと頼んだ。運転手は車をとめ、私は彼に礼を言って家路に向かった。通りのまん中で、パンをひっぱり出すのは恥ずかしかった。なぜかわからないが、同じ食べていても、飢えた人間は、そうでない人間より人の目につきやすいような気がする。ポケットのパン切れを上から押さえながら、私は心の中でラビに感謝した。結局は彼のおかげで私は助かったのだ。もしこの一切れのパンを持っていなかったら、私はどんなことをしでかしたかもしれない……家の近くで私は巡察兵に呼びとめられた。私は一気に血が顔にのぼってくるのを感じた。どもらないように、私はしっかり歯をくいしばった。

「身分証明書！」と、身体の大きい下士官が私に命令した。私は、水夫の証明書を出して、彼の前に差し出しながら言った。

「マトローズ〔ハンガリー語で水夫の意味〕」

下士官は、ドイツ語の証明書をばらばらめくってから、ほかの巡察兵に向かって言った。

「なんだ、こりゃドイツ人じゃないか」

余計なことを彼にしゃべらなかったのは、幸いだった。私は、彼にさっとドイツ式の敬礼をして立ち去った。

やっと家にたどりついたとき、私はもう妻の質問に答える元気もなかった。長椅子にくずれおちるように横になったが、眠れもしない。料理のにおいが鼻をくすぐる。私はあのユダヤ人のラビからもらったパンを思い出して、ポケットからハンカチの包みをひっぱり出し、微笑しながら包みをといた。

「これがぼくを救ったんだよ……」

「まあ、そのきたならしいハンカチが？　何がその中にはいっているの」

「パン一切れさ」

突然、部屋全体が私といっしょにくるくると回転しはじめた。ハンカチからぽろりと床におちた一片の木切れ以外には、もうなんにも私の目に入らなかった。

フランチスク・ムンテヤーヌ（一九二四―一九三）

ルーマニアの作家、脚本家、映画監督。西部フネドアラ生まれ。機械工見習いなど、さまざまな職を転々とする。第二次世界大戦中、一時ドイツ軍の捕虜になる。帰国後、編集者などの職につく。作家としては農業の集団化を描いた『レンツァ』(五四)で評価される。以降『幸福な商人』(五七)、『銅像は決して笑わない』(五七)のような長編小説、『私の友人アダム』(六二)のような短編集を次々と発表した。自分の生活上の遍歴に想をえた作品や、社会主義における労働者を描いた作品が多い。五〇年代後半から映画の脚本や監督に携わるようになり、映画界に活動の軸足を移していった。「一切れのパン」は短編集『空は地上三階から始まる』(五八)所収の作品である。

【訳者】

直野敦(なおのあつし)(一九二九―)

言語学者、翻訳家。東京大学卒、ルーマニアのブカレスト大学留学をへて、七七年東京大学教授。ルーマニア語・文学を専門とし、二十年かけて『ルーマニア語辞典』(八四)を完成した。語学書の著作も多い。翻訳家としてはミルチャ・エリアーデなど東欧文学の紹介に力を注いだ。

⇩教科書掲載……(中学)

光村図書『中等新国語二』72『中等新国語二』75『中等新国語二』78

＊教科書では第三部の「私たちの押しこまれた車両は古くて……」以降が掲載されていた。

降誕祭

マルセル・アルラン
Marcel Arland

佐藤文樹 訳

——おーお、また雪だよ！　レオンも車で来るのはさぞ寒いことだろう。

　これは、ルフェーヴル夫人が、クリスマスの朝、眼（め）を覚まして、庭のかき寄せた雪の上に、さらに新しい雪がふっくらと降っているのを見たとき、さいしょに発した言葉だった。ルフェーヴル夫人にしても、こうした悪天候は予期していたはずである、誰でも、クリスマスのお祝い日には、雪か雨が降るということは知っているからである。昔クリスチーヌさんは、御降誕の日にそういうお天気になるのは、天が救世主の被り給うべき苦難を思うからであり、われら人間が御子のご誕生を祝賀し奉るときに、あらかじめ天が神の死を悼むためであると言ったものだった。

　天気それ自体は決して不愉快なのではなかった。ルフェーヴル夫人は、鶏小屋の戸を開けに行ったとき、はいた木靴が雪の中にやんわりともぐるのにある種の快感を感じた。この雪というものは、静かに自分の家にじっとしていさせてくれる許可証みたいなものなのである。一年のうちでもこの頃は、野良仕事の方はすっかり片がついている。で、もし十二月か一月にうららかな日差しでも洩（も）れるようなことがあると、ひとびとはこういう嘆声をもらすのである、《そら、こんとおり好（よ）い天気だよ、今日みてえになんにもすることのねえ日にはよ。これで仕事をする日にゃあ間違えなしに雨になるだ》少なくとも、こうした雪降りの天気にたいしては、別に文句をいうべきことはない、おミサに行く、火にかけたスープ鍋の加減に注意しながら、隣の女といっしょにいんげん豆のさやをむく、夜になる、こうして他の日と別に変わらぬ一日が付け加えられる、――良い日だろうか？　悪い日だろうか？　そんな詮索はよそう、めいめい、その持っているもので、満足しなければならない。

雌鶏どもは、外へ出ようかどうか迷っていた。さいしょ、大きな鶏冠の、肥った雄鶏が、ちょっとくちばしを見せた、が、外の天気を見て、そのくちばしを実に素早くひっこましたので、ルフェーヴル夫人は笑いだしてしまった。雌鶏どもは、一羽ずつ雄鶏にならって、雄鶏のした通りのことをした。

――横着な連中だよ、ルフェーヴル夫人はこう言って、鶏小屋を閉めた。

この雪も、ひどく冷たい風が加わっただけに、もうどうにも恨めしいものだった。《レオンがあったかにくるまっていてさえすればなあ》レオンは、見かけほど頑丈ではなかった、大戦中塹壕でかかったリューマチは、再発する可能性があった。それから腰はどうしたろう！　子供のときからの持病の腎臓病は治ったかしら？《いいえ、レオンが帰ってくるはずはない、パリから、こんなお天気の日に帰ってくるなんて》ルフェーヴル夫人は、自分で自分に弁解しようとするように、こう独りごとを言った。しかし、自分がこの一年というもの、倅の帰郷よりほかなんの楽しみも望んでいなかったことも、自分がこの倅の帰郷によって、はじめて今日という日が嬉しい日になることも忘れていたのである。

ルフェーブル夫人は慌てて台所へ走っていった、火をつけた、火をおこすのに、肺臓いっぱい、ありったけの息をだしてふうふう吹いた。《何時かしら？　七時半、車は三十分まえに停車場を出たはずだ。レオンはきっと中の方の席がとれただろう、御者のそばでない席が》夫人は水を撒き、掃き、家具をさっと雑巾で撫でた。《それから、あれの部屋は、まだなんにも仕度をしてなかった！》レオンの部屋は階上のただ一つの部屋だった、こぎれいな部屋で、花模様の壁紙がはってあり、家族の肖像画が幾つか飾ってあった、本棚には、レオンの古い学校時代の本が、大きさ順に秩序ただしく並べられてあった。ルフェーヴル夫人は鎧戸を押し開け、テーブルの脚に蠟を塗り、ルイ＝フィリップ風の小さい花瓶に、三四輪の松雪草を挿した、この花は前の晩にわざわざ摘みとってきたものである。それから台所へ戻った、ちょうどよかった、牛乳が沸いていた。

――ああ、ジャンノ！　お前、ここにいたのかい。

ジャンノというのは、年よった飼い猫だった、小ざかしいと同時にいかにも善良そうな様子で咽喉をゴロゴロ鳴らしていた、牛乳の匂いに誘われて納屋から出てきたのである。この猫は公爵と呼ばれていた。その名づけ親はレオンだった。ルフェーヴル夫人は、この猫にもっととりとめのない名前をいろいろとつけた、それは非常に仲良く暮らしている人間を呼ぶような名前なので、誰もそうした名称で猫を呼ぶのは少し恥ずかしかった。

——おお、お前にはご主人の帰りがわかったのかい？

猫は媚びるように横眼で、牛乳を眺め、控え目な声でニャオニャオと鳴いた。

——これ、これ、これさあ！　お前は、あれが一番最初に飲むまで待ってるんだよ、いいかい、これ。

八時。車は村にはいったはずだ。ルフェーヴル夫人は、顔や手足をすっかり洗い終わった。新しいペエニォワールを着て、髪にポマードを少しつけた、そしておのれの姿を鏡に映した。ルフェーヴル夫人は五十だった、痩せた、小さい、なかば百姓女、なかば町家の女といったような年寄りだった、息子が中学へ通っているあいだ、五年間、隣りの町で暮らしたことがあるからである。確かにその手はざらざらで、霜焼けだらけだった、そして顔は皺ができていた、が、石鹸でてらてらしていた。だがそれがなんだろう！　年が年だしするのだから、倅が見て恥ずかしい思いをしなければそれで充分ではないだろうか。それに、村中に自分ぐらいの年配の女で、自分ほど若々しく見えるものはいやしない……あの酒屋のお内儀さんはまあ別として、——そうだ、だけどあのお内儀さんは、自分みたいに、結婚三年で夫を失くしたろうか？　倅に立派な地位を得させるために働いたことがあるだろうか？　倅が塹壕にいるとき、震えたことがあるだろうか？　負傷して泣いたことがあるだろうか？

《ああ、あれだ！》

なんて大きくなったんだろう！　帽子に黒い外套、鞄を手にしたところは、まぎれもない紳士だ。レオンは、外套を振った、そして雪をとろうとして靴をとんとんと蹴った。ドアーが開いた。

——なんてえひでえ天気だい！

それは、少年時代の声変わりのとき以来、ちっとも変わらないレオンのあの多少裏声じみた声だ。ルフェーヴル夫人は慌てて新聞を一枚ひっつかんで、読んでいるようなふりをした。こうして平静を装っても、どうにもその大きな感動をかくしおおせることはできなかった。

——おや、これはお帰り、と夫人は言った。

レオンは鞄を椅子の上に置いて、母親の方へ歩を運んだ。

——ただいま、おっ母さん。

二人は接吻した。ああ、この大きい、男の身体、そして倅の身体！

——元気かい？　とレオンは上機嫌で、でも少しわざとらしい様子で言った。

レオンもやっぱりいかにも落ち着いているような風を装っていたのである。母子とも、臆病だった、二人とも感情の吐露を恥ずかしく思った。レオンは手袋、帽子、外套を脱いだ。下からは、黒い上衣、折カラー、汚れめのないカフスが現れた。レオンは部屋の中を大股で歩いた、引き出しを開けた、それから猫を撫でた。ルフェーヴル夫人は倅から眼を離さなかった、夫人はレオンの身ぶり、癖、それからかわいくてたまらないその面だちを改めて見直した、その面だちこそよく知っていて、しかも常に新しい、思い出すたびに胸の熱くなるものだった。

——だけどお前、ずいぶん凍えたことだろうねえ、レオンや。

夫人は、その理由ははっきりわからなかったが、この大きな黒い姿にこうした名前の呼び方をするまでは、それが躊躇されたのである。だが、今やもうそれも言ってしまった、夫人は倅の肩に手をおいた、これは自分の息子なのだ。

——さあ、火のそばへお坐りよ。お前、靴を脱がないかい？　どうして脱がないんだい？　ブリックを持ってきてやろうか、美味しい、あったかいブリックをさ。うん？　さあ靴をお脱ぎっていうのに。

——ううん、いいよ、とレオンは少しうるさそうに言った。

《いいよ、いいよ、そんならそれでいいよ。こう言うのも、みんなお前のためを思ってなんだよ。》

——じゃあ、さあ御飯にしよう。ほら、新しいナプキンだよ。景品でもらったのさ。だって仕方がないじゃないか、お前、つつましくしなくっちゃならないもの。今日日みたいに暮らしにくいときってなかったよ。どんなつまらないものだって、お前、眼の玉のとびでるほど取られるんだからねえ。働けるひとたちならまだしもねえ。ほんとに、働けるひとたちは仕合わせだよ。だけどねえ、お前、女手一つじゃあ仕方がないじゃないか！　かてて加えて、わたしゃ、身体の具合も悪いしさ。ついこの前の週だってもお前、手首の血管が膨れあがってねえ。ああ、何も心配することはないよ、年齢だもの。おっ母さんは年齢をとったよ、ねえ。チョコレート美味しいかい？

　レオンは盛んに食った。猫は肢を擦りあわせ、甘えるようにほの明かりに薄眼をあいて、ときどきひょいひょいとそのビロードのような足を、黒いきれいなズボンの方にだした。

　——すこしお待ちよ、お前は、とルフェーヴル夫人は叫んだ、そんなにしたらズボンが汚れるじゃないか！

　レオンは食べていた、ルフェーヴル夫人は、今までに自分が見たレオンのいろんな食事する場面を思い出した。まだほんの子供だったときのこと、野良で食べていたときのこと、中学へ通っていた時分のこと、それから兵隊になって休暇で帰ってきたときのこと。

　——え、お前憶えてるかい、——町にいたころ、おっ母さんがお前をサージンの箱を買いにやったこと？

　レオンは微笑した。レオンは、骨張った、真面目くさった顔で、きれいに刈りこんだ短い髭を生やしていた、べっこう縁の眼鏡の下からは、近眼の、遠くの方はかすんでいるような視線がのぞいていた、髪の毛は薄かった、彼の顔は、なんでもないことにもすぐ充血して赤くなった。彼の身振りは煮えきらないものだった、が急に、その言葉と同じに、激しい調子を取った。手は、いつも、何かものをいじりまわしていた。それに彼にはいくつかの癖があった、たとえば頰をへこましたり、あるいは生徒に秩序を促す教師のように、舌打ちをしたりした。

　——じゃあ、とルフェーヴル夫人は言った、仕事の方はどうおしだい？

　夫人の声は、かくしおおせぬ喜びにあふれていた、今こそ一年以来待ち焦がれていた日が来たのだ、今こそゆっくりと息子にいろいろものを訊くこともできる。確かに、レオンは、毎月、きちんきちんと手紙を書いては寄こした、しかし、それは、自分の傍らで、その食べるのを眺め、その話すのを聞いているのとは、なんたる違いであろう！　前もって、レオンにたいしてきこうと思っていたことを、控えておかなければならなかったのだ、あんまりたくさんあったので、もう一つも思い出せない。でも神様はご存じだ、夜、眠る前、あるいは収穫のとき、あるいは、鋤で畠を鋤いているあいだ、何度、自分が心のうちでこういうことを思ったかは。《今度会ったらレオンにきいてみなくっちゃいけない、いつもフランネルのチョッキを着てるかどうか、レオンの部屋には水道があるかどうか、それから名づけ親のおばさんから便りを受け取ったかどうか……》と。

レオンは肘掛け椅子にもたれていた、そしてナイフの先で歯茎を掃除していた。

——え、仕事かい？

——ああ、仕事さ、それ……それはうまくいってるのかい？

——そりゃあいってるよ、別に悪かないさ、うまくいってるよ。

レオンは、満足そうなしゃがれ声で語った。そうさ！　誰が、おれの仕事がうまくいってることを否定できるものがあるだろうか？　おれは、遊ぶことしか考えていないようなあんな情けない連中とは違う。三十でもう立派な地位を占めているんだ、大蔵省の課の次席なんだよ。職業という面を考慮に入れないでも、租税に関する協議とか、不動産の管理とかね……それに将来の地位も確実だ、退官だってできるし、規則的な昇進だってできるものだ。

——官吏ってものはね、おっ母さん、それはね、堅い一方のもんだよ。

ルフェーヴル夫人は、レオンがこんなにも分別があり、こんなにも世間から重んぜられているのに得意になり、こうした説明に、うっとりと聴きいった。そうだ、自分がこの子のために払ってきた犠牲も無駄ではなかった。レオンは、今ではもうひとかどのものなのだ。

——学校の先生がね、あたしにお前のことを聞いてたっけ、と夫人はなんでもないことのようにそっと言った。

——ははあ！　あのひとはお人好しだよ、結局ね。

——だって仕方がないじゃないか、お前！　人間は誰だってみんなおんなじだよ、お前が出世したのを見たら、先を争ってお祝いの言葉を言おうっていうのはね——《ルフェーヴルの奥さんはこちら、レオンさんはあちら》っていう風にね。

そして、感動した口調で、（夫人は幸福なときには、あたかも自己の幸福を自分に弁解でもするもののように、その口調はうったえるような、ほとんど苦しげにさえ思われるような口調になるのだった）

——善い行いはね、レオン、善い行いと達者な身体、これが元だよ。正直でなければいけないよ、悪いお友達とつきあうんじゃないよ、いつも抜け目なく、機転を利かして、上の人たちとはうまくやっていかなければいけないよ。そうすれば、あとはちょっと機会さえあれば、どうにでもなれるんだからね。

レオンは首を振った、これは、人の好い年寄りの言葉だ、だが、この言葉の言い表している原則は、いちいち正しくかつもっともだ。

猫は、隙をうかがって、テーブルの上に跳びのり、レオンのコップのなかに残っていたミルクをピチャピチャなめていた。耳をぴんと立て、身体は逃げ腰にして、ひかがみを伸ばし、すわと言えばいつでも逃げられるような恰好(かっこう)だった。だが、今日は祝日だ、寛大な、飼い猫にたいしてさえ寛大な日なのだ。

——それから……お前、長くいるつもりで来たんだろうね？

この質問こそ、朝から夫人が口から出したくて、唇の焦げるような思いをしていた質問なのである。レオンは、耳をかいて、ためらうような薄笑いを浮かべた。

《レオンはどうして返事をしないんだろう？》

——お前、休み中ずっといるつもりで来たんだろうね、と母親は平静を装ってもう一度繰り返した。

——そりゃあね、駄目なんだよ、とても長くというわけにはいかないんだ。僕も休み中ずっと家(ここ)にいるつもりだったんだよ。それがね、昨日、昨日の朝ね、役所で友達に会ったんだよ、みんな非常に金持ちの、わかるだろう？　非常に勢力のある人たちなんだ、それでね、僕は、その人たちといっしょに旅行をするって約束をさせられちゃったんだよ。ねえ、おっ母さん、みんなは、ジェラールメールへ自動車で行くんだよ。で、みんながここを通るとき、僕をいっしょに連れていくことになってるんだよ。僕にはとても断るなんてことはできなかったんだよ、わかるね、おっ母さん？

母親にわかったことは、息子が自分のそばにながくはいないということだった、それだけだった。眼をじっと据え、すこしふるえ声で、なおも信じかねて、夫人は尋ねた。

——だけど、そのひとたちはすぐ来るんじゃないんだろうね、え、お前？

——それがね、そうなんだよ、すぐなんだよ。今日の午後、三時ごろ来ることになってるんだ。

——今日の午後？　だけどお前、まさか今日の午後出かけるつもりじゃあるまいね、レオン？　レオン、さあ返事をおし、まさか今日の午後じゃあるまいね？

これこそ予期していた通りの場面だ、愚痴というやつは、実にうるさいもんだ！

――でもね、約束しちまったんだもの、僕のいうことわかってくれなくっちゃ困るよ。みんな友達なんだよ、非常に金持ちのアメリカ人なんだよ。みんな、上院議員のバルナベさんの従弟たちなんだよ。

今日の午後出かける！　一年も帰ってこなかったのに、一年も待っていたのに、たった半日しかいないなんて！

――お前、気がどうかしてるんじゃないかい、レオン！　と母親は叫んだ。もしお前のいうアメリカ人たちが、お前がおっ母さんのそばにたった半日しかいないということを知ったら、お前、そのひとたちに笑われると思わないかい？

レオンは、そっぽを向いて、いら立たしそうに、テーブルを叩いた。その手には、小さい白い虫食いの痕が現れていた。前の晩に蜘蛛にさされたのに違いない。

ルフェーヴル夫人は、息子のそばへ行った、レオンを説得しなければいけない、この子みたいな真面目な人間が、道理をわかろうとしないはずはないんだから。

――ねえ、レオン、お前、今日の午後出かけやしないね。お前、二人で話す暇もないうちに、出かけやしないね。第一、お前、ほうぼう訪ねなくっちゃならないし、年賀状も書かなければならないじゃないか。それに、おっ母さんは、税金の表をつくってもらおうと思って、お前をあてにしていたんだよ。お前、お友達には、不意の故障ができたと言ったらいいじゃないか。どうしてもいけなければ、休みの終わりに出かけていってお友達といっしょになったらいいじゃないか。でも、今すぐなんて駄目だよ、え？

――じゃあ、おっ母さんにはわからないんだなあ……

――おっ母さんには、お前がおっ母さんのことなんか、気にかけないことは、よくわかっているよ、あたしにわかっていることはそれだけだよ。お前は、おっ母さんのそばにいるよりも、アメリカ人たちと遊んでいる方が好きなんだね。あああ、他の女のひとたちは仕合わせだこと！　あの女たちは、あたしみたいに馬鹿じゃなかったんだね、みんな、自分のために子供を育てたからね、子供たちは母親の面倒はみるし、母親のそばは離れないしね。あたしは、お前のために、手足を血だらけにしてきたんだよ、それにその報酬はこれなんだからね。

《ああ、そんなことあるもんか、そりゃあすこしひどすぎる。おっ母さんのことをかまわないと言っておれを非難するなんて！　おれがおっ母さんにきちんきちんと手紙を出さなかったことがあったろうか？　毎年、一月一日におっ母さんに贈り物を送らなかったことがあったろうか？　もしおっ母さんにその必要があれば、おれが助けに来ないなんてことがあるだろうか？》

——なあ、おっ母さん……

——レオン、お願いだから二三日は家にいておくれ。

母親は嘆願するような口調をした、もはや見栄を張ろうとはしなかった、レオンには、母親が全力を挙げて闘っているように思われた。

——でもね……

——レオン、お願いだからね、お前、もう少しここにいたっていいんだろう。ね、考えておくれ、お前だってもう、おっ母さんの顔が見られるのも長いことはないんだよ。おっ母さんも年をとったよ、ねえ、レオン。おっ母さんはいつだって、お前にあんまり要求がましいことは言いやしないよ、お前を困らせるようなことはしやしないよ、お前、承知してくれるね。ねえ、レオン！

夫人は泣きだした。

レオンは苦しんだ。《おれだって、どんなにここにいたいかしれやしない、でもそしたらエルシェルはなんていうだろう？　かわいそうに、おっ母さん！　たしかにおっ母さんは苦しんでいる。でも、これと同じような場面を今までに何度おれにたいしてしてきたことだろう！　涙、これこそ、女の大雄弁なのだ》

夫人は、あからさまに泣いた、こうして、息子の心を感動させ、説得しようと願っていたのだろう。眼の下には、赤い大きなくぼみができていた、頬はいっそうてらてら光った、惨めにしかめたその顔は、口がひきつっていた。

——僕は部屋へ行くよ、とレオンは言った。もうどうにもこうしたやりきれない気持ちには耐えられなかったのである。

——お前、それじゃあひどいよ、レオン、とルフェーヴル夫人は涙声で言った。いつか、後悔をする日がきっと来るよ、でもね、そのときはもう遅いんだよ、お前。

ただ独り部屋に居残った夫人は、眼を拭おうともしないで、隅の方にぽつんと腰かけていた。かまどの下にうずくまっていた猫は、じっと、その金色の眼で夫人の姿を追った。

楽しい日、ああそうだ！　一年来待ち焦がれていた日！　灼けつくような暑さのなかで、牧場の草を返して乾していたときも、夫人を支えていたものはこの日を待つ希望だった、そうだ、乾草からは、灼けるような埃が立ちのぼって、咽喉を刺激した、——しかし夫人は、来るべき日のことを思い、勇気を奮いおこして、熊手を動かした。このごろの幾月かは、雨の降る日、雪の降る日、窓辺でこたつに足をおき、膝に猫をのせて、編み物をしながらも、来るべきこの日のことをこまごまと心に浮かべたものだった。

　夫人は、失敗と苦悶で咽喉が重苦しかった。なぜレオンにはあたしの苦しみが見抜けないのだろう？　なぜあの子には、あたしにあの子が必要なことがわからないのだろう？　一年も独りぼっちで待ち焦がれていたのだから、あたしが、あの子に会い、あの子に話しかけ、あの子の話すのを聞く権利を得た、ということがわからないのだろうか？　じゃああの子は、あたしの今の生活が楽しいものだとでも思っているのだろうか？　幾日も幾日も、仕事のうえに屈みこんだきり、じっとおし黙っているこの生活を。兎は今朝は何も食べなかった、にんじんを切ってやらなければならない。自分の食事をつくる力さえない、スープとチーズが少しあるから、晩御飯はあれで済ますことにしよう、晩御飯は猫といっしょに食べることにしよう。おやっ、時計がとまっている。木曜かしら、今日は、それとも金曜かしら？　往還に、車が一台通る、ひとびとが笑っている、やっぱりあのひと達は仕合わせなんだ。夕方になる、暮れやすい日の夕方。ランプには火をいれない、それだけ節約になるんだもの。薄暗いなかに、衰えゆく火のおぼつかない微光に照らされてじっとたたずんでいる。そして昨日もこの通りだった、明日もこの通りだろうと思う。——さあ、ジャンノ、寝にお行き。部屋の中は、真っ暗だ。いつもの寝床へもぐりこむ前に、数分じっとしている。また一日が過ぎる。ああ、心のうちはなんといううつろなのだろう！　《レオンは、今ごろ何をしてるだろう？》重苦しい静寂、静まりかえった夜。どうにもやりきれない気持ちでいる。家具が妙な音をたてる。突風が暖炉の中でうなる、ああ、あっちの方では、ながいざあーというざわめきが、墓地の樅の木をゆすぶっていることだろう、夫が、父が、母が、自分が倅以外に愛していたすべてのものが憩っているあの墓地では！　お祈りをしようか？　大人になったらもうお祈りなどしないものだ。考えてはいけないのだ、そんなことをすれば、惨めすぎる。考えないこと、――眠ること、眠りに落ちこんで、眠りのうちに消えこんでしまう……

　雪に和らげられた鐘の音が、台所にまで忍びこんできた。《おミサの二度目の鐘だ、もう仕度をする時間だ》ルフェーヴル夫人は起き上がって、濡れたハンケチを眼の上にあてがい、それから黒い晴れ着を着た、二十五年前夫に死なれて以来、夫人は、礼式にも、訪問にも、旅行にも、黒以外の色を用いることを自らにゆるさなかった。しかしながら、その日はお祝いの日だったので、コルサージュに金のブローチをつけた。それは前年、レオンが持ってきてくれたものだった。夫人はなお何度かため息をついた、と突然、その眼にぐっと涙がこみあげてきた、が、夫人はじっとその涙をこらえた、もうその涙の痕を消すだけの暇はなかったからである。

　村のひとびとは、ひとり、またひとりという風に、教会にむかって歩いていった。ルフェーヴル夫人は、自分のいない間に、ゆっくりと煮えあがるように、兎を煮ていた鋳物のソース鍋の位置を変えた。

　――レオン、と夫人は叫んだ。おっ母さんはおミサに行ってくるよ。風邪をひかないようにおし。

　――うん、大丈夫だよ、心配しないでいいよ、とレオンは自分の部屋から答えた。

《あれは、怒っちゃあいない》と夫人はその言葉をきいて思った。それから、隣の女が通るのを見て、夫人は今度は自分も外に出て、その女のそばへ行った。

　――ひどいお天気でございますね。

　――クリスマス日和ですわ、奥さん。

　数年前、この女は、娘に死なれて悲嘆に暮れて、パリから隠れ家を求めてこの田舎へやってきたのである。ルフェーヴル夫人は、この女のために、その畑を耕す手助けをしたり、種子を選んだり、取引をする手助けをしてやったりしてきたのだった、夫人は、自分自身いつもそうだっただけに、この喪服の女をありがたいものと感じた、ときどき、互いに相手の畑に行き来しては、この二人の老婆は喜んでパリのことを話しあった、《そここそレオンの暮らしているところなのだ》とルフェーヴル夫人は思った、もう一人は、かつてパリで暮らしていた自分の娘のことに思いを致した。

　黒服をまとった女二人は、雪の中をつつましく歩いていった、前にひとの踏んだあとに、うまく足をもっていくように、心を配らなければならなかったのである。第三回目の鐘の音が村中に広まった。

　――家の倅が今朝ほど戻って参りましたんですの、

とルフェーヴル夫人はささやいた。

——まあ、レオンさんがお帰りになりましたの！ さぞ奥さんもお嬉しいことでしょうね！ レオンさんはお休みをあなたのおそばでお過ごしになりに帰っていらしったんでしょう。

——それがね、そうじゃないんですよ、奥さん。あの子はかわいそうに、ただここを通るだけなんですよ。あれにはね、大変お金持ちのアメリカ人のお友達があって、それがまたひどく良いご身分の方でして（たしか上院議員のバルナベさんのごく近いご親戚だとかいうことですよ）、その方々がどうしても、ジェラールメールへあれをいっしょに連れていくとかで、今日の午後、自動車であれを連れにここに参るんだそうですの。かわいそうに、レオンはひどく寂しがっておりますわ、でも、あの子には断れないんですわ、それは察してくださいますわね。

——ええ、お察ししますわ、奥さん。

——そればかりではなく、あたしにしましても、あの子が少しは気晴らしするのはまんざら悪いとも思いませんの。あの子のような地位になると、気苦労も多いことでしょうしね。あの子のやってるのは、財政なんですよ！ 奥さん、財政なんですよ！ ええ、あたしには、とてもあの子が遊ぶのをとやかくいうことはできませんわ、あの子は、ずっと働き通しだったんですものねえ。あれは今朝もあたしに申しましてよ、自分の位置は、この上なしの一番しっかりした位置だって。それにしても、これも申し上げなければならないんですが、あの子を育てるのには、あたしもずいぶん苦労をいたしましてよ。

おミサは始まっていた。ルフェーヴル夫人は、自分のいつもの腰掛けに腰かけた。御祈禱書を開いて、クリスマスのお祈りをした、それは、夫人が非常な信心家であったからではない、夫人はお祝い日だけしかおミサには行かなかった、それに、義捐金を募ることだけしか考えない、若い、大騒ぎの好きな司祭もあまり好かなかった。しかし夫人は、先祖たちが皆やったように、この教会に来てひざまずいた。夫人には、宗教に関する疑問を表明するだけの勇気はなかった、その罰で不幸になることをおそれた、また、言葉巧みな連中が、神を嘲笑することをおそれた、夫人にしてみれば、人間が神秘な力に服従しているものだということはよく感じていた。大戦中、夫人はしばしば息子のためにお祈りをした、レオンは死ななかった、それはお祈りなどしなくてもやっぱりその通りだったろうというものもあるかもしれない、でも、やっぱり自分がそうしたお祈りをしたおかげだったに違いないと思った。

司祭は、彼の持っている一番きれいな僧袍を着ていた、ハーモニュームは、眠気を催させるような、訴えるような、ながながしい音を出していた、その音は、天使の像のある方へ立ちのぼっていって、厳粛な円天井の下で反響した、その音が消えると、司祭は、重々しい口調で、祈禱を朗読した、それから、いうに言われぬ沈黙がおとずれた、合唱隊は、互いに身を寄せあった、恐怖のためではない、喜びのためでもない、きっと待ち構えていたためなのだろう、天が地の声に耳を傾けているように思われた。ルフェーヴル夫人は、胸に悲しみをかくしていた、しかしだんだん、それにも慣れた、その悲しみが自然なもののように感じられた、もし自分たちが仕合わせだったら、自分たちに教会の必要があるだろうか?

若い娘の合唱隊が、讃美歌を歌いはじめた、その声はふるえ声で、すこし気取ったところがあった。《あたしたちの時分には、この娘たちよりももっと上手に歌ったものだ》、とルフェーヴル夫人は思った。夫人は、自分の子供時代のことを思い出そうとした、それは遠い遠い、模糊とした、色あせた過去だった、貧しい百姓娘の子供時代だった。それに、自分は仕合わせだったことがあったろうか? 結婚したさいしょの数ヶ月はそうだったかもしれない、——でも、今になんの思い出も残っていないような、今から考えてみるとすこし子供のエスケープのように思われるあの呆けたような麻痺状態が、幸福というものだろうか? 夫はやがて床につく身となった、二年間、夫人は夫の看病をした、病める夫は、快癒の希望もなく死と闘い、ついに死に打ち負かされた。二十五年間、夫人は寡婦を通した、その時以来夫人にはもう苦労の種はただ一つしかなかった、息子のことだけである。夫人は息子を、墓地へ、野菜畑へ、麦畑へいっしょに連れていった、小学校へ行くようになってからは、宿題を手伝ってやった、遊戯の監視をした、盛んに薬を飲ませて薬ぜめにした。レオンが十二になったとき、夫人は隣の町に小さい家を一軒借りて、レオンを中学に入れ、通学生にした。それは、なけなしの蓄えを消失させていく困苦窮乏の生活だった、村のひとたちは夫人を嘲った、倅を旦那がたのように仕立てようなんて、なんてなめえきな考えだべえ! と。レオンは、ひどく凡庸な生徒だった。——《ああ、お前はラテン語の作文は一番びりじゃないか、お前、おっ母さんは情けなくって死にたくなるよ》レオンは、二年も三年もおんなじ服を着ている自分にたいして、いつもきれいな服装(みなり)をしている友達は、運が良いのだと思った。――《レオン、じゃあお前には、おっ母さんがお前のためにしていることがわからないのかい!》レオンは、フットボールの試合のことを思い、明日の授業の退屈さを考えて、あくびをした。夫人は、レオンが自分からどんなにかけ離れているかをつくづく感じた。

おミサが済むと、夫人は、教会のうしろのちんまりとした墓地へ行った。夫の墓のうえに十字をきり、アヴェと一言つぶやいた。この雪の盛り上がったところ、そこに夫人の人生の半分はあるのだ。寡婦になったはじめのころは、ここへ来て、取り返しのつかぬ夫の死に涙を流したものだった、今は、夫人も諦めていた、土のこの小さい隆起が夫人には親しみ深く思われた、夫はここに眠っている、そしてやがて、自分もここに葬られるようになるのだ、運命とはそうしたものなのだ、それに抗おうとしてはならないのだ。――《あなた、と夫人はため息をついて言った。あなたも、今日レオンが帰ってきたのが見られて、さぞかし嬉しいでしょうね!》が、夫人は息子の顔がまた見たくなって急いでいた、もう一度十字をきって、墓の前を去った。墓地を出るとき、夫人は、こうして慌ただしく帰るのをわびるように、墓の方を振り向いた、これはあたしが悪いんじゃないんですよ、レオンがあたしを待ってるんですもの。夫人は香料屋にはいってお菓子を買い、それから慌てて家に帰った。

夫人はもう、レオンがこんなにも早く家を去っていくことを恨もうとはしなかった、レオンの出発を承諾した、少なくとも、自分たちの時間がまだ数時間はあるのだ、喧嘩(けんか)などをしてその数時間までも台無しにしてはならない。夫人は、幼い子供よりも弱い自分を感じた、咽喉はしめつけられるようだった、涙をこらえるのがやっとだった。

レオンは、さいしょ、部屋の中を歩き回って、自分の子供時代の本を眺めたり、昔のつまらない飾りつけを見て微笑(ほほえ)んだりした。課の次席という地位になって、映えない子供時代を過ごしたところへ帰ってくるのは、相当愉快なものである。ああ、この部屋で自分はどんなにあきあきしたことだったろう! レオンは、勉強をしていたときの陰鬱なとき、ガラスに額をくっつけて、自分でも何かわからないものを待ちうけながら往来を眺めていたときのことを思い出した。母親が不意にやってきた、――《お前勉強していないんだね、レオン！》そしてその後は、愚痴だった、恩知らずだという叱責だった。傷ましい青春だった、中学へはいっても、あまり楽しい思いはしなかった。レオンは生まれつき、気が小さくて内気だった、同級のものも彼をあまり好かなかった、教師達も彼にたいして大して注意は払わなかった。それから、大戦が勃発した、塹壕の中の長い生活、不断の死の恐怖。そしてその後はすぐ、お役所の規則正しい仕事だった。

　レオンは、部屋を出て、庭をすこし歩いた。この広大な、厳粛な、純粋な原野に気詰まりをおぼえた。この原野は、彼の精神を自己省察の方向に誘った、しかも彼にはそうした習慣はなかったのである。パリにあっても、彼には、いろいろな心遣いのために夢想する暇はなかった、書類を作成したり、上役と相談したり、あるいは、ときどき暇なときには、誰か同僚といっしょに飯を食って、政治の話をしたりしていたのである。こうした突然の孤独は、彼の上に重くのしかかった、彼の精神のうちの軽い悩みを揺り動かした。《気の毒だなあ、おっ母さんは、一年中こんなところで暮らしていて、どんなに退屈してることだろう！》彼は自分の心が母親にたいする愛情でいっぱいなのを感じた、母親の自分にたいする愛情は、要求の多い、嫉妬深いものだ、だが、いったい誰がおっ母さんのように自分を愛してくれたものがいたろう、いやこれからだっておっ母さんほど愛してくれるものがいるだろうか？　彼は、女との肉体的な交渉にまで立ち至った関係はわずかしかなかった。レオンは、女にたいしては、臆病で不器用だった、で、彼は自分は女に情熱を起こさせる能力のない男だと思っていた。数年前、彼は一人の若い娘に猛烈に惚れたことがあった。ある日、娘は彼の恋に応じたように思われた、ところが、その日、娘は彼に、自分はそのうち結婚すると告げた。この哀れな出来事のために、レオンの自分自身にたいして抱いていた不信の念はさらに倍加した。彼はもう、役所のこと、昇進のこと、辞めたときのことだけしか考えなくなった。彼は真面目な、ひとから尊敬されるような男となった、このことが、彼の心の自余の不満をわずかに慰めた。

　――レオン、とルフェーヴル夫人は呼んだ、御飯の仕度ができたよ。

　――そうかい、おっ母さん。

　レオンにこう呼ばれるのは、きわめてまれなことだったので、夫人は泣きだした。《ああ、あたしはなんて馬鹿なんだろう！　あの子はこんなことまで言ってくれるのに！》レオンは鼻歌を口ずさみながらはいってきた。ルフェーヴル夫人は、レオンに涙を拭いているところを見られまいとして、引き出しのなかの匙（さじ）を探しているようなふりをした。

——お前が好きだからね、ソースに浸して炙（あぶ）って、煮た兎をこしらえたんだよ。

二人は向かい合って腰かけた。テーブルにかけたテーブルクロスは美しかった、夫人は前もってきれいな皿小鉢を出しておいた。

——美味しいかい？　と母親はきいた。

——さあ自分で食べてごらんよ。

——あたしがかい！　だってそいだけっかこしらえなかったんだよ。お前こそ食べないじゃないか。レオン。さあ、この股のところをお取りよ。いいよ、おっ母さんがそういうんだからさ、さあ、お取りよ、レオン。

夫人の口調は、優しい卑屈な口調だった、レオンには、その口調に感動させられるのが耐えられなかった。《ねえおっ母さん、おれは、おっ母さんの幸福をどんなに願っていることだろう！　おれは、おっ母さんを愛していることを、どんなにおっ母さんに知ってもらいたがっていることだろう！》だが、どうして表現したものか？　言葉、声音、顔の表情、こうしたものはみんな本当の心を裏切ってしまう。

——もういいってば、ほんとに、もうそんなに食えやしないよ！

レオンは怒ったような口調で答えた、そのとき彼は母親にたいする自分の共感を、母親にわからせたくてたまらなかったのである。彼は母親の顔をそっと盗み見た、《おっ母さんは老けたなあ、顔は皺になったし、手の甲は膨らんでる、きっと心臓が悪いに違いない》

——お前、あたしの顔を見てるね、レオン？　おっ母さんは、もうきれいじゃないだろう、え？

レオンは、困ったように微笑した、

——じゃあ、おっ母さんは、いつパリのおれのところへやってくるんだい？

——おやおや！　お前は、あたしなんかに来てほしくないんだろう。お前には邪魔だろうからね。それにあたしの恰好も大して映えない恰好だしね。

毎年毎年、レオンは母親にこの質問をする。夫人は、レオンがこうした質問をするのは、自分にたいする嬉しがらせであることをよく知っている、自分が決してパリへ行かないだろうということもよく知っている、だが、それがなんだというのだ、自分は幸福だ、今年もまた、レオンは自分に来いと言ってくれるんだもの。

——さあ、食べたらいいじゃないか、とレオンは叫んだ。兎が冷めるよ。

《ああ！　お前、例の大声がでるようになったね。あたしは、お前が心の底では怒っていないことはよく知っているよ。お前は、ご機嫌取りじゃないからねえ、お前は。お前は自分の気持ちをかくしているんだよ、それもお前が悪いんじゃない、それは、お前の性質がそうできてるんだからね……でも、すっかりお腹の中を打ちわって語りあえたらどんなによいだろう》

——お前、そのアメリカのお友達とお知り合いになってからもう長くなるのかい？

夫人は、レオンのいう言葉はほとんど聞いてはいなかった、夫人の聞いていたのは、レオンの声音だった。この子はなんて弁がたつのだろう！　この子に学のあることは、誰にでもどんなによくわかることだろう！　学校のころ、先生がたがこの子に大して注意しなかったからって、それがなんだというんだ！　別に、大戦中そのために士官になれなかったというわけじゃなし、この子が今みたいな立派な地位につき、この上なしの良いお友達のできるのにちっとも差し障りなんかありゃしない。

——なぜ笑うんだい、おっ母さん？　とレオンは話を中断して言った。

——なんでもないんだよ、さあ話をおつづけよ。

ああ、なんという美しい時なんだろう！　外は雪が降っているかもしれない。ここでは、息子が母親と語っている。世界は自分の好きなようにまわるがいい、あたしたちはそんなことは気にとめないから。ボンボン時計は、その規則正しい時を刻んでいる、なんだかその柱時計がおとなしい犬でもいるような感じがする。古びた家具、湿った床板、燻っている薪、これらの匂い、いつもその中で暮らしてきた匂い、こうした匂いにつつまれていると、なんというくつろいだよい気持ちなのだろう！

——お前、じゃあ、爪を噛む癖はなくしたのかい？

母親は冗談を言おうと思ったのである。しかし、レオンはいらいらした、《ばかばかしい、おっ母さんは、自分でそれが笑うための言葉であることをよく知ってるんじゃないか》母親は、ボンボン時計の方に眼をやった、もういっしょに過ごす時間は一時間しきゃない。

ご馳走は終わった。夫人は、カシスの瓶を取りに行った。これは夫人のちょっとした計略なのである、つまり男というものはすこし飲むと、余計喋るようになるものだからだ。

――これは今年のカシスだよ、あたしはまだ飲んでみなかったけれど。

レオンはタバコに火をつけて、そのリキュルの味をみた。

――どうだい？　と夫人は尋ねた。

――悪かないね。

ああ、自分の丹精も報いられたのだ。

――じゃあ、このお菓子も食べてごらん。さあお食べよ、きっと美味しいよ、おっ母さん一番高価いのを選んできたんだからね。

お菓子、これは贅沢なものだ、とくに暮らしにさえ困る自分にしてみればなおのことだ。こうした自分のささやかな犠牲に、夫人の心は感動でいっぱいだった、夫人は涙の出そうな気持ちがした。きれいなお菓子を食べているレオンを見て、ほとんど誇らしいといってもいい気持ちをすら感じた。《お食べ、坊や、おっ母さんはね、おっ母さんは、この齢でなんにも要りゃしないんだからね》

――レオン、お前、タバコは吸わない方がいいよ、タバコなんか吸ったってなんにもなりゃしないんだから。死んだお父っつあんだって吸いやしなかったよ。

――うっちゃっといてくれってば。おれには、自分のすべきことはよくわかってるんだから。

――おっ母さんはお前のためを思っていってるんだよ、レオン。

自分にはこの子よりも、この子のためになることがよくわかっている。自分はこの子を育てた、この子の腎臓炎を治してやったのだって自分なのだ。子供たちというものは、いつでも、その両親に、自分の方がよくものを知っているということを見せたがるものらしい。

――それで、そのアメリカ人の奥さんね、その女、きれいな女かい？

――エルシェル夫人かい？　うん、きれいだよ……なぜ？

なぜかって？　そりゃあ知らないから聞くんじゃないか！　ああした、えらい奥さん方などというものはほんとに妙なものだよ。パリでどんなことが行われてるか、それは神様がご存じだ。まっとうな女一人にたいして、お前たちを悪い道にひきいれようということだけしか考えていない女が百人もいるんだもの。

――なぜかって？　なあに、なんでもないのさ。
二人にはもうお互いに何を語りあっていいのかわからない。レオンは、新聞を手にしていた、猫はその膝の上で咽喉を鳴らしている、ルフェーヴル夫人は、手を組み合わせて、息子の顔を見る。《新聞なんか読んじゃいけない、レオン。お前は、また、お友達にも会えるし、お役所にも、お前のいつもの生活にも戻れるんじゃないか。だけど、おっ母さんはね、おっ母さんは、一年間、たった独りで暮らさなければならないんだよ。おっ母さんにもう一度お前の顔が見られるかどうか、誰にもわかりゃしない！　おっ母さんも年をとった、ときどき、心臓の痛みで夜起き上がることもあるんだよ。おっ母さんにはどうしてもお前にそれは言えない、お前に心配をかけまいと思ってねえ、だけど、自分が、このままになってしまうんじゃないかと何度思ったかしれやしないよ。お前にもう会えないなんて、レオン、そんなことがあるだろうか！　あたしがもうこの世にいなくなったら、誰がお前の面倒をみるだろう？　誰がお前のためにお祈りをするだろう》
《エルシェル夫妻を迎えるには、どうしたらいいだろう、とレオンは考えた。おれには、あのひとたちに家にはいってもらうことはできない、実にみすぼらしいからなあ。あのひとたちに、おっ母さんを紹介しなくっちゃいけないだろうか？　おっ母さんはあんまり大した服装はしていないなあ》
出発までに三十分しかなかった。
――お前、フランネルのチョッキを着たかい、レオン？
――ああ、着たよ、どうかおれのことはかまわないでいてくれよ。
《お前は決して意地の悪い子じゃないよ、レオン。だけどねえ、お前のあたしにむかっての様子はなんてよそよそしいんだろう！　もうね、子供のときから、お前は、あたしにほとんど何も言わなかったねえ。あたしは、お前がすこしでもあたしに自分の気持ちを打ち明けてくれたら、お前が学校の些細な出来事でも話してくれたら、お前が、あたしが楽しい一日を過ごしたかどうかきいてくれたら、とどんなに思ったかしれやしなかったんだよ。それなのにお前は、御飯もそこそこにして、隅っこへ行って本を読むか、友達のところへ遊びに行ってしまうかだったねえ》
――おっ母さん、お客さんを迎えるのには、前掛けをとった方がいいだろう。
――お前、あたしが出なければいけないと思ってるのかい？　お前、おっ母さんが出て恥ずかしいと思わないかい？

そんなことはない、この子がおっ母さんのことを恥ずかしがるなんてことが。自分はいつも馬鹿なことばかり思っているのだ。

——さあ、急いでくれよ。時間通りにやってくるんだから。

レオンは外套を着た、そしてステッキと手袋を手にして門のそばに立った。

——おっ母さんはちょっと顔を洗ってくるよ、すっかり汚れてしまったからねえ。

——うん、だけど急いでくれよ、急いでね。

夫人は、慌てて、顔を濡れた布巾で撫でて、髪を結んだ細紐（ほそひも）を直した。レオンのお友達に、一介の百姓女と思われてはならないからだ。《あともう数分しかない、それなのに、二人はほとんど何も話しあわなかった》

——身体によく気をつけておくれだろうね、レオン？

あたりまえのことだ！　こんなことはわざわざ言わなくったって、この子がゆるがせにするはずはない。

——それからね、手紙はよこしてくれるだろうね、いいかい？　おっ母さんに手紙を書くことを忘れないでおくれ？　着いたら、どんな短いのでもいいから、わかったかい？

——ああ、わかったよ。

まだ何かいうことがあるかしら？　夫人にはもうほとんど口をきくことができなかった。

——おっ母さんも齢（とし）をとったよ、ねえお前。

レオンの方でも、母親に、よく身体に気をつけるように、もう働かないように、取り越し苦労はしないように、言いたかったのである。しかし、どうにも打ち勝ちがたい羞恥心が、どうしてもこういう言葉を言うことを引きとめた。夫人は、気遣わしそうにレオンの顔を見た。自分たちは、結局、お互いにこのまま話し合わないのだろうか？　本当には話し合わないのだろうか？　二人とも、自分たちの重苦しさ、ぎごちなさを感じた。まるで二人の身体が二人のことをあい隔てているようだった。

——今度こそやって来たよ。

——まあ！　でも、時間より早いじゃないか……

一台の自動車が往還の路上に現れたところである。レオンはドアを開けた。

——ここだ！　と彼は叫んだ。

自動車は停まった、一人の男が昇降口の扉から顔を出して、叫んだ。

——なんてえところだい！

レオンは急いで走っていって、車の奥の方に寒そうにうずくまっていたエルシェル夫人の前へ行ってお辞儀をした。ルフェーヴル夫人は、家の戸口のところにじっと立っていた。《あたしはどうしたらいいんだろう？　あのひと達のところへ挨拶に行かなければいけないのかしら？》だが、もうレオンは母親のそばへ戻ってきていた。

——じゃあね、いよいよ来たからね、さようならを言おう。

——あのひと達のところへご挨拶に行かなければ悪いかね？

——そんなことないさ、そんなことするには及ばないよ、もう出かけるんだから……今年は、おっ母さんに何も持ってこなかったね、でも、何か贈り物を送るよ、帰ったらすぐね。

——そんなこと、お前！　お前、たまかにしなければいけないよ。

——いいよ、心配しなくったって。じゃねえ、これで行くよ。来年ね、元気でね。

——さようなら、レオン。

夫人は自分の頬にかわるがわる息子の唇のおかれるのを感じた。ああ、あまりにも短い接吻。夫人は、レオンの手を機械的に握った。

——泣くんじゃないってば、さあ、おっ母さん。あのひと達が見てるよ。

——レオン、お前、おっ母さんのこと、恥ずかしいと思わないのかい？

——そんなことありゃしないよ、おっ母さんはそりゃあよく知ってるじゃないか。じゃあ、さようなら。

レオンは離れていった。

——レオン！

彼は、すこしうるさそうに戻ってきた。

——え、なんだい？

——身体によく気をつけるんだよ。それから、おっ母さんに手紙をね。お前、手紙を書くんですよ、わかったね？　じゃあ、さようなら。

夫人は、もう一度倅に接吻してもらおうと思って、顔を前へ出した。やがて、レオンはその友の一行に加わった。ルフェーヴル夫人は、車の方に二三歩行った、息子がどんなふうに坐っているか見たかったのである、しかし、自動車は動きだした。《レオンは、きっと昇降口から腕を出すに違いない……ああ駄目だ、ほれ、ガラスが上へあがってしまった。きっと奥様が寒さを気にしてらっしゃるに違いない》自動車は遠ざかっていった、やがて往還の曲がり角で姿を消した。《運転手が軽はずみのことさえしなければ！》

――奥さん！　ルフェーヴルの奥さん、お子さんはお発ちになりましたのね。

例の隣の女がそばへやってきた。

――ええ、そうですよ、奥さん。あれは、お友達の自動車に乗って出かけましたの。奥さん、あのきれいな自動車をご覧になりまして？

夫人は打ち明け話でもするような口調でささやいた。

――あんなきれいな自動車を買うんですから、あのひと達は、よっぽどお金持ちに違いありませんわ！

女ふたりは、しばし話をした。やがて雪が再び降りはじめたので、ルフェーヴル夫人は家に帰った。夫人は、気力を失い、欲望も感じないで、ながいこと、戸口のそばに佇立した。食卓の上に、カシスの瓶、お菓子のお皿、レオンの使ったコップなどがそのままになっていた。猫は、かまどの下で眠っていた。部屋は、みすぼらしく、殺風景に見えた。

《これが一年間の報酬なのだ》とルフェーヴル夫人は、独りごちた。夫人は、自分が疲れているのを感じた、途方にくれているのを感じた。時は、柱時計の規則正しい韻律に刻まれて、単調に流れていった。夫人は努力をして、さやをむかねばならないインゲン豆の籠を取りあげた、そして窓辺に腰を下ろした。往来を、晩禱に行く子供たちが通りすぎた。《あたしは、あのアメリカ人たちを迎えるのに、帽子をかぶらなければいけなかったのかもしれない》

ゆっくりと、牡丹雪が窓ガラスにくっついた。たそがれが訪れた。もう手許が見えないで仕事ができなくなっても、夫人はじっと身動きもしなかった。頭のなかは空っぽだった。夕闇が色濃く夫人の周囲をつつんだ。と突然、苦悩が夫人の心をとらえた、夫人には、その原因はわからなかった、が、夫人はもはや弱さそのものだった。夫人は口がききたかった、しかも口を開く力はなかった。夫人は手を組みあわせた、夫人は何か恐ろしかった。

マルセル・アルラン（一八九九―一九八六）

フランスの小説家、批評家。フランス東部のヴァレンヌ・シュル・アマンスの生まれ。ソルボンヌ大学で学び、アンドレ・マルローの知己を得た。一九二三年に第一短編集『異郷』を発表、アンドレ・ジッドとヴァレリー・ラルボーに注目された。自伝的長編小説『秩序』（二九）を書いてゴンクール賞を受賞。同作は人物の内的心理を分析した作として知られ、ジェイムズ・ジョイスやマルセル・プルーストらの心理分析の手法に注目が集まっていた日本でも、すでに戦前に訳出されている（四〇―四二）。生まれ故郷の自然風景を背景に幼少年時代の思い出を描いた短編に佳作が多く、『生ける者』（三四）、『生涯の最も美しい日々』（三七）、『生まれた土地』（三八）などがある。『N.R.F.』誌に第一次大戦後の世代の時代的苦悩をめぐる評論や時評を書いた批評家としても活躍した。

【訳者】

佐藤文樹（さとうふみき）（一九一二―八七）

フランス文学者、比較文学者。三七年に東京帝国大学文学部仏文科を卒業し、戦後に東洋大学、九州大学、上智大学で教鞭（きょうべん）をとった。戦前に弘文堂書房から、マルセル・アルラン『秩序』の翻訳を刊行しており、戦後に短編集として『悩める魂』も翻訳している。十八世紀フランス文学が専門で、日本と西洋文学の比較文学的な論考も多い。他に著名な翻訳として、ピエール・ド・マリヴォー『マリヤンヌの生涯』（五七―五九）がある。

⇩教科書掲載……（高校）

学校図書『高等学校現代国語 二 改訂版』73／好学社『高等学校現代国語 二』67『高等学校現代国語 二 改訂版』71

＊教科書では「「おまえ、長くいるつもりで来たんだろうね？」……」以降が掲載されていた。

解説

七〇年代――人間を見つめて

ヨハネス・ベッヒャー「共有」は、「ぼく」と「きみ」が小さな違いをこえて共有しているものに眼を注ぐ詩です。同じ教科書では過去二回（72・75）、リルケ「オルフォイスにささげるソネット」が収録されましたが、七八年版で作品が差し替えられました。ドイツ語枠としての入れ替えと解せますが、それ以上にベッヒャーが東ドイツの詩人だったことがポイントでしょう。冷戦下の教科書では、複数の外国文学が採用される場合、西側と東側の作家の作品がともに収録されることがありました。「共有」の最終行は「人間」讃歌で終わりますが、「人間」は七〇年代の日本社会全体のキーワードでした。行き過ぎた経済主義への反動がその背景にあります。国語教育でも人間はやはりキーワードで、たとえば国語教育学者の野地潤家は「人間主義」という立場を打ち出し、教育における人間性の重視をうたいました。テストではかれる数値上の能力だけでなく、人間としての心や努力を評価すべきだという考えが広まり、この時期の教科書や指導書、授業実践の上に影を落としています。

実際、ジョン・スタインベック「朝めし」は、明治書院『現代国語二 新修版』の指導書（77）では、「人間の認識」を教える教材と位置づけられています。「洋の東西を問わず人間の感動には同じ要素がある」ことを教えるのに適切だというわけです。たしかに「朝めし」は、見知らぬ人間同士が、美味しそうな朝食を通してつながる物語です。この作品のエピソードはスタインベックの長編『怒りの葡萄』とも重なるものですが、労働者同士の協同というテーマも隠された教材だと言えます。

なお、食べ物は国語教科書の中では頻出するモチーフです。レベッカ・ブラウン「涙の贈り物」や三浦哲郎「とんかつ」など、国語教材に食を扱ったものが多いのは、食というテーマが教室の中で広く共感を呼べる普遍性を備えていることと関わっていそうです。

このように、七〇年代に「人間」が重視された時代背景としては、価値観の流動性ということが挙げられます。この頃の指導書には、「流動の時代」という文言も頻出しています。高度成長が一段落し、公害問題、日中・日ソ関係の改善など、国内的にも国際的にも日本の置かれた状況や価値観が動いた時期でした。最も普遍的なものとして「人間」に眼を注ぐ観点が強調された背景には、価値の体系が大きく変容し、確かなものが見出しにくいという時代感覚が存在したと考えられます。

「朝めし」は美味しそうな話ですが、これと対照的に一片のパン切れへの希望によって、なんとか飢えを耐え抜く痛切な経験を描いたのが、フランチスク・ムンテヤーヌ「一切れのパン」です。七〇年代は飽食の時代の揺り戻しで、ニクソン・ショックやオイル・ショックにより景気が悪化し、人々が経済的な不自由を感じた時代です。戦争直後の痛切な飢えの経験は生徒達に遠くとも、教科書編者にとっては生々しい近過去の出来事でした。

おりしも、東西の代理戦争としてのベトナム戦争が海外では継続し、国内で反戦運動が大きく盛り上がっていく時期です。五一年に日本教職員組合が採択した「教え子を再び戦場に送るな」というスローガンが、現実的な言葉として実感される時代であったわけです。七〇年代は、大岡昇平『俘虜記』やギ・ド・モーパッサン「二人の友」、ジャン＝ポール・サルトル「壁」、ヴェルコール『海の沈黙』といった、戦争を直接的・間接的に描いた戦争教材が国語教材に増え始める時期でした。「一切れのパン」は、先の大戦の記憶を、「飢え」の記憶とともに教室空間に喚起する教材であったと言えるでしょう。

ムンテヤーヌはルーマニアの作家で、この作品は筑摩書房『世界文学大系』九四巻（65）に収められたものです。六六―六九年には、恒文社『現代東欧文学全集』全一三巻も刊行されています。物語を通して東側諸国の雰囲気の一端を垣間見せる教材でもありました。

マルセル・アルラン「降誕祭」のテーマは、親心とそれをけむたく思う、けれども心の底で深く愛している息子との心のすれ違いです。好学社『高等学校現代国語二』の指導書（71）では、こうした親子関係について「生徒各自の親子関係に共通したもの」と書かれており、生徒の話し合いの結果、「母親の愛情が自己満足的な傾向をもち、こどものこまごましたことを注意する形で現われやすい」といった感想が出てくる授業展開が想定されています。思春期の生徒への、「あるある」の教材として配されていたと言えます。

七〇年代の「人間主義」が、実利的な価値を離れた人間の本質的価値の再認識を目指したとすれば、「降誕祭」を通して提示されているのは、人と人との間の確かなつながりだと言えるでしょう。批評家の江藤淳が、日本が母子密着型の社会だと論じた『成熟と喪失―〝母〟の崩壊』を刊行したのは、六七年のことでした。流動する時代の価値観の中で変わらない確かなものが探し求められ、そうした中で母子の愛というテーマが取り上げられたと言えるのかもしれません。

（戸塚）

教科書が愛をとりあげるとき

Column 04

国語教科書では、時に外国文学と日本文学とが、対をなす形で一つの単元にまとめられることがある。手紙や日記、紀行文など、小説以外のジャンルを教材として扱う際、こうしたまとめ方がしばしば見られた。

たとえば、『高等学校現代国語一』（清水書院、63）では、インドの独立運動の指導者ネルーが獄中で娘のインディラに宛てた書簡と、芥川龍之介が婚約者の文に宛てた書簡が一つの単元になっている。この種の実用文の単元では、日本と外国の文章を読み比べて違いや共通点を指摘させ、さらにまとめとしてそのジャンルの文章を書く課題が課せられることが多い。洋の東西を超えて普遍的な書き方を学ばせる単元構成になっているのである。

五一年改訂の「学習指導要領一般篇（試案）」の「各教科の発展的系統」において、国語科は「民主的社会人として成長する児童・生徒が、ことばを正しく効果的に使用する習慣と態度を養」う教科と位置づけられた。ネルーの書簡は文学や思想の書物の引用をちりばめ、未来の社会への希望を語るもので、民主的主体の確立につながる効果も狙われていたのだろう。だが、内容面で高校生の書く手紙とはかけ離れていて、未来の妻に甘い調子で語りかける芥川の手紙の方が、まだしも生徒には近しい文章だったと言える。外国と日本の文章を組み合わせ、いわば理想と現実とを一単元に内包したわけである。

二通の書簡がともに愛する相手に宛てられた手紙であったことは示唆的である。小説に眼を向けると、六〇年代以降に日本文学と外国文学とを組み合わせた単元が増えてくるのだが、そこでもやはり愛が共通のテーマとして浮かび上がってくる。

たとえば『高等学校現代国語二改訂版』（学校図書、73）では、マルセル・アルラン「降誕祭」と太宰治「竹青」を、『現代国語一』（教育出版、73）ではチェーホフ「たわむれ」と川端康成『伊豆の踊子』を一つの単元としている。「降誕祭」は母子の間の愛情の話であり、「竹青」は妻と夫との愛情の話である。「たわむれ」も『伊豆の踊子』も、ともに年若な男女の淡い恋の話である。いずれも、組み合わせられた教材が、似たテーマを扱っているのである。

「降誕祭」の指導書では、息子を愛する母の心情は「普遍的」なもので、生徒の家族関係と共通するはずだと書かれている。また「竹青」は『聊斎志異』を原典とする中国の話であり、幸福で平凡な夫婦間の愛は、国の違いによらないものとして扱われる。国の違いを超えて普遍的な愛情が単元を通して浮かび上がってくる。

「たわむれ」と『伊豆の踊子』の組み合わせでも同様のことが言えるが、こちらは男女間の恋愛感情を扱っている点がポイントだろう。チェーホフの「たわむれ」は、主人公の少年が橇遊びの風にまぎらせて少女に「好きだよ」と囁く話である。少女はその言葉が本当に自分に向けられたものか確かめたくて、恐怖と戦いながら急坂を滑り降りる橇遊びに何度も挑戦する。

これに対して『伊豆の踊子』では、主人公の青年と旅芸人の踊子との間ではっきりとした思いの表白は見られない。青年と踊子は旅の道連れとなり、お互いに惹かれ合いながらも無言のまま別れるのである。

実は、掲載された『伊豆の踊子』は、青年と踊子とのやりとりを中心に抽出した、かなり大胆な編集を加えたテクストである。若い二人のやりとりを継ぎ合わせて教材化し、「たわむれ」と組み合わせて単元化したことで、『伊豆の踊子』は若い男女の間の淡い恋の話としてパッケージ化されるのである。

このように、男女間の愛をテーマに日本文学と外国文学を組み合わせて単元化した典型的な例として、『新版現代国語2』（三省堂、74）の場合を見てみよう。同書では、アンドレ・ジッドの『狭き門』と、堀辰雄の「冬」（『風立ちぬ』全五章の四番目の章）が一単元をなしている。こちらは、少年少女の淡い恋より一歩踏み込んだ愛の物語だ。単元はずばり「愛」と命名されている。単元冒頭の前文では、「形象された愛の世界を通して、人間的な愛とは何か、静かに考えてみよう」と呼びかけ、末尾にも「愛を生きる―読書のために」という文章を後置し、テーマが明確化されている。

この教科書では、それ以前の二回の版では、エッセイおよび戯曲と組み合わせて「愛と真実」という単元が構成されていた（64・67）。男女の愛情と人間愛、芸術への愛が一単元になっていたのだが、七四年版で男女間の愛の問題へと舵が切られ、テーマが絞られた。

ただし、二つの教材は、男女間の愛情を生な現実の場面として提示しない特徴がある。たとえば、『狭き門』は主人公のジェロームが、愛するアリサの妹であるジュリエットに、アリサへの愛について述べる場面が採録されている。ジェロームをひそかに愛するジュリエットは、アリサとジェロームが結ばれるように、婚約という形で二人の愛を前に進めるよう促す。だが当のジェロームは、理想的な愛を実現するために、むしろ現実的な愛の縛りを設けない方がよいという理想論を展開する。

なるほど、主人公は確かに愛について語っている。だが、ジェロームはいまだジュリエットの自分への愛に気づいておらず（そこにこそ現実的で切実な愛があるというのに）、またアリサへの愛についての議論はあくまでも観念的に語られている。

事情は、堀の「冬」においても同様だ。『風立ちぬ』は結核療養所で死にゆく婚約者の女性を主人公の男性が看取る物語だが、全体を見ると、主人公の「私」と恋人の節子が睦まじく過ごす「序曲」や、節子の家を訪れて二人がもたれ合って会話を交わす「春」といった、恋愛の雰囲気をたたえた章もある。だが教科書に採られたのは、そうした直接的な二人のやりとりが見出しにくい「冬」の章なのである。

「冬」では節子の結核の病状が進行し、迫り来る死の不安が二人を包んでいる。そうした生活の中で「私」は二人の生活を小説化することで、両者の生きた証（あかし）を残そうと考えるが、それは「私」だけが節子が死んだ後の時間に向けて生き始めることを意味する。書くことで生きようとする「私」と、書かれることを受け入れて死にゆこうとする節子の間に、越えがたい懸隔が現れる。

このような「冬」を単独で取り上げたら、「愛」という単元を構成することは困難だったろう。だが『狭き門』と組み合わせることで、この単元は「愛」のテーマを提示しえている。観念的な愛ゆえに引き裂かれる『狭き門』に照らす時、愛する相手を犠牲にする点で、ジェロームと「私」との間に、共通する愛の悲劇が浮かび上がる。

教師用指導書には、「外国の青年男女の愛」と日本のそれを対比して読ませるという企図が明記されている。ただし興味深いことに、「キリスト教的宗教性とその内面の論理」は「やや理解しにくい」とも記されている。それゆえ、「異質の文化・思考を通して」、「学習者一人一人がおのれの〈愛〉の形をさがし求め発見してゆく」ことが期待されることになる。

だが、このようにジェロームの愛が観念的であること、そして生徒には理解しにくいことが、教材としては重要だったのではないか。愛の議論に導きつつも、恋の甘さを描かないことで、この教材は教室で愛を扱うことを可能にするからである。あとは「学習者」が自らの「〈愛〉の形」を現実の中に探し求めればよい。単元末尾の読書案内では、ジッドと堀の小説の全篇を読むことが推奨され、直接的な愛の場面は、教室の外で読まれることになる。指導書の「単元設定の理由」には、「愛を口にする面映ゆさが教師の側にあ」ることが想定されている。愛をめぐる議論へと導きながらも、現実の愛の場面をすり抜ける教材が、『狭き門』であり、「冬」だったのだろう。

このように考えると、外国文学の教材には、教室で正面から扱いにくいテーマを和らげる効果が見てとれる。さらに、外国文学の教材と日本文学の教材を組み合わせることで、両者の間にそうしたテーマを浮かび上がらせるケースもあるのだ。

戦後の民主化により、封建的な道徳が教育の場から排除され、男女の平等や個人の自由が新たな価値として見出されるようになった。自由で主体的な行為の大切さが説かれるようになったことで、「愛」を語る物語も国語教科書の中に入る条件が整ったと言える。だが学校現場では、「愛」について直接語る言葉は、教える側も教えられる側もいまだ十全な形で持っていなかっただろう。『狭き門』のジェロームの言葉は、そうした空白地帯を埋める言葉だったと言えるのかもしれない。

（戸塚）

第5章

六〇年代

動作

ジュール・シュペルヴィエル

Jules Supervielle

安藤元雄 訳

その馬はうしろを振り向いて
誰もまだ見たことのないものを見た。
それからユーカリの木の蔭（かげ）で
牧草をまた食べ続けた。

それは人間でも樹（き）でもなく
また牝馬（めうま）でもなかったのだ。
葉むらの上にざわめいた
風のなごりでもなかったのだ。

それは　もう一頭の或（あ）る馬が、
二万世紀もの昔のこと、

不意にうしろを振り向いた
ちょうどそのときに見たものだった。

そうしてそれはもはや誰ひとり
人間も　馬も　魚も　昆虫も
二度と見ないに違いないものだった。大地が
腕も　脚も　首も欠け落ちた
彫像の残骸にすぎなくなるときまで。

ジュール・シュペルヴィエル（一八八四—一九六〇）

フランスの詩人、小説家。ウルグアイの首都モンテビデオでフランス移民の子として生まれた。早くに両親を亡くしてフランスに渡り、ウルグアイとフランス二つの国籍を持つ。ウルグアイ出身のフランスの詩人では他に、イジドール・デュカス（ロートレアモン伯爵）とジュール・ラフォルグが著名。『栈橋』（二二）、『引力』（二五）、『無実の囚人』（三〇）をはじめ、南米の大自然のイメージを背景に、生と死、過去と未来、自己などのテーマを追究する独自の詩風が評価され、両大戦間を代表する詩人の一人となった。収録作「動作」は『引力』に収められたもの。幻想的な味わいを持つ詩のようなコントも多く、短編集『沖合の少女』（三〇）などがある。日本では、詩人本人と交流もあった堀口大學が『シュペルヴィエル詩抄』（三六）で紹介を行い、その詩作

やコントは戦後も飯島耕一や大岡信（まこと）らに影響を与えた。

【訳者】

安藤元雄（あんどうもとお）（一九三四―）

詩人・フランス文学者。東京大学仏文科を卒業、卒業論文でシュペルヴィエルをテーマとし、のちに『シュペルヴィエル詩集』（七三）を翻訳刊行した。國學院大學（こくがくいん）、明治大学で教鞭（きょうべん）をとり、詩集に『水の中の歳月』（八〇）等、評論集に『フーガの技法』（〇一）等がある。シュペルヴィエル以外に、ウジェーヌ・フロマンタン『ドミニック』（六九）、ジュリアン・グラック『シルトの岸辺』（六七）、シャルル・ボードレール『悪の華』（八一）等の翻訳がある。

⇩教科書掲載……**（中学）**
学校図書『中学校国語3』02

（高校）
三省堂『現代国語三』65（収録タイトル：「運動」中村真一郎訳）『新編 現代国語三』68『新編 現代国語3 改訂版』72『新版 現代国語3』75『新版 現代国語 改訂版3』78（安藤元雄訳）『高等学校現代文2』00（収録タイトル：「動作」堀口大學訳）／尚学社『高等学校新選現代国語三 改訂版』78『高等学校新選現代国語三 三訂版』81

ルビー

フリードリヒ・ヘッベル
Friedrich Hebbel

実吉捷郎 訳

ある晴れた明るい午後のことだった。若いトルコ人アッサートは、つい数日前にはじめて、測り知れぬ都バクダッドに足を踏み入れて、たえず驚嘆をつのらせながら、今この都のいろんなすばらしいもののあいだを逍遙（しょうよう）しているところだったが、このとき最も富裕な最も著名な宝石商の店の前に立っていた。さまざまな光と色になって現れながら、多くの宝石類を、きらきらと燃えたたせている、複雑な白熱したいのちに、彼は心からの楽しさで見とれていたのである。

「おお、宝石よ。」と彼は有頂天になって絶叫した。「お前が国主たちの王冠を飾るのに選ばれているのは、まったく至当なことだ。なぜといって、お前のなかには一切みごとなものが圧縮され醇化（じゅんか）されている。あわただしい日光は捕らえられて、お前の神秘な核のなかに閉じこめられているし、すぐに消えてしまう色は、お前のなかで聖化をおこなって、不滅のいのちを受けるのだし、風火水の純粋な神々（こうごう）しい元素は、お前のきらめきのなかで相結ぶのだ。今おれは、自然というものの境界に立っている。ここに創造する力の究極最高の産物がある。これより先へは――おののきながら精神がそう感じるのだ――無限そのものさえ進むことはできない。」

宝石商は、自分の技芸に心から打ち込んでいるお人よしの男で、このときちょうど戸口のところに立っていたが、この青年の口から発せられた感激の言葉をきくと、大満悦を感じた。それまで姿を見られずにいた彼は、微笑しながら青年のそばへ寄って来て、箱をあけて、青年の手を執って、その指に一つの美しい指環(ゆびわ)をはめてやった。アッサートはほとんどそれに気がつかなかった。彼のまなざしは、めずらしく大きな一つのルビーに、魔術めいた力でひきつけられていたのである。それは、雲のヴェールから出たばかりの太陽が、ありたけの光を投げつけているルビーだった。彼は思わず片手を胸にあてて、宝石商が驚いたほどの深い吐息をもらしたが、やがて、はめてもらった指環を、異様な不快の表情ではずしてしまって、そのルビーを指さしながら、情熱的な調子でこう叫んだ。

「こんなくだらないものはそっちに取っといて、これをくれたまえよ。」

かぶりを振りながら宝石商は答えた。

「この石は何百金でも売るわけにはいきません。」

「しかし僕はぜひともほしいんだ。」と狂ったように青年は答えて、そのルビーをつかむと、目をきらめかせながら、さっと逃げ出した。

宝石商は大きな叫び声をあげて、アッサートのあとを追いながら、彼をどろぼうとののしった。いうや、それでは甲斐(かい)がなさそうなので、強盗だの人殺しだのとののしった。たちまち街上には人だかりができた。青年は取り押さえられて、荒々しく裁判官の前へ引き出された。

「旦那様。」と宝石商は憤激にたえぬ調子でいいはじめた。「この人間はいかにも若く見えますし、そのようすにはいかにも人好きのするところがいろいろございますけれど、それでもこいつはずうずうしい、恩知らずの悪党なのでございますよ。手前はこの男が、手前の店の前に立っているのを見かけました。そうしてそこに並べてある宝石類について、この男が子供のように大きな声で、感服の言葉をもらすのを聞いて、おもしろがっておりました。親切気に駆られました手前は、お前さんにはひとつ、人よりも安く売って進ぜよう、とこう考えまして、箱のなかから上等の指環を一つ取り出して、この男の指にはめてやりました。だしぬけにこんな贈り物をもらったのですから、さだめし驚いて目をみはるだろうし、身の置きどころもわからないだろうと、手前は思い設けておったのでございます。それなのに、手前の好意にはほとんど目もくれず、ばかげた、とてつもないため息なんぞつきますので、手前はすくなからず腹が立ちました。それからこの男は指環をまた抜き取りまして、みくびったように手前に投げてよこすと、まるで、気に入れば手前に首をくれといってもかまわないのだというような、実に横柄な調子で、これまで手前の手に入ったうちの、一ばんすばらしいルビーをよこせと申すのでございます。こうまであつかましいのは、物を知らないせいだと存じましたので、手前は当然の立腹をむりに我慢して、こんな宝石はお前さんが考えているよりは値が高いのだ、とおとなしくいってやりましたら、この男は無遠慮に、ぜひともほしいのだといい放ったかと思うと、追いはぎにはおきまりの、礼式をきらったやり方で、すぐに手前の持ち物をひっつかんで、逃げ出してしまったのでございます。手前はあとを追いました。手前には腹という重荷がございますのに、またちょうど腹ごなしに大事な時間でしたのに、どうしてこの男にまた追いつくことができましたのやら、われながら合点がまいりません。心配というものは、人間にふしぎな力を授けるのに相違ございませんな。」

裁判官というのは、いつも法廷に立つと、ダンテの地獄の銘を恐るべく忠実に反映したような顔をしている、背の高いやせた男で、いつか自分でも物を盗まれたことがあって、それ以来もうどろぼうには、死刑の宣告ばかりくだしているのだった。彼はアッサートに、告訴された罪過を否認するか、とやさしくたずねた。

「どうしてそんなことができましょう。」と青年は陰気な調子で答えた。

「さようなことはどうでもよいわけじゃ。」と裁判官は、あらゆる国の司法官が、あるあわれな男のもつ打ちひしがれた人間性にとどめを刺すとき、好んでその手段にする、悪魔から借りて来たようなあの微笑を浮かべながら、そういった。「こいつを町はずれへ引いて行け。そして法のとおりにおこなえ。」

「しかしその前に、足の裏を打つ刑罰を存分に加えるのだぞ。」と彼は付け加えた。そして一人の奴隷の差しだすパイプを手に取った。

アッサートはつれ去られた。街上で彼は、憤慨にまぎれてルビーを返してもらうことをまだちっとも考えていない宝石商に向かって、こう頼んだ。

「宝石屋さん、どうか最後のご親切にあずかりたいと思います。僕にこの宝石を、死ぬ時まで持たせておいてください。町はずれの門のところまで一緒に来てください。そうすれば、僕はそこで宝石をもう一度ながめて、それからあなたの手にお渡しします。ねえ、それをいけないとはおっしゃらないでしょう。あとほんのしばらくの間じゃありませんか。」

宝石商の心には同情がきざした。今はまだいのちの力と熱とにあふれて自分の目前に立ってはいるものの、わずか数瞬間の後には、もはや時ならずも自然の手に戻されて、ある新しい目的のために勝手に使われてしまう、この美しい沈着な青年を、彼は気の毒に思ったのである。この青年を救うためなら、おそらく彼はいまあのルビーを、喜んで提供してしまったであろうが、しかし裁判官の気持ちを考えれば、そういうわけにはいかなかった。そこで彼は死んでゆく者に、好意ぶかく最後の願いをかなえてやるだけにとどめるほかはなかった。

都門の前に着くと、アッサートは、それまでふところにしまっておいたルビーを取り出して、日にかざしながら——ルビーは日光を受けて人間の目のようにきらめいた——悲しそうに口に押しあてたあと、それをまさに宝石商に返そうとした。ところが、まだほんとうに返しきらぬうちに、一人の非常にいかめしい様子をした老翁が——彼を見ると人々はみんなおとなしく道をあけた——青年のそばへ進み寄って、きびしい一瞥(いちべつ)でじろりと彼を見ながら、こういった。

「アッサートよ、御身(おんみ)は盗賊か。」

燃えるような紅いろが青年の頬いちめんに流れた。しかし彼は、しっかりと惑わずに老翁の方へ目をあげながら、こう答えた。

「はい。そうしてすぐにごらんになるとおり、わたくしはそのために殺されるのです。」

「盗みをしたことを、御身は悔やんではおらぬのか。」と老翁がたずねた。

「おりません。」とアッサートは言下にきっぱりと答えた。「わたくしはなぜこの宝石にひきつけられるのか、自分でもわからないのですが、しかしわたくしが殺されるのは、いいことなのでしょう。なぜといって、この宝石を他人の手にまかせるほどなら、むしろわたくしは強盗や人殺しをして、われとわが身を瀆(けが)しかねない気がするのです。もっとも、人を殺すことは、自分の死と同じように、わたくしの魂をふるえあがらせるのですけれど。」

「ほほう。それはすばらしい。」と老翁は応じた。「ぜひ握手をさせてくれい。」

アッサートは彼に手を差しのべた。

突然アッサートは、見も知らぬ国道にいた。例の老翁がそばに立っている。うれしいよりは、むしろいぶかしい、面くらった心持ちで、青年はその救い手に、問うようなまなざしを据えた。

「御身は今、バクダッドから百時間以上も隔たったところにおるのじゃ。」と、青年のまなざしの意味をさとった老翁はいいはじめた。「そしてあの町の人たちは、わしが御身の無垢(むく)のしるしとして、御身の身代わりに残して来た小羊を、もし望みなら、くびり殺せばよいわ。とはいえ、もしも御身が、出来心か、あさましい欲心かにそそのかされて、ひとの持ち物に手をかけたのであったら、わしは決して御身を救いはせなんだであろうよ。わしにはいろいろな大きい力が意のままに使えるのじゃが、さりとてわしと威力を同じゅうする多くの仲間のように、その力をみだりにふるうことは決してせぬ。自然はわしらを信じて、物事の常の歩みを押しとどめてこれを変える力を、わしらの手にゆだねてくれたのじゃが、これは普通の規則、単純な法則で間に合わぬ非常の場合に、わしらが自然の手助けをしようためじゃ。御身の場合はちょうどそれに当たっておる。なぜというに、御身がそこに握っておるルビーは、魔法にかけられた、世にも美しいさる姫君の墓所となっておるのじゃ。その宝石を浸しておるみごとな濃い紅は、その姫君の血潮から吸い取ったもの。この石の惜しげもなくきらきらと放つ光のなかからは、その姫君のまなざしが、火花となって御身に振りかかる。御身がこの石の日ざしに輝くのを見たとき姫のまどろむいのちが、御身をおののかせた。そこで御身の魂は底の底まで、甘い予想に浸されて、御身の手は胸の思いの命ずるとおりのことを、果たさずにはおられなんだのじゃ。」

「その姫君をわたくしの手で救うことができましょうか。」とアッサートは深い吐息をつきながらたずねた。

「それは姫自身のみが知っておられる。」と老翁は答えた。「そしてもし望みとあれば、御身は一度姫に会うて言葉をかわすことができる。深夜御身のあらゆる思いを、姫への一念に凝り固めながら、そのルビーに三度くちづけをすれば、たちまち一瞬のあいだ魔法はとけて、姫は美しさに照り映え(は)ながら、石の牢獄(ろうごく)のなかから出て来られるのじゃ。さりながら、御身の幸福と安穏を、おぼつかない一瞬に賭(と)してはならぬ。魔神を相手に戦うは容易なわざではないが、世にもいみじいその乙女は、あらがいがたい力で、御身を心の奥底から捕らえてしまうであろう。さてそのとき乙女の魔力を打ち破り得ぬとすれば、御身は永劫(えいごう)に救われぬであろうぞ。さらばつつがなく暮らせよ。いかなる人間の目も再びわしの姿を見ることはないのじゃ。」

　いい終わったかと思うと、老翁は消えてしまった。アッサートはそれにも気がつかぬほどだった。彼の感覚の一つ一つ、彼の思念の一つ一つは、彼が手に持っているその奇跡につながれていたからである。太陽がすでに沈みかけているのを、物の影が長くなってゆくのを、彼はどんなに喜んだことか。今までは死者や幽霊の出歩く不気味な時刻として、おじおそれていた真夜中を、敬虔(けいけん)な眠りの安らかな腕のなかへ心弱く逃げ込んでは避けていたその真夜中を、どんなに彼は待ちこがれたことか。こうなると彼にとって真夜中というものは、あらゆるいのちの精髄を、彼のかわいたくちびるへ向かって泡だたせる容器のように思われたのである。そして真夜中というものが、ほかのすべての人たちに、憂慮と戦慄(せんりつ)と恐怖をそそぎかけるということこそは、彼にとってなお最後の恐ろしくも妖しい魅力を添えることになった。そのうちに、もう暗くなって来たので彼はせかせかと道を急いだ。行く手のそう遠くないところに見えている町へ、まだ夜になりきらぬうちに着こうというのである。予定どおり彼は着いた。それにまた好運にめぐまれて、まもなくある老婆のもとにその夜の宿を取ることができた。すぐに彼は、非常に疲れているといい立てて、自分のときめられた寝室へ引っ込むと、例のルビーを自分の前のテーブルに置いて、さてあかあかとともったランプのもとで、窓にはカーテンをおろしたなり、時刻をかぞえた。ゆっくりゆっくりと、まるでその一分一分が永遠というものの内容を彼に計算してみせようとするごとく、はうようにしてすぎてゆく時刻をである。やっと十二時になった。名づけがたい情熱をこめつつ、彼はこのときルビーをくちびるに押しあてて、三度接吻（せっぷん）した。

　するとなんだかその宝石が彼の手のひらのなかで溶けて、色のついた淡い靄（もや）になるかと思われるうちに、それが盛りあがって曙（あけぼの）いろの雲になって、部屋いっぱいに満ちわたった。その雲のなかから一人の女の姿が、微光を放ちながらあらわれて来た。はじめは色がうすく、輪郭が淡いので、ほとんど見分けがつかなかったけれど、みるみる花が咲くように、あざやかな輝かしい形を備えてきた。青い衣装をまとい、あどけない端麗な様子で首をやや前にかしげながら、そのしとやかな乙女は、おずおずした一瞥をあたりへ投げると、こう叫んだ。

「ここはどこなのかしら。」

　しかしそのすぐあと彼女は、やるせない絶望の様子で、アッサートにじっと涙のない目を据えた。つい今しがた、そのアッサートを見ると乙女らしくはにかんでふるえながらあとずさったばかりなのであった。そして今やっと思い出された自分の身の上が、身動きの一つ一つを墓石のごとくおさえつけてでもいるように、彼女は胸の奥底からため息をついた。人間の感じる苦痛以上のものを表しているかと見えるため息であった。このため息がアッサートの骨の髄までしみとおった。今までうやうやしく間隔をおいていたときの、青年らしいはにかみは消えた。彼は男らしく決然と、片手を懐剣にそえたまま進み出て、腰をかがめながらこういった。

「貴いお姫様、もしもあなた様をお救いすることが、人間の弱い力にかないますならば、どうか、わたくしの身命をあなた様にささげることを、おゆるしくださいまし。」

「どんなにかそうしてもらいたいことでしょう。」と彼女は急きこんだ調子で答えた。「それでも、いかにあなたの決心が固かろうと、あなたにはこの仕事は決して遂げられないでしょう。むずかしすぎるからではなく、やさしすぎるからなのです。」

「わたくしは聞き違えたのではございますまいか。」とアッサートは、このうえなく不審に思って、そうたずねた。

「そのおたずねはごもっともです。」と彼女は応じた。「わたしを魔法から解くのがやさしいために、解くことができなくなるなどとは、あなたには思いも及ばないことでしょうね。でもやはりそのとおりなのですよ。あらゆる魔法使いのうちで一ばん意地のわるい、一ばん奸知にたけたやつが、わたしを──ある強い国主の娘を、花園で不意におそって、一つのルビーのなかへ魔法で封じ込んでしまいました。それは、その男がわたしの血を三滴ほしいといったのを──多分その血は何かあさましい目的のために入り用だったのでしょうが──父が腹を立ててはねつけたからなのでした。この宝石の持ち主なら、いつでもこの魔法を解くことができるわけなのです。ところがわたしに二度と再び楽しい生活を送らせまいとして、その魔法使いは、この魔法を解くことと、こういう手だてとを一緒にしました。つまりそれは、ありとあらゆる人が、どんなところでもどんな時にでも、自由に使える手だてなので、それだからこそだれにも思いつかないものですし、またあの男は、わたしの苦しみをこのうえないものにしようとして、その手だてをわたしに知らせてはくれたものの、もし永久に葬られてしまうのがいやならわたしはその手だてを一ばん大切な秘密として、胸にたたんでおくほかはないのですよ。ああ、寒けがしてたまりません。一体わたしが自由の身になってから、一分以上たちましたかしら。どうかあなた、葡萄酒（ぶどうしゅ）を一杯ください。のどがかわいているのですから。さあ、早く。」

この願いをきいて奇妙な感動にとらわれながら――それは生命からなお最後の享楽を求め、それによって最後の一瞬間を生命の手からあざむき取ろうとする、そういう瀕死（ひんし）の女の口から出るかと思われるような願いだった――アッサートは顔をそむけたまま、彼女に葡萄酒を差し出した。宿の主婦が持ってきてくれたのを、彼が興奮していて飲まずにおいた葡萄酒である。やさしく礼を述べながら、彼女は葡萄酒を飲んだ。と思うとすぐにまた、雲の流れに包まれてしまった。燃えるようなまなざしをアッサートに向けながら――彼女はそのまなざしとなって、消えかかるともしびのように、もう一度輝きを放つかと見えた――こう彼女は絶叫した。

「ああ、どうしても生きていたいのに。」

雲は一段と黒くなって、ますます濃く彼女のまわりに輪を描いた。アッサートは、心を切り刻まれるような苦痛をおぼえながら、そのあでやかな姿態がみるみるうちに溶けて流れ去るさまをながめていた。依然として彼は、無言の哀願をこめたように自分の方へ向けられた彼女の目が、彼女を押し包む靄のかたまりのなかに見分けられるように思っていた。しかしまもなく、彼は自分の思い違いに気がついた。彼女の目だと思っていたものは、ほかならぬ例のルビーで、それは油のきれかかったランプの、最後のきらめきに淡く照らされながら、すでに再び卓上に横たわっていたのである。

「姫の肉体だ。姫の魂だ。おお。」とアッサートは嘆息して、宝石をじっと見つめた。ランプは消えた。ほんとうの生物のように、冷たい、音も光もない夜が、彼の胸（むな）もとに迫ってきた。

一年すぎた。ある晴れた朝のことだった。アッサートは、あの大きな騒がしい町からのがれ出ていた。都門をずっと出はずれた、この町のにぎやかな動きと力と富との源になっている大きな河の岸べの、さびしい個所にあるベンチの上に、彼は黙然と青白い顔をして腰かけていた。手には例のルビーを持って、それをいつもの癖で、無言の絶望のうちにながめているのである。

「これはみごとな石だ。」という声が、いきなり彼のうしろで響いた。ふり返ってみると、背の高い、いかめしい姿の、けだかいおもざしをした、かなりの年配の男が見えた。そのおもざしには、ある深刻な、しかし胸の奥底でせきとめられた生の悩みが浮かんでいるかに見えた。

「ええ、みごとな石です。」とアッサートは沈んだ調子でおうむ返しにいうと、嫉妬ぶかい心持ちで、ルビーをまたふところに隠してしまった。

「おいおい。」とその老人はいった。「その石をわしが買い取ってやるよ。人間をやさしい柔和な気持ちにする宝石もあれば、人間に楽しい夢を見させる宝石もあるそうな。お前のを見たとき、わしはふしぎな憂いにおそわれた。そして失うた娘の姿が、まるで娘が生まれ変わりでもしたように、わしの魂のなかに現れて来たのじゃ。その石をわしに譲ってくれい。そして価はそちらできめたがよい。」

アッサートは目もあげずにかぶりを振って、冷たい悲痛な調子で答えた。

「たとえあなたが、ひとつの王国を僕の足もとへお供えになろうと、その代わりにこの石を差し上げることはお断りです。僕は死ぬ時でなければ、これを手ばなすことはありません。しかもそのときだって、やはり手ばなしませんよ。墓のなかへさえ持ってはいるのですからね。」

「下郎。」と老人は激怒して叫んだ。「その石をよこすのだ。さもないと、首も一緒に取りあげてしまうぞ。」

彼はそういうと同時に、今までベンチの背の上へ半身をかがめていたのが、ぐっと背をのばして、憤怒(ふんぬ)に燃えながら、突き刺すような一瞥でアッサートをにらみつけた。アッサートはなんとも答えなかったが、同じように、立ちあがると、さげすみあざけるように、黙ってひとり微笑を浮かべていた。まっさおになった老人は、ふり返って、手をあげて、立派な服装をした兵士の一隊をさしまねいた。「これにおる犬めに、」と彼らに向かって呼びかけながら、老人は激越なしぐさでアッサートを指さした。「国主はおのれに逆らう者を、いかに扱うか、見せてやるがよいぞ。」

アッサートは懐剣を抜いた。とはいえ彼の抵抗はむだであった。たちまち彼は多勢にとりまかれてしまって、まさに圧倒されそうになった。そのとき彼の視線は、自分をするどく見守っている国主のうえにおちた。あざけりの微笑がアッサートの顔にさっと走った。彼はルビーを取りだして、国主の方へうなずいて見せると、だれ一人とめようと考えるひまもないうちに、その宝石を遠く河のなかへ投げ込んでしまった。

「刺し殺せ。」と国主は叫んで、怒りにふるえながら、さっと剣の鞘をはらった。

「自分でやるよ。」とアッサートはいって、懐剣を自分の胸に擬した。

すると突然、かすかな嘆息の声が響いた。それは一つの音にすぎなかったけれど、アッサートの心の奥底にあるいのちを、死に直面しながらもなお、すさまじい炎となって燃え立たせたほどの音だった。彼はあげていた手を力なくおろして、奇跡に心を奪われたかのように、凝然と立ちつくしていた。

「おお、ファチーメ、娘よ。これでようやくまたそなたに会えたのう。」と国主は叫んで、一歩踏み出した。と思うとしかし、そのなつかしい幻像が、手を触れようとしたらすぐに消えてなくなりはせぬかと、恐れてでもいるように、彼は急に足をとめてしまった。

「アラーの神のご利益だ。」と驚いた衛兵たちが歓呼した。そして顔をおおいながら地にひれ伏した。

「父上様、わたくしを母上様のところへおつれくださいまし。」と、あの真夜中にアッサートの耳にした、やさしい声が叫んだ。そして乙女は、情熱と不安をこめて、老人を抱擁した。苦しみと喜びがアッサートの胸のなかで入りまざった。彼は大きく嘆息した。すると王女が彼のそばへ歩み寄って、頬を染めながら彼の手を握ると、彼を父のそばへつれてゆきながら、こういった。

「この方がわたくしを救ってくださったのでございますよ。」

国主はしばらく無言のまま厳粛な顔をしていたが、やがてアッサートに向かっていった。

「わしは御身を殺そうとしたな。」

「はい。」とアッサートは答えた。「しかしわたくしはまだ生きております。」

「そして寿命のある限り生きつづけてくれ。」と国主は声を高めて応じた。「そしてもしもわしの国土が所望なら、わしはそれを御身の足もとに供えようぞ。しかもわしみずからのためには、一つの頭巾(ずきん)と一つの剣と一つの墓よりほか、何物も残してくれとはいわぬつもりじゃ。」

「何も所望はございません。」とアッサートは、暗い沈んだ調子で答えた。それから王女の方へ身を向けながら、迫らずに悠然と、まるで自身に対して死刑の宣告をくだす人のように、こうつづけた。

「僕はあなたのために、僕の血の最後の一しずくまで流したいと願っておりました。しかしそれは僕には許されないことでした。僕はあなたをお救いすることはできませんでした。できたのは、ただあなたのことを嘆くだけで、これならどんな人間にもできたわけでございます。しかも今日――今日僕は、やさしいあなたの御身を包んでいたこの宝石を、泥水の底深く投げ込もうとしたほど、あさましい気持ちにさえなってしまいました。それは、今承ればあなたの父上であられるこの方が、たしかにただ何となく虫が知らせるようなあこがれのために、この宝石を手に入れたいという望みで、はげしく燃え立っておられたこの方が、それをくれと所望なさったときなのでございます。おお、僕は自分で自分を軽蔑します。ですからあなたも僕を軽蔑なさるに違いありません。」

「あなたは自分で自分を誣いていらっしゃる。」とファチーメはいった。「なぜといって、あなたがこれまで、以前の持ち主たちはみんなそうだったのですが、あまり片意地に手放すまいとしていらしったルビーを、進んで勝手にお投げになったために、わたくしにかかっていた魔法が、すっかり解けてしまったのです。これこそは、あの厄介な条件でしたの。この条件なら、どんな人だって、いつどこででもみたせたわけなのに、この条件のために、魔法を解くのが、怪物や悪竜と戦うよりも、おぼつかないものになっていたのです。」

「すると僕は、情けない人間になったから、仕合わせになったというわけなのですね。」

ファチーメは、乞うように、同時にまたたずねるように、彼を見つめた。彼のいうことが彼女にはわからなくなったからである。しかし国主がそこへ歩み寄って、こういった。

「御身は向後わしの息子じゃ。あとへさがるには及ばん。男というものはな、必要とあらば運命の手から、気力と堅忍とでむりにも奪い取るほどの物を、偶然の手から贈り物として受けたとて、何も恥ずるには当たらんのじゃ。ところで、今からわしの宮殿へついて来るがよい。いつまでもわしらだけで喜んでおるのは、よろしくない。ファチーメにはまだ母親があるのじゃ。」

フリードリヒ・ヘッベル（一八一三―一八六三）
ドイツの劇作家、詩人。当時デンマーク領だったホルシュタイン州ヴェッセルブーレンで壁職人の子として生まれ、貧困のため苦学した。寄寓した船大工の義理の娘エリーゼに支えられながら創作に打ちこみ、悲劇『ユーディット』（四〇）を完成。「ドイツ・ドラマの救世主」と評された。その後各地を旅行、子もなしたエリーゼを裏切ってウィーンで知り合った人気女優クリスティーネと結婚した。『マリア・マグダレーネ』（四四）、『ニーベルンゲン』（六二）など長く上演される作品を著した。詩や小説も執筆、「ルビー」（三七執筆、四三発表）は掲載した短編版のほかに戯曲版（四九）も存在している。

【訳者】

実吉捷郎（さねよしはやお）（一八九五―一九六二）

ドイツ文学者、翻訳家。子爵の六男として生まれる。二四年、日野資秀の三女花子と結婚。日野姓を名のる。三一年離婚、実吉姓に復帰。東京帝国大学卒業。東京都立大学教授、立正大学教授などを歴任。鷗外（おうがい）の影響を受けたとも評される文体で、トーマス・マンの紹介に尽力したほか、ゲーテ、シラー、ヘッセなどの訳業もある。

⇩教科書掲載……（中学校）

教育図書『中学標準国語　一上』53『改訂版　中学標準国語　一上』56（収録タイトル：「ルビイ」）／秀英出版『総合国語中学校用　一下』54／大日本図書『私たちの国語　一』62（御荘金吾脚色）

＊いずれも実吉訳にもとづいた放送劇のかたちで、原作を一部省略して採録されている。

鮪釣り

ビセンテ・ブラスコ・イバーニェス
Vicente Blasco Ibáñez

永田寛定 訳

午前二時、小屋の戸がたたかれた。

「アントニオ！　アントニオ！」

アントニオは寝台から跳ねおりた。漁の相棒のコンパードレが、船を出す知らせにやって来たのだ。その夜はよく寝ていなかった。十一時になってもまだ、女房のルフィーナと話をしていた。かわいそうに、ルフィーナも、稼業の先々を案じて、しきりに寝返りを打っていた。まったく、これよりひどい不景気は考えられもしない。なんて馬鹿げた夏だろう！　去年なぞは、鮪（まぐろ）の群れが限りなく続いて、地中海を泳ぎまわった。ごく少ない日でも、六百貫から九百貫の漁があって、金まわりのよかった事は、神の恵みとしか思われなかった。だから、アントニオのように、身持ちがよく、貯蓄心のあるものは、みんな平漁師をやめて独立するために、てんでに船を買ったものだ。

小さい港はぎっしりつまっていた。夜になると、一船隊といっていい程の船がはいってきて、ほとんど動きがとれなかった。だが、漁船がふえたと同時に、か、い、し、けというやつがやって来た。網を引いても、かかるものは海草か小魚ばかり、鍋に入れたら溶けてなくなるざ、こばかりだった。

鮪は今年、その進路を変えたので、まだ一ぴきも釣りあげた船がないのだ。
ルフィーナはこうしたはめにあって、おびえていた。家に金がなかった。パン屋へも肉屋へも借りが出来ていた。その上、船主から高利貸しにかわった男で、この町を生かしも殺しもする力のあるトマスじいさんが、きびしい談判にやって来た。アントニオ夫婦が財布の底をはたいて、足の早い船を買った時、足りないだけ融通してもらった五十ズーロとその利子を、少しでも返せというのだ。

アントニオは着物を着ながら、息子を起こした。息子はまだ九つにしかならない見習夫だったが、漁にはいつも父親といっしょに行き、もういっぱしの仕事をしていた。

「きょうこそ、ちっとばかり運がついてくれないかねえ。」と、女房は寝床の中からつぶやいた。「台所に弁当の籠がおいてあるでしょう……きのうは肉屋がね、もうどうしても貸しといてくれないの。ああ神様！　なんてまあ情けない稼業なんだろう！」

「よせやい！　沖はわりいにちげえねえが、神様も見殺しにはなさるめえ。そうそう、きのうもな、友なし鮪を見たってことだ、百貫近くもありそうなじじい鮪をよ。いいかね、そいつをだ、おれたちがあげたとしてみねえ……内輪に見積もっても、六十ズーロはたっぷりだ。」

漁師はその大物のことを考えながら、群れをはなれて去年と同じ海へ、習慣でつい立ち帰ったひとりもののことを考えながら、身支度(みじたく)を終わった。

アントニーコはもう起きていた。そうして、普通ならば遊んでばかりいる年頃なのに、早くも稼ぎに出る子供らしく、まじめさと満足とを顔に表して、いつでも出かけようと身構えていた。肩には弁当籠をかけ、手には鮪の大好物で、一番いい餌のロベールをいれた魚籠(びく)をさげた。

父と子は小屋を出て、浜伝いに、漁船の桟橋にいった。コンパードレは船の中で待ちうけ、帆の支度をしていた。

船の群れが闇の中で無数の帆柱をゆすぶっていた。乗っている人の黒い影がその上を走っていた。甲板へ倒れる帆柱の音と、滑車や帆綱のきしりとが静寂を破った。帆は闇の空に、大きなシーツのようにひろがっていた。

渚(なぎさ)近くまで延びて来ているまっすぐな通りのいくつかは、その両側に白い小さな家々を並べていた。この家々が、一夏の間、避暑客の、海を求めて内地から来る家族づれの宿になるのだ。桟橋の近くに大きな建物が一つ、燃えあがったかまどのような窓々を見せ、ざわめく海面に火のさざなみを立たせていた。

それはクラブだった。アントニオはそこへ憎しみの眼(め)を向けた。中にいるやつらめ、なんで夜更かしをしてやがるんだ！　金かけて、ばくち打ってるにちげえねえ……やつらも生きてくために、暗(くれ)えうちから起きなけりゃならねえ身だったら、どうしやがるだろう！

「さあ、帆だ、帆だ！　もうだいぶ出て行ったものがあるぞ。」

コンパードレとアントニーコとが帆綱をひいた。すると、三角帆がゆったりと、風をはらんで身震いしながら上っていった。

船は初め湾内の静かな水面を、おとなしく滑った。が、やがて、波をうけて、縦に頭をふりだした。三人はもう港の外の自由な海に出ていた。

正面は、ただまっくらな、はての知れない空間で、その中に星がまたたいていた。それから、前後左右の黒い海面には、先のとがった怪物のように、波を滑って遠ざかる船の影が、ますますふえていった。

コンパードレは水平線を見ていた。

「アントニオ、風が変わるらしいぞ。」

「おれも気がついていたよ。」

「でけえ波になりそうだな。」

「そうよ。だが沖へ出るんだ！　海を掃いて歩くこの連中から、ぐっと離れようぜ。」

で、船は陸をつたう他の船を追わずに、舳（へさき）を沖へ沖へと向けた。

夜が明けた。大きなオブラートのように打ちだされた真っ赤な太陽は、海面へ火焔（かえん）の影を扇形に投げた。波は火事でもおこしたように燃えたった。

アントニオは舵（かじ）をにぎっていた。コンパードレは帆柱の根元に陣取り、少年は海をうかがって舳にいた。艫（とも）と両側の船べりとからは無数の糸が垂れ、水中で餌（え）をひきずっていた。ときどき、ぴくりと引く。すぐに、魚が一ぴきあげられて跳ねくり、生きた錫（すず）のように輝く。しかし、どれも小さな獲物で、なんにもなりはしなかった。

こんな風で時間がたった。沖へ沖へと乗りだしてゆく船は、ともすると躍りあがり、波にかしいで、赤い腹まで出した。暑くなって来た。アントニーコは狭い船底に置いた樽（たる）の水を飲みに、幾度となく艙口（そうこう）からはいっていった。

十時には、陸が見えなくなっていた。わずかに船尾にあたって、遠い船の帆が白魚の鰭（ひれ）のように、ちらついて見えた。

「おいおい、アントニオ！」とコンパードレが声をかけた。「アフリカまでつっぱしるつもりかね？　魚がいねえときまったら、ここいらだって、もっと沖だって、おんなじこったろうによ。」

アントニオは帆綱を引きかえた。船が右にかわり左にかわりして走りはじめた。しかし、陸へ向かいはしなかった。

「さあ、今のうちに腹をつくっとこうでねえか。」とアントニオが元気よく言った。

「コンパードレ、弁当の籠をとってくんなせえ。魚は気が向きさえすりゃあ、むこうからおでかけなさるよ。」

弁当は一人あたり、堅い大きなパンに、なまの玉葱一つだった。玉葱は船縁に置き、拳固で割って食うのだった。

風が強く吹いていた。船は高い大きなうねりを受けて、頭を縦にひどくゆすった。

「あっ、ちゃん！」と、アントニーコが舳から叫んだ。「でけえ魚がいるよ。とてもでけえのが……鮪だ！」

玉葱やパンが艫の間をころがった。二人の大人があわてて船縁へ出てのぞいた。

いかにも鮪だった。しかも、すてきに大きい、腹のふくれた、力のありそうなやつで、黒いビロード色の背中を水面とほとんどすれすれに泳いでいた。おそらく、漁師仲間を大騒ぎさせている、あの友なし鮪だった。泳ぎ方が堂々としていた。しかし、力の強い尻尾をわずかに動かすだけで、船の底を右に左にくぐり抜け、たちまち見えなくなるかと思うと、また、たちまち、どこからかあらわれた。

アントニオの顔は感激で赤らんだ。大急ぎで、太さが指くらいもある釣り針をつけた糸が海に投げこまれた。

海水が湧きかえった。恐ろしい力で船の走りをとめ、くつがえしにかかったものがあるように、船は烈しく震動した。甲板は乗り手の足を払って逃げようとでもするように動揺し、帆柱は風をはらんだ帆の力でぎいぎい鳴った。しかし、突然抵抗がやんだ。船はひとおどりして、再び疾走した。今まで、まっすぐにぴんと張っていた糸も力がぬけて、ふらふらとたれ下がっていた。たぐり上げてみると、あれほど太い釣り針が、半分からさき折れて、なくなっていた。

コンパードレは悲しげに頭を振った。

「アントニオ、畜生はおれたりよりも強いんだ。ほうっとくさ。針が折れたんで、助かったと思うのよ。もうちっとでやられるとこだったものな。」

「なに、ほうっとく？」と親方は叫んだ。「ふざけちゃいけねえよ。こいつがいくらになるしろものだか、とっつぁんにはわかんねえかね？ぐずぐずしたり恐がったりしてるひまはねえはずだよ、さあ、引っかえそう、引っかえそう！」

そう言って、アントニオは方向を変え、いましがた戦いのあった場所へとってかえした。

新しい釣り針がつけられた。それは、ロベールを五六匹も通した太い鉄鉤だった。そうしてアントニオは舵を放さずに、片手で鋭い鉤竿をにぎった。間抜けなでか物が近いところに浮きでもしたら、ひとつ眼に物見せてくれるんだ！

糸がほとんどまっすぐに艫からさがった。船がまたもや震動した。が、こんどこそは恐ろしかった。鮪が十分に食いこみ、強い鉄鉤をぐんぐと引き、その力で船のあしをとめて、船体を激しく躍らせた。海水が煮えかえるように見えた。泡が渦を巻いて湧きあがるさまは、深い海底で、巨人が格闘でも演じているようだった。と、たちまち、船は見えない手にでもつかまったように、横にかしいだ。そうして、水が甲板の半ばまで浸入した。

人間はころがった。アントニオも舵の手をはなし、もう少しで水に落ちようとした。しかし、びりりっという音がして、船はまっすぐな姿勢にかえった。釣り糸が切れたのだ、とわかったその瞬間に、鮪が強い尾で恐ろしい渦を巻きおこしながら、船縁近く、ほとんど水面へ浮かび出た。このどろぼうめ！　とうとうござったな！　アントニオは憎い憎い仇に出会ったように、憤然として鉤竿をふるい、あのねばねばした皮膚へ、五六箇所も、鋭い大鉤をうちこんだ。海水は血で染まり、魚は赤い渦の中へ沈んだ。

　アントニオは初めて息をついた。ああ、うまい工合に難をのがれたものだ。何秒という短い時間だったろうが、もう少しでも続いたら、船がひっくりかえって、みんな死ぬところだっけ。そこで、水をかぶった甲板に眼をやった。そうして、帆柱の根元にかじりついて、青い顔をしながらも、いつも通り落ち着いているコンパードレを見た。

「いよいよお陀仏かと、観念したぜ、アントニオ。汐まで飲まされたものな、いまいましい畜生によ！　だが、鉤竿じゃ、いいとこを喰らわしたでねぇか。じきにもう浮きあがって来るから、見ていなせえ。」

「だが、坊はどこへいったんだ？」

　父親は不安におそわれ、胸をさわがせながら、返事をおそれるかのように、この問いをはなった。

　少年の姿は甲板に見えなかった。船底に降りてでもいるかと、それを頼みに、アントニオは艙口をくぐった。膝まで水につかった。浸水がひどかったのだ。しかし、誰がそんなことに頓着していられよう？　狭く暗い場所を手さぐりで捜しまわったが、そこにあったのはただ飲み水の樽といろいろの修繕道具だけだ。狂人のようになって甲板に戻った。

「坊！　坊！　どこへ行ったんだ！　アントニーコ！」

コンパードレは悲しげに顔をしかめた。おれたちでさえ、船から投げだされようとしたではないか。おそらく、子供は、何かと鉢合わせでもしてぶったおれ、そのまま海へ沈んだのだ。コンパードレは心でそう思ったが、何も言わなかった。

はるかかなた、船が沈没しそこなったあたりに、黒い物が見えた。

「ああ、あれだ！」

父親は海へ飛びこみ、猛然と泳ぎだした。コンパードレは、その間に、帆を巻きおろした。

アントニオは懸命に泳いだ。しかし、目あてのしろものが、流れた櫂（かい）だとわかるや、ほとんど力が尽きてしまった。

波の山に乗るたびに、のびあがって、遠くを見ようとした。どっちを見ても水ばかりだった。海面にあるものとては、ただ、自分の体と、近づいてくる船と、ほんの今、浮かびあがって、おびただしい血脂の中で恐ろしい痙攣（けいれん）をやっている、黒い蒲鉾形（かまぼこなり）の物だけだった。

鮪は死んだ……それが今さら何になるんだ！　こん畜生の命ととりかえられたひとりっ子の命！　アントニーコの命をどうすることが出来るんだ！　おお神よ！　これが世の中に生きる方法だったのか？

一時間以上も泳ぎまわった。何かさわるものがあるごとに、わが子の体が脚の下から浮きあがるのかと思い、波の影を見ては、水の下にただようわが子のなきがらかと思った。

そこに、いつまでもいたかった。そこに、わが子といっしょに死にたいと思った。しかし、コンパードレにつかまえられ、だだっ子のように、船へ引きあげられてしまった。

「さて、どうしたらよかろうな、アントニオ？」

アントニオは答えなかった。

「そう悲しむもんでねえよ、とっつぁん。この世じゃどうにもならねえ事だわな。坊が死んだとこはよ、おれたちの身内がみんな死んだとこでねえか。おっつけ、おれたちも死ぬとこでねえか。早えかおせえかのちがいだけよ……さあさ、それよりも身にふりかかってることを考えなきゃいけねえ。おれたちぁ、ぐずぐずしていられねえ貧乏人てことを忘れめえぜ。」

綱でしめ輪を二つ作って、鮪の体を固くゆわえ、それを曳荷(ひきに)にした。みおに湧く泡は血で赤く染まった。

風は追風(おいて)だった。しかし、船は水がひたしていて、よく走らなかった。舟乗りに生まれた二人は、大災厄を忘れ、手に手にあかかきをとると、船底にうつむいて、根気よくあかのかい出しを始めた。こうして何時間かたった。荒仕事はアントニオの神経を鈍らせ、その物思いを妨げた。しかし眼からは涙がとめどなく湧いて、船底のあかと混じり、海へ、わが子の墓の上へと落ちた。

船は腹のすきを感じると、だんだんに速力を出して走った。

小さな港が眼の前にあらわれて来た。白い家の群れは、暮れ方の太陽をうけて、金色(こんじき)に燃えた。眼の前に来た陸(おか)は、アントニオの心に、眠っていた苦痛と恐怖とをめざました。

「ああなんというだろう、女房は？　どんなに泣くこったろう、ルフィーナは？」

こう言って、精力も肝っ玉もそなえた男でありながら、家では奴隷のようにおとなしい夫の例に洩(も)れず、身をふるわせた。

海の上を撫(な)でまわるように、にぎやかなワルツの旋律が流れてきた。陸から吹く風が、はしゃいだ、威勢のよい音楽で船を迎えているのだ。それはクラブの前の散歩路(みち)でやっている奏楽だった。高くない棕櫚並木の下をぞろぞろと歩く避暑客の絹傘や、麦藁帽子や、はでやかに、美しいなりが、まるで色とりどりの玉を集めた数珠のようだった。

子供たちは、白か、ばら色の着物を着て、てんでの玩具を追いかけるか、にぎやかな輪をつくって、綾糸車のように回っていた。

桟橋には漁師仲間が集まっていた。その連中の、はてしなく広い海に慣れた眼は、船が曳いているものをすぐに見きわめた。しかし、アントニオは、防波堤のはずれの岩に立って、スカートの裾を風になびかせた、背の高い、痩せて色の黒い女ばかりを見つめていた。

船が桟橋についた。なんという歓呼！　誰も彼も寄ってきて、巨大な魚を見ようとした。漁師たちはめいめいの船から、うらやましげな視線をそそいだ。れんが色をした裸の子供たちは、海へ飛びこんで、鮪の大きな尻尾をいじりに行った。

ルフィーナは人を押しわけて、夫が頭を垂れ、ぽかんとした表情で、仲間に祝われているところへ行った。

「あんた、坊は？　どこにいるんですい、坊は？」

かわいそうに、アントニオの頭がさらに垂れさがった。何も聞くまい、何も見まいため、その頭をすっかり隠してしまいたいように、肩の間へ埋めた。

「ねえ、どこにいるんですってば、アントニーコは？」

ルフィーナは、かっとのぼせた、噛みつきそうな眼をして、夫の胸ぐらをとった。そうして、大の男を乱暴にこづきまわした。しかし、じきに夫を放し、両手を天の方へのばして、悲痛な声をふりしぼった。

「ああ神様！……死んじまったんだよオ！　アントニーコが溺れちゃったんだよオ！　海の底へ行っちまったんだよオ！」

「そ、そうなんだ！」と、夫はのろ口に、涙で息がつまるように、どもったりつまったりしながら言った。「坊は死んだんだ。じいさまのところへ行ったんだ。おれも追っつけ行くとこへ行ったんだ。海で食ってるおれたちだから、どうせ、海に食われずにゃいねえんだ……ああ仕方がねえ！　生まれてきた者が、みんな僧正様になれる世の中じゃないんだ。」

しかし、妻には、夫の言葉なぞ耳へはいらなかった。はげしい発作におそわれて地にぶっ倒れ、からだを震わせていた。苦悶(くもん)のために足をばたつかせ、労働をする女の、痩せて日に焼けた皮膚も隠さず、乱れた髪をひきむしり、爪で顔をひっかいていた。

「ああ坊！　あたしのアントニーコ！」

漁師町の女房連が駆けつけた。ルフィーナの悲痛がどういうものだが、ちゃんと知っていた。たいてい、どの女も、これと同じ不幸を経験していたのだ。みんなでルフィーナを抱きおこし、力の強い腕でささえて、そのすまいへつれて行った。

ある漁師たちは、まだ泣きやまないアントニオに、葡萄酒(ぶどうしゅ)のコップを持って来た。そのそばでは、コンパードレが、あさましい利欲に心を奪われて、見事な獲物を手に入れようとする魚屋たちと、はげしく値段を争った。

日の暮れが迫った。海水はゆるやかに波うって、それを金色(きんいろ)に反射した。

「アントニーコ！　あたしの坊や！」

狂乱して、髪をふりみだしながら、同情のあついかみさんたちにかかえられてゆく、あの哀れな女の絶望の叫びも、間をおいて、だんだんと遠くなって行った。

棕櫚の並木の蔭では、美しい衣裳や、楽しげにほほえむ顔が、すぐそばにとんだ不幸の起きたことも知らず、貧しい者の悲劇には眼もむけなかった別社会の人々が、ぞろぞろと歩きつづけていた。それから、お上品で、間拍子がよく、人をうっとりさせるワルツ――にぎやかな、うきうきした讃歌は、かるやかに波を渡って、海の永遠の美を撫でまわっていた。

ビセンテ・ブラスコ・イバーニェス（一八六七―一九二八）

スペインの小説家。バレンシア出身。大学で法学を学び、共和主義者として政治に関わる。そのため政府から弾圧されイタリアへの亡命を余儀なくされた。その後は南米やアメリカなどでも活動した。プリモ・デ・リベーラ政権に反対し、再度亡命。移住先のフランス、マントンで死去。作風はエミール・ゾラの影響を受けた自然主義的なもので、ときに辛辣でもあった。故郷を舞台にした『葦と泥』（〇二）のような郷土小説以外にも、社会問題や歴史を扱った作品も執筆。第一次世界大戦を題材にした『黙示録の四騎士』（一六）は英訳が大ベストセラーになった。本作「鮪釣り」は短編集『死刑をくう女』（〇〇）に収録。イバーニェスは新潮社の円本『世界文学全集』（二七―三二）にも長編『地中海』（『われらの海』）が収録されたが、その際に本作も併録されている。

【訳者】

永田寛定（ながたひろさだ）（一八八五―一九七三）

スペイン文学者、翻訳家。東京外国語学校卒業。戦後、東京外国語大学教授として会田由（ゆう）など弟子を育成した。一九二三年、世界一周旅行中のイバーニェスは東京に立ち寄り、永田の手引きで講演を行っている。岩波文庫でセルバンテス『ドン・キホーテ』の完訳に挑むが生前には完成せず、死後弟子の高橋正武（まさたけ）が引き継いだ。

⇩教科書掲載……（中学）

日本書籍『山本有三編集 国語 中学3年下』59（収録タイトル：「まぐろつり」）

ジュール伯父

アシール・ベヌヴィル君に

ギ・ド・モーパッサン
Guy de Maupassant

河盛好蔵 訳

鬚の白い、みすぼらしい老人が僕たちに施しものを求めた。友人のジョゼフ・ダヴランシュは五フラン銀貨を投げ出した。僕が驚いてみせると彼は言った。

——あんな乞食を見ると僕には憶い出す話があるんだ。話してみようか。夢にも忘れたことのない話だ。

僕の家は、もとはル・アーヴルの出なんだが、金のあるほうじゃなかった。月々の支払いがやっとだった。親爺はよく働いて、暗くなるまで役所に勤めているんだが、大した儲けもなかったらしい。僕には姉が二人あった。

お袋は世帯の苦しいのをひどく辛がって、何かにつけて親爺に当たり散らし、遠まわしながら、ずいぶん水臭い批難を浴びせかけた。その時の気の毒な親爺の様子は憶い出しても胸が詰まりそうだ。片手を拡げて、出もしない額の汗を拭きながら、ひと言も口答えをしないのだ。どうにもならない親爺の悩みが、僕には身にしみて感じられた。家では倹約できるものは、どんなものでも倹約した。夕飯によばれることがあっても、よび返すのが辛さに、めったに出かけたことがなかった。食物なんかも売れ残りを安い値段で買ってきた。姉たちも、着物は全部自分でこしらえるので、一メートル十五サンチームの飾り紐を買うのに何時間も議論をするというありさまだった。僕たちがふだん口にするものといえば脂肉入りのスープか、いろんなソースで味をつけた牛肉ばかりだった。いかにも衛生的で滋養になりそうだが、僕は御免こうむりたかった。

ボタンを失くしたり、ズボンを引き裂いたりしようものなら、僕は胸くそが悪くなるほど叱られた。

それでいて僕たちは日曜が来るたびに、盛装して波止場へ散歩に出かける慣わしだった。親爺はフロックコートに、シルクハット、おまけに手袋まではめて、祭りの日の船のように飾り立てたお袋に腕をかすのだ。真っ先に支度をすませた姉たちは、出発の合図を待ち構えているのだが、いよいよという時になると、きまって親爺のフロックコートにしみが一か所拭き忘れられていることが分かった。そこでぼろぎれにベンジンを浸ませて、大急ぎでそれを拭きとらねばならない。

親爺は頭にシルクハットを載せたまま、シャツ一枚になって、作業のすむのを待っている。一方、お袋のほうでは、近眼鏡をかけて、汚さないように手袋をはずした手で、大急ぎでそれをこすっている。

それから僕たちは威儀を正して歩き出した。まず姉たちが腕を組み合って先頭を切った。彼女たちは結婚適齢期なので、こんなふうにして町中に紹介しておこうというのだ。僕はお袋の左の腕にぶらさがり、親爺がその右の腕を抱えた。僕は今でも、せいいっぱい着飾った気の毒な両親たちの、この日曜日の散歩が、彼らのこわばった表情が、しかつめらしい歩きぶりが眼に見えるような気がする。彼らは身体をまっすぐにして、両脚をしゃちこばらせて、自分たちの姿勢にはとてつもなく大きな意味があるかのような様子で、重々しい足どりで歩いていた。

そして日曜が来るたびに、遠い見知らぬ国から帰って来た大きな船が港に入ってくるのを眺めながら、親爺はきまったように同じことを言うのだった。

——どうだい。ひょっとしてあの中にジュールが乗っていたら。たまげることだろうな。

ジュール伯父というのは、親爺の兄に当たった。一時は家中の爪弾き者だったが、今では僕たちの唯一の希望だった。この伯父のことは僕は子供の時分から聞かされていた。あまりたびたび聞かされていたので、はじめて会っても僕には一目で見分けがつくような気がしていたくらいだった。それほどジュールのことは僕には親しいものになっていた。アメリカに出発する日までの彼の生活については、僕は細大洩らさず知っていた。もっともそれまでの事はあまり大きな声では言えないことばかりだったらしいのだが。

察するところ、彼は身持ちが悪かったらしいのだ。つまりいくらか金を使い込んだのだ。そしてこのことは貧乏な家族にとっては何よりも大きな罪悪なのだ。金持ちの家庭なら、したい放題なことをする人間が出ても、その男は「ばかな真似をした」だけで、みんなから道楽者と言われれば、あとは笑ってすまされる。けれど食うや食わずの家庭では、両親の財産を減らしたような男は、悪者であり、無頼漢であり、やくざ者ということになるのである。

　同じことをやりながら、こんなにも差別のあるのは、それも考えてみればもっともであって、世のなかでは、結果のみが、行為の重大性を決定するからである。

　いずれにしてもジュール伯父は、自分の分け前を最後の一厘まで使い果たしたあとで、こんどは僕の親爺の当てにしていた遺産を少なからず使い込んだのである。

　そこで人々は、そのころ皆がそうしたように、ル・アーヴルからニューヨークへ行く貿易船に載せて、彼をアメリカへ送ったのだった。

　向こうへ落ち着くと、ジュール伯父は、何かの商売で身を立てた。そしてまもなく、いくらか金を儲けたから、僕の親爺にかけた迷惑を償うことができるつもりでいるという手紙をよこした。この手紙が僕たちの家庭に深刻な感動を呼び起こしたのだ。それまでは、人の噂では三文の値打ちもなかったジュールが、にわかに立派な人間、たのもしい男、あらゆるダヴランシュ家の人々のように、非のうちどころのない、正真正銘のダヴランシュということになった。

　のみならずある船長が、ジュールが立派な店を借りて、盛大に商売をやっているということを我々に知らせてくれた。

　それから二年後に来た二番目の手紙にはこんなふうに書いてあった。

「親愛なフィリップ。僕の健康を案じてくれないようにこの手紙を書く。達者に暮らしている。商売のほうも上上吉だ。僕は明日から南米への長い旅行に出発する。もしかしたら何年も便りができないかもしれない。しかし手紙を書かなくとも、心配しないでほしい。一財産出来しだいル・アーヴルに帰るつもりだ。それがあまり遠いさきではないように願っている。そうして僕たちは一緒に幸福に暮らそうよ……」

　この手紙は一家の福音書になった。僕たちは何かといえばそれを読んだ。誰が来てもそれを見せた。

　実際、十年の間、ジュール伯父はいっさい手紙をよこさなかった。しかし親爺の希望は、時が経つにつれてますます大きくなっていった。お袋もまたしばしば言ったものである。

　――あのジュールさんが帰ってきたら、あたしたちの暮らし向きもすっかり変わるんだよ。何しろあの人は逆境を切り抜けたかたなんだからね。

こうして日曜日ごとに、大きな黒い船が、大空に向けてもくもくと煙を吐きながら水平線の彼方からやって来るのを眺めて、親爺は例の永遠のきまり文句を繰り返すのだった。

――どうだい。ひょっとしてあの中にジュールが乗っていたら。たまげることだろうな。

すると我々は伯父がハンケチを振りながら、「おーい、フィリップ」と叫んでいる姿が眼の前に見えそうな気がするのだった。

必ず一旗上げて帰ってくる。そう思い込んでいる両親は、それを当てにして無数の計画を立てていた。彼らは伯父の金で、アングヴィルの近くに小さな別荘を一軒買う手筈まで決めていた。そのために親爺がすでに交渉を始めていなかったと誰が断言できるだろう。

上の姉はその時は二十八で、下のほうが二十六だった。二人ともまだ片付いていなかったので、それが家中の何よりの苦労の種だった。

それでもやっと下の姉に求婚者が一人現れた。金は無いが、しかしちゃんとした会社員だった。僕はいまだにそう確信しているが、ある晩、ジュール伯父の手紙を見せたことが、この若者の躊躇を押し切って、彼の決心を固めさせたに違いない。

両親は飛びつくようにしてその申し込みを承諾した。そして結婚式がすんだら一家そろってジェルセイへ小旅行をするということにきめられた。

ジェルセイ行きというのは貧乏人にとっては旅行の理想だった。遠い所ではないが、この島はイギリス領になっていたから、フランス人にとっては、二時間ばかりの船旅で、隣の国民を彼らの国で見物ができ、また人々が無邪気に言うように、英国の国旗が翻っているこの島の、たとえ感心したものではないにしろ、その風俗習慣を研究できるわけだった。

このジェルセイ旅行は僕たちの最大の関心事であり、唯一の期待であり、不断の夢であると言ってよかった。

とうとう出発の日になった。僕は今でも昨日のようにそれを覚えている。船はグランヴィルの波止場に横づけになって湯気を立てていた。親爺はびくびくしながら僕たちの行李を三つ見張っている。お袋は心配そうな顔をして、嫁に行かないほうの姉の腕を抱えている。というのは妹がお嫁に行ってから彼女は、一孵りの雛のうちただ一羽だけが後に残ったように、すっかり沈み込んでいたからである。新婚組は僕たちのうしろに控えていた。この人たちは始終おくれがちになるので僕はたびたび振り向いて見なければならなかった。

船は汽笛を鳴らした。僕たちはすっかり乗りこみ、船は波止場を離れて、緑の大理石のテーブルのように平坦な海の上を、沖のほうへのり出しはじめた。僕たちはめったに旅行をしない人間が必ずそうするように幸福な得意な気持ちで、退いてゆく岸辺を眺めていた。

親爺はフロックコートを着込んだ腹を突き出していた。フロックコートといえば、今朝も、ありったけのしみを丁寧に拭きとったところだったので、外出日にはおきまりのベンジンの臭いをぷんぷんさせていた。あれを嗅ぐと僕は日曜日だということに気がつくのである。

突然親爺は、二人の紳士が二人の品のいい婦人に牡蠣(かき)をご馳走(ちそう)しているのに眼をとめた。ぼろをまとった一人の老水夫がナイフの刃で貝殻をこじあけると、それを受け取った紳士が、こんどは婦人のほうにそれを差し出すのだ。彼女たちは、絹のハンケチの上に貝殻を載せて、着物を汚(よご)さないように口を突き出しながら器用にそれを食べている。それから一息に汁を吸って、海のなかに貝殻を投げた。

親爺はきっと、走っている船の上で牡蠣を食べるという、この気のきいたやり方が気に入ったに違いない。それをしゃれた高尚な良い趣味だと思って、お袋と姉たちのそばへ近寄ってこんなふうに訊(たず)ねた。

——どうだい。お前たちに牡蠣をご馳走してやろうかね。

お袋は銭のいることだから尻ごみをしたが、二人の姉はさっそくそれに応じた。お袋は逆らうような調子で言った。

——わたしは胃を悪くすると恐(こわ)いから、子供たちだけにやってください。でも食べすぎないようにね。みんなを病気にさせないでくださいよ。

それからお袋は僕のほうをふり向いて付け加えた。

——ジョゼフはいりませんよ。男の子は甘くしてはいけませんからね。

そこで僕だけがお袋のそばに残った。この差別待遇を不当だと思いながら。見ると親爺は二人の娘と婿を連れてぼろをまとった老水夫のほうへもったいぶって歩いて行く。

二人の貴婦人は立ち去ったところだった。親爺は、水をこぼさずに食べるにはどうすればいいか、その仕方を姉たちに教えている。一つお手本を示してみようというので、彼は牡蠣を一つ手に取った。さっきの貴婦人たちの真似をするつもりなのが、たちまちフロックコートの上に汁をすっかりこぼしてしまった。お袋はつぶやくように、

——よせばいいのに、みっともない。

ところがにわかに親爺の様子がそわそわしてきた。彼は二、三歩遠ざかって、貝殻を割る男を取り巻いている家族をじっと見詰めると、急に僕たちのほうへ歩いてきた。見れば眼を異様に光らせて、真っ青な顔をしている。彼は低い声でお袋に言った。

——変なんだよ。あの牡蠣を割っている男がジュールとそっくりなんだ。

お袋はぎょっとして訊ねた。

——ジュールって、どのジュールなの?

親爺は続けた。

——もちろん……兄貴のさ……もしあいつがアメリカで立派に暮らしていることを俺が知らなかったら、てっきりあいつだと思ったかも知れないくらいなんだ。

お袋は驚愕(きょうがく)してどもった。

——気が変ね。あんたは! あの人でないことがよくわかっていながら、どうしてそんな馬鹿なことをおっしゃるの。

だが親爺は言い張った。

——ともかく行ってみろよ、クラリス。お前の眼ではっきりと確かめてほしいんだ。

彼女は立ち上がって娘たちのほうへ行った。僕もまたその男を眺めた。それは皺(しわ)だらけの、穢(きたな)い老人で、彼の仕事から眼も上げなかった。

お袋が帰ってきた。ぶるぶる震えている。彼女は大急ぎで喋(しゃべ)り出した。

——たしかにあの人ですよ。船長さんに会って聞いてください。でもめったなことは言われませんよ。今さら、あのやくざをしょい込んだら大変ですからね。

親爺は飛んで行った。僕もあとから追っかけた。僕は不思議なほど昂奮していた。

船長というのは長い頬髯(ほおひげ)をたくわえた、痩せた背の高い男で、当直甲板(パスシール)の上を、インド通いの便船でも指揮しているようなもったいぶった様子で散歩していた。

親爺はうやうやしく挨拶をして船長に近づくと、いろいろお世辞を並べながら彼の商売のことを訊(き)き始めた。

——ジェルセイにはどんな大切なものがあるんですか。産物は。人口は。風俗は。習慣は。地質は。等々。人が聞いたら少なくともアメリカ合衆国のことでも

話題になっているのだと思ったかも知れない。

それから二人は我々を載せているエクスプレッス号のことを話し、それから乗組員のほうに話を転じた。やっと、親爺は、混乱した声で訊ねた。

——あすこに老人の牡蠣割りがいますね。なんだか非常にいわくありげに見えるんですが。あの爺さんについて詳しいことをご存じじゃありますまいか。

船長はとうとうこの会話で癇癪を起こしてしまって、ぶっきらぼうに答えた。

——あいつですか。あの年寄りは去年私がアメリカで拾ったフランス生まれの浮浪人で、こうして本国へ連れて帰ってやったんです。なんでもル・アーヴルに身寄りがあるとかだが、金を借りているので帰りたくないんだそうです。ジュールと言います……。ジュール・ダルマンシュ、だったか、ダルヴァンシュだったたか、なんでもそんな名前ですよ。向こうでは一時は羽振りがよかったそうだが、今じゃご覧の通りのざまですよ。

真っ青になった親爺は、喉を詰まらせ、眼を血走らせて、叫んだ。

——な、な、なるほど……よ、よくわかりました……よ、よくある話ですよ……いや船長さんどうもありがとうございました。

こう言って親爺は向こうへ行ってしまった。一方、船長はあきれて彼が遠ざかってゆくのを眺めていた。

彼はお袋のそばへ戻ってきた。あまり取り乱しているのでお袋がたしなめたくらいだった。

——お坐りなさい。人に気付かれますよ。

彼は椅子の上に倒れるように腰をおろして口ごもった。

——あいつだよ。やっぱりあいつだよ。

それから彼は訊いた。

——どうしたらいいだろう。

彼女は荒々しく答えた。

——子供たちを遠ざけることですよ。ジョゼフはみんな知っているんだから、あの子に呼びにやらせなさい。お婿さんには絶対に感づかれないように、これが第一ですよ。

親爺は気の毒なほど萎れて、つぶやいた。

——なんということだろう。

するとお袋は突然狂ったように怒りだして付け加えた。

——あの盗人に何が出来るのものか、どうせあたしたちの荷厄介だと、あたしは常から思ってたんだ。ダヴランシュの身内の人を当てにして、あたしもとんだ眼にあったものだよ！

親爺は、お袋に怒鳴られる時にいつもするように、片手で額をこすっていた。

お袋は付け加えた。

――ジョゼフにお金をやって、牡蠣の代を払いにやりなさい。ぐずぐずしていたら、あの乞食に感づかれるだけのことですよ。船中の物笑いの種になりますよ。さあ、あたしたちも、あっちの端へ行って、あの男を寄せつけない算段をしましょうよ。

お袋は立ちあがった。それから二人は僕に五フラン銀貨を一枚渡して遠ざかった。

姉たちはあっけにとられて親爺を待っていた。

僕はお袋が少し船に酔ったんだと言って、それから牡蠣割りに訊ねた。

――爺さん、いくらですか。

僕はどんなにか、伯父さんと言いたかったろう。

彼は答えた。

――二フラン五十です。

僕は五フラン銀貨を差し出した。彼は釣り銭を返した。

僕は彼の手を、皺だらけの、みすぼらしい水夫の手を見つめた。それから僕は彼の顔を、疲れ切った、悲しそうな、貧相な老人の顔をみつめた。心のなかでこう叫びながら。

――これが僕の伯父さんなんだ。パパの兄の、僕の伯父さんなんだ。

僕は五十サンチームを心付けに与えた。彼は悦んで礼を言った。

――坊ちゃんに、神さまのお恵みがありますように。

施し物をもらう乞食のようなその言葉づかいで、彼があちらで乞食をしていたのに違いないことを僕は考えた。

姉たちは僕の気前のいいことにたまげて、僕を眺めていた。

残りの二フランを親爺に返した時、お袋はびっくりして訊ねた。

――三フランもしたのかい……まさかねえ。

僕は断乎たる声で、はっきりと言った。

――五十サンチームを心付けにやったんだ。

お袋は跳び上がって僕を睨みつけた。

――阿呆め！　あんな男に、あの恥知らずに五十サンチームもやる阿呆が……！

彼女は、その場に婿がいることを知らせる親爺の眼くばせにあって口をつぐんだ。

それからは誰もが口をきかなかった。

前方の、水平線の上に、紫色の影が海のなかから現れかけた。それがジェルセイだった。

船が波止場へ近づいた時、もう一度ジュールの伯父さんに会って、傍へ寄って、何か優しい、慰めの言葉をかけたい、烈しい欲望が僕の心に浮かんだ。

だが、牡蠣を食べる人がもう誰もなくなったので、彼の姿は見えなかった。あの気の毒な人は、臭い船倉の底の寝部屋へきっと降りて行ったのに相違ない。

僕たちは伯父に会わないようにサン=マロー行きの汽船に乗って帰った。お袋は心配で頭が割れそうな様子だった。

僕はそれから親爺の兄を二度と見たことがない。

こんなわけで、これからも時々僕がルンペンを見ると五フラン銀貨をやるのを君は見ることだろう。

ギ・ド・モーパッサン（一八五〇―九三）

フランスの小説家。短編「脂肪の塊」（八〇）で自然主義の作家として注目を浴びた。長編『女の一生』（八三）のほかに、「メゾン・テリエ」（八三）や本書収録作「ジュール伯父」（八三）などの短編の名手として知られる。庶民の生活を客観的に描き出した小説群は、明治三十年代に田山花袋や島崎藤村ら、写実を目指した日本の自然主義作家に影響を与えた。その後も短編の構成やリアリズムの範として永井荷風や広津和郎、太宰治など多様な作家に読まれ、大正期に天佑社版（一九二〇―二二）、戦後に春陽堂版（五五―五六）など、繰り返し全集も刊行された。

【訳者】**河盛好蔵**（かわもりよしぞう）（一九〇二―二〇〇〇）
フランス文学者、文芸評論家。東京帝国大学仏文科に入学後京都帝国大学仏文科に転じ、卒業後は東京教育大学などで教鞭をとった。『フランス文壇史』（六一）など作家の生き様に焦点を当てる著作やフランス文化論を著した。モーパッサン、アンドレ・モーロワ、アンドレ・ジッドなど、十九世紀から現代に至るフランス文学を広く翻訳した。国語教科書の編集委員も務めている。

⇩教科書掲載……（中学）

学校図書『中学校国語三』66（収録タイトル：「ジュールおじ」杉捷夫訳）『中学校国語三』69『中学校国語三』72『中学校国語三』75（収録タイトル：「ジュールおじ」河盛好蔵訳）／三省堂『現代の国語中学2』66『中学校現代の国語新版2』69（収録タイトル：「ジュールおじさん」杉捷夫訳）

（高校）

大修館書店『高等国語（三下）』53『新高等国語三下』57『新高等国語新訂版3』60『現代国語一』63／中教出版『国語総合編高等学校一』57（収録タイトル：「ジュールおじ」河盛好蔵訳）／文学社『国語二上』57（収録タイトル：「ジュールおじ」杉捷夫訳）／三省堂『高等国語四訂版二』59（収録タイトル：「ジュールおじ」村上菊一郎訳）／筑摩書房『国語三』59（収録タイトル：「ジュールおじ」河盛好蔵訳）／大原出版『高等学校国語（総合）一』60（収録タイトル：「ジュールおじ」杉捷夫訳）／教育図書研究会『国語現代文三』65『改訂版国語現代文三』68『現代国語三』75（収録タイトル：「ジュールおじ」河盛好蔵訳）／第一学習社『高等学校新現代文』84『高等学校新現代文（二訂版）』87『高等学校新現代文（三訂版）』90『高等学校新現代文（四訂版）』93『高等学校現代文1』95『高等学校改訂版現代文1』99

信号

フセヴォロド・ガルシン

Всеволод Гаршин

神西清 訳

セミョーン・イヴァーノフは鉄道の線路番を勤めていた。彼の番小屋から一方の駅までは十二露里、もう一つの駅までは十露里あった。四露里ほどの土地に去年大きな紡績工場が立った。その高い煙突が遥(はる)かの森(もり)蔭(かげ)から黒々とのぞいていたが、それより近くには、両隣の番小屋を別にすると、森番の家ひとつなかった。

　セミョーン・イヴァーノフは病身の、生活に疲れ切った男であった。九年前に彼は戦争に出たことがある。ある将校の従卒を勤めて、遠征の辛苦をつぶさに主人と共にしたのである。飢えに苦しみ、寒さに凍え、炎天に焼き焦がされ、その炎天や寒空をついて、日に四十露里から五十露里の強行軍をしたものである。銃火の下に身をさらしたこともあったが、幸いとかすり傷ひとつ負わずに済んだ。ある時などは彼の連隊が第一線に立ったこともある。そのときは、まる一週間ぶっ通しにトルコ軍と銃火を交えた。味方が戦線を敷いている場所と、窪地(くぼち)一つを挟んでトルコ軍の戦線があり、朝から日暮れまで、時々思い出したように弾丸(たま)を送ってよこすのだ。セミョーンの付いている将校もその戦線にいた。でセミョーンは日に三度三度、谷間にある連隊庖厨(ほうちゅう)から、しゅんしゅん沸いたサモヴァルと食事を運んで来てやるのだった。サモヴァルをさげて暴露地帯を歩いて行くと、弾丸がひゅうひゅう鳴って、そこらの石にぴしっぴしっとぶつかる。セミョーンは怖くて、思わず涙が出るけれど、それでも身体(からだ)は進んで行く。隊の将校連はこの彼に大満足だった。彼のおかげで二六時ちゅう熱い茶を欠かしたことがないからである。彼は無事に戦地から戻っては来たが、ただ手足にリューマチの痛みを覚えるようになった。それからこっち、彼の嘗めた苦労はひと通りではなかった。家に帰ってみると――年とった親父は亡くなっていた。餓鬼も四つの歳で、咽喉を腫らしてやはり死んでいた。セミョーンは女房とたった二人きりになった。暮らし向きもうまく行かなかったし、第一あの浮腫の来た手足で地面を耕すのはもともと無理だった。二人は自分の村に居たたまれないことになって、新しい土地へ好いことを捜しに出かけた。セミョーンは女房を連れて、国境の方へも行ってみたし、ヘルソーンにも、ドン地方にもしばらく足をとめてみた。何処へ行ってもいい芽は出なかった。とうとう女房は下女奉公に出て、セミョーンは相変わらずそこらを流れ回っていた。あるとき汽車で旅をすることになったが、とある駅に停車したとき、そこの駅長がどうやら見覚えのある人のような気がした。セミョーンが駅長をじろじろ見ていると、向こうでもやはりセミョーンの顔をじっと見ている。やがてお互いに思い当たった。もといた連隊の将校だったのである。

「お前イヴァーノフじゃないか?」と相手はいった。

「はっ、そうであります、旦那様。私なんであります。」

「何だってこんな所へやって来たんだね?」

セミョーンはこれこれしかじかでと、身の上をうち明けた。

「でこれから何処へ行こうというのかね?」

「それが分からんのであります。」

「なにを馬鹿な、なぜ分からんのか?」

「はっ、そうであります、旦那様。つまり行くとこがないんであります。何か仕事をみつけなくてはならんのであります。」

駅長はじっと彼を見て、しばらく考えていたが、やがてこう言った。

「なあどうだね、当分この駅にいることにしてみちゃあ。お前たしか女房があるはずだな? 女房はどこに置いてある?」

「はっ、そうであります、女房がありますんで。女房はクールスク市の商人の家に下女奉公に行っております。」

「じゃ女房に手紙を出して、こっちへ来るように言ってやれ。無賃乗車券を何とかしてやろう。ここの線路番の小屋が一つあくことになってるんだ。すぐお前のことを保線課長へ申請してやるとしよう。」

「ほんとにありがとうございます、旦那様」とセミョーンは答えた。

　彼はそのまま駅に足をとめた。駅長の家の勝手仕事を助けたり、薪を割ったり、構内やプラットフォームの掃除をした。二週間すると女房もやって来たので、セミョーンは手押しのトロッコに乗って、自分の番小屋へ行った。番小屋はまだ新しくて、暖かで、薪ときたら望み放題あるし、野菜畑も小さいながら前の線路番の残して行ったのがあったし、半町歩からの耕地も線路の両側にあった。セミョーンは嬉しくなってしまった。どんな工合に世帯をもって行こうか、牝牛や馬の一匹も買おうか、などと考えはじめた。

　必要な物品はのこらず支給された。青旗、赤旗、手提灯、呼子、ハンマー、止めねじを締めるスパナー、鉄挺子、シャベル、箒、ねじ釘、犬釘、それからまた鉄道規則ののってっている薄い本が二冊に、列車時間表も渡された。はじめのうちセミョーンは夜の目も寝ずに、時間表をすっかり暗記するのだった。列車が通るまでまだ二時間も間があるのに、自分の受持区間をひと巡りしたり、番小屋の前のベンチに腰かけて、レールが震動して来はしないか、汽車の音はまだしないかと、絶えず眼や耳を働かせていた。規則もすっかりそらで覚えてしまった。読む方は不得手で、どうにか綴りを辿り辿り読む程度だったが、それでもちゃんと暗記してしまった。

　それは夏のことだった。仕事は辛くはなかったし、雪をかく世話もいらなかった。それにまたこの線には列車が滅多にはいって来ないので、セミョーンは一昼夜に二度ずつ自分の受持区間を見回って、そこここの止めねじをあたってみたり、緩んでいると見れば締め上げたり、砂利を平らに均したり、水管の工合を調べたりして、それから畑の面倒をみに戻って来る。ところが畑のことになると、厄介なことが一つあったというのは、何事にまれやろうと思うことは一々、線路監督に願い出なければならなかった。その監督から保線課長へ報告を出すという訳で、願いが許可になって戻ってくる内には、時季が過ぎてしまうのだった。セミョーン夫婦はだんだん退屈にさえなって来た。

　二た月ほどの時がたった。セミョーンは両隣の線路番と顔馴染みになりだした。一人はよぼよぼの爺さんで、鉄道の方では前々から更迭をもくろんでいた。ほとんど小屋から出たことはなく、細君が代わりに線路の見回りをしていた。もう一人の、駅に近い方の小屋にいる線路番は、まだ若い男で、痩せてこそいるけれど筋骨たくましかった。彼とセミョーンとが初めて顔

を合わせたのは、見回りのとき、お互いの小屋の中ほどの線路の上でだった。セミョーンは帽子をとって、お辞儀をして、

「ご機嫌よろしう、お隣さん」と言った。

隣の男は横目でじろりと彼を見て、

「今日（こんち）は」と言った。

そしてくるりと背中を向けると、すたすた向こうへ行ってしまった。その後で女房同士も互いに顔を合わせる機会があった。セミョーンの女房のアリーナは、隣の細君と挨拶をかわしたが、向こうはやはりあまり口数を利かないで、さっさと行ってしまった。セミョーンもある時その細君を見かけたので、

「ねえおかみさん、あんたのご亭主はどうしてあんなに無口なんですね？」と言ってみた。

女房はちょっと黙っていたが、やがてこう言った。

「けどね、いったい何をあの人がお前さんとお喋（しゃべ）りすることがあるの？　誰だってみんな自分の仕事があるんだもの……お前さんも帰って仕事をしたがいいでしょ。」

とはいえ、それから一（ひ）と月もすると、二人は懇意になった。セミョーンとヴァシーリイは線路のうえで落ち合うと、土手の縁に腰をおろして、互いにパイプをふかしながら、めいめいの身の上話をするのだった。ヴァシーリイの方はどっちかと言うと聴き役で、セミョーンが自分の村のことや戦地のことを、話してきかせた。

「こう見えても」と彼は言うのだった、「俺もずいぶんと苦労して来たものさ。それに老い先ももう長くはねえんだ。つまり俺は、仕合わせを授からなかったのさ。いったん神様がある運勢をその人にお授けなすった以上は、もうそれっきり動かしようもないんだ。まったくよ、なあヴァシーリイ・ステパーヌィチ。」

するとヴァシーリイ・ステパーヌィチは、パイプを線路の端でぽんと叩（はた）いて、立ちあがってこう言う。

「うんにゃ、お前（めえ）や俺の一生を台なしにしやがるのは、運勢なんてもんじゃあねえ、人間どもなんだ。まったくこの世の中に、人間ほど強欲で性（しょう）の悪い獣はねえよ。狼（おおかみ）が共喰（ともぐ）いなんかしねえが、人間ときた日にゃ生き身の人間をぼりぼり食うんだ。」

「いいや兄弟、狼は共喰いをやるぜ、そんなこと言うもんじゃねえよ。」

「ひょいと口に出たんで言ったまでよ。とにかく人間くれえ惨（むご）い生き物はねえぜ。これで人間が性悪（しょうわる）でも強欲でもなかったら、俺（おい）らの暮らしも立とうになあ。見

ねえ、どいつもこいつもお前の生き身に爪を立てようと狙ってるんだ、肉を剝ぎとってくらいつこうと牙をといでるんだ。」

　セミョーンは考え込んでしまった。

「俺にゃ分かんねえけどね、兄弟」と彼は言う、「ひょっとしたらそうかもしんねえ。だがもしそうとすりゃ、それにはそれでちゃんと神様の思し召しがあるんだあね。」

「だがもしそうとすりゃ」と、ヴァシーリイは相手の言葉尻をとって、「俺らがこうして話をすることも要んねえ訳だ。胸糞の悪いこたあ残らず神様に背負わしちまって、お手前は坐り込んでじっと辛抱してるんなら、そいじゃあもう兄弟、何も人間様なこたあ要らねえ、畜生で結構だ。俺の言いてえのはそいだけよ。」

　と言い捨てて、くるりと背中を向けると、あばよとも言わずに行ってしまった。セミョーンも立ちあがった。

「おおい隣の人」と大声で、「何だってそう悪態をつくんだい？」

　隣の男は振り向きもせず、ずんずん行ってしまった。セミョーンはそのまま、ヴァシーリイの姿が切り通しの曲がり角に見えなくなるまで、長いことじっと見送っていた。家へ帰って来ると、女房にこう言った。

「なあ、アリーナ、俺らの隣の奴あ、ありゃ悪玉だぜ、人間じゃねえ。」

　とはいえ二人は仲違いをしたのではなかった。そのうちまた顔を合わせると、相変わらず話をしだしたが、話の題目は同じことだった。

「ええ兄弟、もし人間どもがこうも……何でなかったら、お互えに番小屋なんぞにくすぶらねえでも済んだんだぜ」とヴァシーリイは言った。

「番小屋がどうだと言うんだね……結構、暮らして行けるじゃねえか。」

「暮らして行ける、ふん暮らして行けるか……。駄目だなあ、お前は！　いろんな世渡りをして来たくせに、さっぱり世間というものが分かっちゃいねえ。いろんなことを見て来たくせに、さっぱり正体が見えちゃいねえ。貧乏人というものは、ここらの番小屋にいようがいまいが、どっちみち人間らしい暮らしはできねえんだ！　そこいらの人食い鬼どもに、お前は食われてるんだぜ。生血のありったけを搾っちまって、お前が老いぼれになってくると——まるで油かすか何かみたいに、ぽいと豚の餌にくれちまうんだ。お前、給料はいくらもらってるね？」

「うん、大したこともないさ、ヴァシーリイ・ステパーノヴィチ。十二ルーブルだよ。」

「俺あ十三ルーブルと半分だ。そこでお伺い申すが、こりゃいったいどうした訳だね？　お上の規則じゃ誰彼問わず一律に、月十五ルーブルの手当に、薪や油がつくことになってるんだ。いったい誰が、お前が十二ルーブルで俺が十三ルーブル半だと、そんな決め方をしやがったんだ？　ええ、伺いてえもんだね？……だのにお前は、暮らして行けるとおっしゃるんだ！　断わっておくけど、たかが一ルーブル半だの三ルーブルだののことを、かれこれいうんじゃないんだぜ。十五ルーブルまるまるくれたにしたって同じことなんだ。俺は先月、停車場に行ったっけがね、そこへ局長が汽車で通りかかったのを、俺はこの眼で見たんだ。まあ拝んだという訳かな。奴さん別仕立ての客車に納まってたが、やおらプラットフォームに降り立って、そっくり返っていやがった。下っ腹によ、金鎖かなんかちゃらつかせやがってよ、ほっぺたなんざ、まるではちきれそうに、いい色してやんのさ。……俺たちの血をたんと召し上がったって訳さ。……えい、くそ、力とご威光がありさえすりゃ！……まあさ、俺がここにいるのも長いことじゃねえぜ。出て行くんだ、足の向く方へな。」

「出て行くって何処へ行くんだね、ステパーヌィチ？　あんまり上を見ると碌なこたあないぜ。ここにいりゃお前、家もあるし、暖かだしさ、小さいながら畑地もあるんだ。それにおかみさんは働き者だしさ……。」

「畑地だと！　まあ俺んとこの畑を見てから言ってくれ。枯れ枝一本立っちゃいねえんだ。この春キャベツを植えたんだがね、するてえとたちまち監督の奴が飛んで来て、『こりゃ何ちゅうことだ？』とこうなんだ、『なぜ願い出んのか？　なぜ許可を受けんか？　根こそぎそっくり掘っ返しちまえ。』奴さん酔っ払ってたんだ。これが素面のときだったら、見て見ぬふりで済ましたに違いねえのに、その時は妙に依怙地になりやがってね……『三ルーブルの罰金だ！……』と来た。」

ヴァシーリイは口をつぐむと、パイプを二た吸い三吸いしたが、やがて小声で、

「すんでのことで、あいつ死ぬほど打ちのめしてくれるとこだったよ。」

「なあ、隣の人、何ぼ何でもお前さんは気が早すぎるよ。」

「気が早いんでも何でもねえさ、ただ筋の通ったことを言ったり考えたりするまでよ。まあそのうちにきっ

と返報はして見せるぞ、ゆでだこめ。保線課長へ直訴してやるんだ。今に見ろよ!」

そして実際、彼は直訴をしたのである。

あるとき保線課長が線路の検分にやって来た。もう三日すると、ペテルブルグのお偉い方々がその線を通過するはずだった。それが検閲という触れ込みなので、その一行の通過に先だって、万事きちんと整頓しておく必要があったのだ。砂利(バラス)を敷き足し、きれいに均し、枕木をいちいち検査し、犬釘を打ち直し、止めねじを締めなおし、杙(くい)は塗りかえ、踏切には黄色い砂を撒(ま)き足すようにとのお達しが出た。隣のおかみさんまでが、例の爺さんを草取りに追っ立てる騒ぎだった。

セミョーンはまる一週間せっせと働いた。線路の方がすっかり片づくと、自分の長上衣(カフタン)の綻(ほころ)びも繕(つくろ)い、きれいにブラシをかけて、真鍮(しんちゅう)の徽章(きしょう)は煉瓦(れんが)でもって、ぴかぴかになるまで磨き上げた。ヴァシーリイも働いた。

課長がトロッコでやって来た。工夫が四人がかりでハンドルを回して、歯車がぶんぶん唸(うな)っていた。そのトロッコで一時間に二十露里もぶっ飛ばすので、ただもう車輪がごうごう鳴っていた。セミョーンの小屋の前へすっ飛んで来た。セミョーンはそこへ跳(と)んで出て、軍隊式に報告をした。

万事遺漏(いろう)のないことが分かった。

「お前は以前からここにおるのか?」と保線課長はきいた。

「五月の二日からであります、閣下。」

「よろしい。ご苦労じゃった。して百六十四番の小屋は誰かな?」

線路監督は同じトロッコで随行していたが、それに答えて、

「ヴァシーリイ・スピリドーノフでございます。」

「スピリドーノフと、スピリドーノフと……。ははあ、去年君が注意人物じゃと言うておった、あの男だな?」

「さようでございます。」

「ふむ、よしよし。そのヴァシーリイ・スピリドーノフの方を見よう。出せ。」

工夫たちはハンドルにしがみついた。トロッコは先へ進んで行った。

セミョーンはその後ろを見送りながら、こう考えた、

『こいつああの連中、隣の奴とひと悶着(もんちゃく)おこすぞ。』

それから二時間ほどすると、彼は見回りに出て行った。すると向こうの切り通しのところから、線路づたいにやって来る人影が見えた。頭の辺に何やら白いものがちらちらしている。セミョーンが眼を凝らしてみ

ると、それはヴァシーリイだった。杖を片手に、小さな包みを肩にかけて、片頬には布ぎれを巻きつけている。

「隣の人、どこへ行こうってんだね?」とセミョーンが呼びかけた。

　ヴァシーリイはすぐ鼻先へやって来た。まるで顔色はなく、白墨のように白かった。眼は獣のようにぎらついていた。口を利きだすと――声はとぎれがちだった。

「都へ行くんだ」と彼は言った。「モスクヴァへ行くんだ……本省へな。」

「本省へ……。うん読めた! じゃあ訴えに行くんだね? よしなよ、ヴァシーリイ・ステパーヌィチ、忘れちまえよ……。」

「うんにゃ、兄弟、忘れる訳にゃいかねえ。忘れるにゃちと手後れなんだ。見ねえ、あいつ俺の面を張りやがったんだ、こうして血まで出しやがったんだ。生きてる限りは、忘れる訳にゃいかねえ、このまま済ます訳にゃいかねえんだ! 吸血鬼め、思い知らせてやらにゃおさまらねえ!……」

　そういう彼の手をセミョーンは取った。

「やめにしろよ、ステパーヌィチ。俺あ悪いこたあ言わねえ、そっとしとくが身の為だぜ。」

「何が身の為だ! そっとしとくが身の為だぐれえ、俺だって百も承知だあ。お前は運勢のことを言ってたっけが、今になってみりゃなるほどと思い当たらあ。みすみす身の為にゃならねえと知りながら、正義のためにゃ、兄弟、やっぱり一歩も退けねえものなあ。」

「だがまあ聞こうじゃないか、いったいどうしてそんな事になったんだね?」

「うむどうしてって……。あいつめ何から何まで検査しやがったんだ、わざわざトロッコを降りて、小屋の中まで覗きやがったんだ。てっきり小やかましいことを抜かすだろうとは、こっちも覚悟の前だった。だから万事手抜かりなく整頓しといたのよ。そこでまあ無事にトロッコへお戻りになろうとした矢先に、俺が例の直訴をもち出したという訳さ。いや奴さん、聞くが早いかが鳴り立てたぜ。『いやしくも』って抜かすんだ、『政府の検閲があるというのじゃぞ、それを何という奴だ、野菜畑の不服なんぞを持ちだすとは!』と、こうなんだ、『三等官の方々がお見えになるというんじゃぞ、それをお前はキャベツのことなんぞをつべこべ言いおる!』俺は腹を据え兼ねて、ついいやがらせを言っちまった。なあに別に大したことじゃないんだがね、それが妙に奴さんの気に障ったんだな。いきなりぶうんと拳固が飛んで来た。俺たちの我慢なんぞ、くそいまいましい！　これでも堪えろってのか……俺はじっと歯を喰いしばっていた、そうされるのが理の当然だといった風にな。奴等が行っちまうと、俺ははっと気がついて、顔の血を拭くと、こうして出かけて来たのよ。」

「で、小屋の方はどうするつもりだい？」

「かかあが残ってらあな。あれが抜け目なくやってくれらあ。それに奴らがどうなろうと、奴らの線路がどうなろうと、俺の知ったことじゃねえしな！」

ヴァシーリイは立ちあがって、身支度をした。

「あばよ、イヴァーヌィチ。訴えが聞き届けてもらえるかどうか、分かんねえけどなあ。」「お前さん徒歩で行くつもりかい？」

「停車場で貨車に乗っけてもらうつもりだ。明日はもうモスクヴァさ。」

隣同士は別れを告げた。ヴァシーリイはそのまま出かけて行って、なかなか戻っては来なかった。女房は彼の代わりに、昼はもとより夜の目も寝ずに働いた。亭主の帰りを待ちわびて、げっそりやつれてしまった。三日目になると検閲の一行がやって来た。機関車に手荷物車が一輛、それに一等車が二輛ついていた。だがヴァシーリイの姿は相変わらず見えなかった。四日目にセミョーンは、彼の女房を見かけた。顔を泣き腫らして、真っ赤な眼をしていた。

「ご亭主は戻りなすったかね？」と訊いてみた。

女房は片手を振って見せると、ひと言も口を利かずに、自分の小屋の方へ行ってしまった。

セミョーンはその昔、まだ頑是ない子供のころに、猿柳の枝で笛を作ることを習い覚えていた。柳の枝の芯を焼きぬいて、要所要所に錐で孔をあけ、一方の端に歌口をこしらえると、見事に音色をととのえて、何なりとお望みの曲が吹けるように仕上げるのだった。彼は役目の暇々にそうした笛をたくさんつくって、懇意な貨物列車の車掌にたのんで、町の市場へ出してもらっていた。一本あたり二コペイカのお銭になった。あの検閲があって三日目に、彼は夕方六時の汽車の見張りに女房を小屋にのこして、自分は小刀をもって、柳の枝を仕入れに森へ出かけた。受持区域の外れまで来ると――そこで線路は急カーヴをしていた――彼は土手を降りて、森の木の間をだらだらと下りて行った。半露里ほど先に大きな沼があって、そのほとりに例の笛の材料にはお誂えむきの見事な猿柳のやぶがあった。彼は一抱えほども枝を切ると、そのまま家路についた。森の中をわけて行く。日はもう西に傾いて、あたりはひっそりと死んだような静けさ。聞こえるのはただ、チチと呼びかわす鳥の声と、足もとに踏みしだいてゆく枯れ枝の響きだけだった。それから少し行って、間もなく線路の土手に出るというあたりで、何かほかの物音が聞こえるような気がした。どこかそこらで、鉄と鉄とがかすかに打ち合うような音だった。セミョーンは足を早めた。その日ごろ彼らの受持区間に修理は行われていなかった。『あの音は何だろう?』と心に思った。やがて森の外れへ出ると、眼の前は見上げるような鉄道の土手だった。その土手の上に一人の男がしゃがみ込んで、しきりに何かやっていた。セミョーンはそっとその男の方へ登って行った。どこかの奴が止めねじを盗みに来たんだなと思ったのだ。じっと見ていると、やがて男は立ちあがった。手には鉄挺子を握っていた。つまり鉄挺子でもってレールの床を緩めて、外れるようにした訳だ。セミョーンは眼のなかが暗くなってしまった。喚こうとしたが、声が出なかった。それがヴァシーリイだと見てとると、彼はいっさんに駈けあがったが、相手は鉄挺子とねじ回しを抱えたまんま、土手の向こう側から鞠のようにころげ降りてしまった。

「ヴァシーリイ・ステパーヌィチ! お願いだ、いい子だから戻って来てくれよう! 鉄挺子を貸してくれよう! レールを直すんだ、誰にも知れやしないんだ。戻って来てくれ、畜生道へ落ちないでくれよう。」

ヴァシーリイは振り向きもせずに、森の中へ逃げ込んでしまった。

セミョーンは外されたレールのそばにつっ立っていた。抱えていた枝束をどさりと落とした。今度の列車は貨物ではなくて客車なのだ。停車させようにも手立てがなかった。旗がないのである。レールを元通りに直そうにも、素手では犬釘も打てはしない。こうなったら駈けだすほかはない、何か道具をとりに小屋へ駈けつけるほかはない。神様、お助けください!

セミョーンは自分の小屋をさして走った。息ぎれがする。それでも走った――へたへたと今にも前へつんのめりそうになる。やっと森を駈け抜けて、ありがたや小屋まではもう二町そこそこだと思った途端に、ふと耳に工場の汽笛の鳴るのが聞こえた。六時だ。六時二分には列車が来る。ああ神様! 罪なき人々の命をお救いください! 祈るひまにもセミョーンの眼にまざまざと浮かぶのは、機関車が左の車輪をレールの切れ目に引っかけて、ぐんと一揺れ、たちまち横へ傾(かし)いで、枕木を蹴(け)やぶり、木っ端(こっぱ)みじんにはね散らす光景だ。おまけにあすこはカーヴだ、曲がり角なのだ、それに高い土手と来ている。列車はあわやという間もなく、十二、三間(けん)もの谷底へ逆落(さかお)としだ。その三等車には、ぎっしりとすしづめの客、なかにはいたいけな子供もいよう……。それがみんな今、一寸先の危難も知らずに坐っているのだ。神様、どうすればいいのかお教えください！……ああもう遅い、小屋へ駆けつけてそれから現場へ戻ったんじゃ、とても間に合わない……。

セミョーンは小屋まで駆けつけぬうちに、くるりと後ろ向きになると、前よりいっそうの速力で駆けだした。ほとんど無我夢中で、この先どうなることやら自分でも知らずに、ひた走りに走った。外されたレールのところへ駆け戻って見ると、例の枝がうず高く散乱していた。彼は身をかがめて、その一本を引っつかむと、何の心算(つもり)かは自分も知らずに、そのまま先へ駆けだした。もう列車の近づく気配がしていた。遥かに汽笛の音がきこえ、レールが微(かす)かに規則正しい震動を伝えはじめていた。もうそれ以上は走る力がなかった。

彼は恐ろしい場所から百間あまりの所で立ちどまった。その時ふと、一条の光明がさっと頭に閃(ひらめ)いたのである。彼は帽子をぬぐと、その中から木綿のハンカチを取りだした。それから長靴の胴へ手を入れて、小刀を取り出した。そして十字を切った、――『主(しゅ)よ、恵みたまえ！』と。

その小刀を彼はやにわに、自分の左の二の腕へつっ刺した。血はさっと噴(ふ)きでて、熱い流れをなしてほとばしった。彼はその血潮にハンカチを浸(ひた)して、皺(しわ)をのばして拡(ひろ)げると、枝の先に結わえつけて、わが血に染めた赤旗をかかげた。

彼はつっ立ったまま、その旗をしきりに打ち振る。汽車はもう見えていた。旗は機関手の眼にはいらぬと見え、ぐんぐん汽車は近づいて来る。ここまで来たらもう最後だ――百間あまりの距離では、あの重たい列車が停(と)められるものか！

血はあとからあとから噴きでてくる。セミョーンは傷ぐちを小脇へ押しつけて、口を塞ごうと思うのだが、血はいっかな止まらない。どうやら腕を深く切ったと見える。そのうちに眩暈(めまい)がして来た。眼のなかに黒い斑(ふ)の影がちらちらし出したかと思うと、やがて真の闇になってしまった。耳の中ではがんがんとしきりに鐘が鳴る。彼にはもう汽車の姿も見えず、その轟きも聞こえない。頭に渦まく考えはただ一つ——『もう立ってはおられぬ、俺は倒れる、ああ旗が落ちる。あの汽車は俺のところを走り抜けるんだ……お助けください、主よ、誰か代わりを早く……。』

　と思ううちに眼のなかは暗くなりだし、心は空ろになって、彼は旗をとり落とした。しかし血染めの旗は地面へ落ちはしなかった。何者かの手がむんずとそれをひっつかむと、轟々と近づいてくる列車に向かって高く振り上げたのだった。機関手はそれを認めて、調整器の弁をとじると、蒸気を切りかえた。列車はとまった。

　車室からどやどやと飛びだして来た人々が、たちまちまわりに黒山をきずいた。見ると、全身紅に染まった男が、気を失って倒れていた。もう一人の男はそのそばに、血だらけのぼろ布のついた棒を握って佇んでいた。

　ヴァシーリイはぐるりと一同を見回すと、そのまま首をおとして、

「あっしを縛っておくんなさい」と言った、「あっしがレールを外したんだ。」

フセヴォロド・ガルシン（一八五五—八八）

ロシアの作家。帝政ロシアのエカテリノスラフ県（現ウクライナ領ドニプロペトロウシク州）に生まれる。鉱業専門学校在籍時に勃発した露土戦争に志願して従軍した。負傷して送還されるが、この時の経験をもとに短編「四日間」（七七）を執筆し、文壇の注目を浴びた。一方で精神の病は終生ガルシンにつきまとった。「赤い花」（八三）はその入院体験をもとにした短編である。転地療養の直前にアパートの階段吹き抜けに発作的に身を投げて亡くなった。「信号」（八七）はガルシン最後の作品でもある。ガルシンは日本では二葉亭四迷ほかによって紹介され、諸外国に比してもとりわけ人気を博していた。

【訳者】

神西清（じんざいきよし）（一九〇三—五七）

ロシア文学者、翻訳家、作家。東京外国語学校卒業後、東京電機日報社ソ連通商部などに勤務したが、三二年に退職して文筆活動に入る。翻訳以外にも小説や戯曲、詩、評論も発表した。また作家の堀辰雄と親交を結んだことでも知られる。アレクサンドル・プーシキン、イヴァン・ツルゲーネフ、ドストエフスキーなどロシア文学、堀と共訳したジッドのようなフランス文学の翻訳もあるが、なかでもとりわけ神西訳のチェーホフの戯曲は名訳との世評高く、いまだに読まれつづけている。

⇩教科書掲載……（中学）

三省堂『中等国語（三訂版）三上』55『中等国語（四訂版）三上』57『中等国語 五訂版 三』60『中等国語 三』62『新国語 三』66『中等国語 新訂版 三』66『現代の国語 中学3』66『中学校現代の国語 新版3』69『中学校現代の国語 最新版3』72『中学校現代の国語 最新改訂版3』75／学校図書『中学校国語 二下』55『中学校国語 二下』57『国語 中学二』60『中学校国語 二年上』62（編集部再話）『中学校国語 二』66／教育出版『中学国語 三年』62『新版 中学国語3年』66『新訂中学国語2』69／大阪書籍『中学国語3』62／大日本図書『私たちの国語 三』62／東京書籍『新しい国語 中学三年』62『新編 新しい国語 中学三年』66／日本書籍『山本有三編集 国語総合編 中学3年の1』54『山本有三編集 国語 中学2年下』59『中学国語 2年』62『中学国語2』66（編集部再話）『中学国語2』69『中学国語二』72『中学国語2』75『中学国語2』78／光村図書『中等新国語二』78

解説

六〇年代――労働者へのまなざし

ジュール・シュペルヴィエル「動作」は、ふとした一瞬の動きに「二万世紀」という遥かなときを超えた重なりを見いだす神秘的な詩です。この詩は六五年にはじめて教材として採用され、その後八〇年代に一度途絶えますが、二〇〇〇年代には復活して二社の国語教科書に掲載されていました。

フリードリヒ・ヘッベル「ルビー」は、教科書の採録時には、実吉訳をもとにした劇の脚本のかたちに編集されて（大幅にカットされたうえで）掲載されていました。実はこうしたかたちでの採録は、ままあることでした。理由のひとつは戦後、話し言葉の教育が重視されたこと。演劇脚本は話し言葉を学ぶ上で格好の教材でした。もうひとつの理由は、戦後しばらくは日本の教育がアメリカ流の「経験主義」の強い影響下にあったこと。これは、それまでの「読本」を用いて読みを教えていればよかった国語教育に、さまざまな言語活動の実践を要求するものでした（教材をもとにした話し合いや、小説教材なら小説を読むだけでなく書くことまで想定するなど）。その中で演劇作品や脚本化された小説は教材としての需要を見いだされていくことになります。また当時、NHKなどのラジオでも、放送台本化された文学作品の朗読が流されていたという背景もありました。しかしこうした演劇教材は、五八年の学習指導要領の改訂で経験主義が見直されるとじょじょに消えていくことになりました。

過去の国語教科書をひもといてみると、漁師の生活をあつかった作品（ほとんどのものがビセンテ・ブラスコ・イバーニェス「鮪釣り」同様、過酷なものです）が、採録されていたことに気がつきます。ジョン・ミリントン・シング「海へ騎りゆく人々」、エドガー・アラン・ポー「うず潮」、アーネスト・ヘミングウェイ『老人と海』といった作品がそうです。理由のひとつとして、戦後、しばらくの時期は、都市部と農村・漁村の乖離が問題になっており、中学校以下の教科書ではいかに地方に配慮した教材を採録するかが議論されていたことがあるでしょう。これは外国文学にかぎった話ではなく、たとえば菊池寛の戯曲「海の勇者」などの作品もそうですが、外国文学にした方が日本の特定の地域を取りあげずに問題を抽象化することができ、むしろ都合がよかったとも言えます。もちろん漁業労働者の現実を描く、という意識もあったでしょう。しかし高度成長期において農村や漁村から人口が流出してしまうと、必然的に地方色に配慮した作品の掲載も少なくなっていきました。

「ジュール伯父」の主人公のジョゼフは役人の子ですが、家は裕福ではなく、アメリカで一旗揚げたという親族のジュール伯父の存在が一家の心の支えになっています。しかし旅行先でたまたま出会った牡蠣（かき）売りの男がジュールだとわかると母親は容赦なく「荷厄介」「盗人（ぬすっと）」だと批判を浴びせます。世間体ばかりを気にする小市民根性が批判されているわけです。短編の名手モーパッサンには「ひも」「二人の友」「水の上」「帰村」「雨傘」「初雪」など、教材化された作品は多々ありますが、「ジュール伯父」はなかでももっとも採録回数の多いもので、特に五〇年代終わりから六〇年代前半にかけて多くの教科書に採用されました。本作品が採用された背景には戦後、五百万人を超す外地からの引揚者がいたこと、身内に行方不明者がいるという状況が身近だったことがあげられるかもしれません。また、ある時点までの国語教科書には貧困を直接あつかったものも多かったのですが、外国文学作品は検定との兼ね合いでこの問題をあつかうことを得意としていました（イヴァン・ツルゲーネフ「こじき」など）。しかしそれも、時代とともに少なくなっていきました。

フセヴォロド・ガルシン「信号」は、かつて数多くの中学国語の教科書に採用された定番教材で、最盛期の六〇年代前半にはなんと同時に七社が掲載していました。そもそもガルシンは、ほぼ同時代のチェーホフとくらべると作家としての評価はロシアでも国外でもはるかに及ばないのですが、日本では例外的に複数の訳者によって繰り返し翻訳され、選集や全集も編まれてきたという経緯があります。そして「信号」は、ガルシンの作品の中でも国語教科書にずば抜けて採用されてきた短編なのです。登場人物二名のキャラクター造形がはっきりしていること、臨場感のあるラストシーンや、行動の是非を問いやすい構成などもありますが、ひとつの大きな理由としては、本作がいわばプロレタリア文学の代わりを果たしていたと言うことができそうです。プロレタリア文学は検定制度や内容面の難しさから、国語教科書になかなか載せることができないものとしてありましたが、本作品は労働者の権利や待遇改善を生徒に考えさせるうえで好適だったのです。もちろん背景には戦後の国鉄をめぐる事件や頻発するストもあったでしょう。しかしながら六〇年代後半になると一種の「道徳」を教えているのではないかという指摘も見られるようになり、採録数を落としていきました。

（秋草）

「星野君の二塁打」は日本的な教材か

Column 05

「星野君の二塁打」という作品をご存じだろうか。児童文学者、翻訳家の吉田甲子太郎（きねたろう）による児童向け短編小説である。野球部で投手をつとめる星野君が、地区大会の決勝戦、試合を決める大事な場面で監督からバントを命じられる。しかし星野君はそれが不服で、監督の指示に背いてヒッティングを選択、二塁打を放つ。試合には勝ってチームは大会への出場を決めるが、その後のミーティングで指示に背いたことを監督から叱責され、大会への出場を禁じられる……という内容だ。

本作は終戦まもない一九四七年に雑誌『少年』第八・九号に発表されたあと、日本書籍の小学校国語教科書『山本有三編集国語　6年の1』に一九五二年度から教材として採用される。なお作者の吉田は山本有三に師事しており、当時、同教科書の編集委員を務めていた。

五八年に「道徳の時間」が設けられると、その実施のために文部省（当時）が発行した『小学校道徳の指導資料』（64、67）に五年生用の読み物のサンプルとして載せられたことにともない、一九七〇年以降、東京書籍をはじめとした主に小学校五年生用の道徳の副読本にも「星野君の二るい打」として掲載されるようになり、定番教材化していく。二〇一八年に道徳が正式な教科になると、複数の会社の教科書で採用された。

このように長年親しまれてきた「星野君の二塁打」だが、その内容から日本的な上意下達の硬直した組織構造を肯定するものとして批判を浴びてきた経緯もある。それが決定的になったのが、二〇一八年に起こった日本大学アメリカンフットボール部悪質タックル問題だった。大学対抗の試合中、監督の指示によって反則のタックルをおこなって相手選手を負傷させた事件は、メディアや世間から厳しく非難された。この事件の思わぬとばっちりをくらったのが「星野君の二塁打」だ。作品の内容が事件を連想させるという理由で批判された。新聞の報道によれば、「星野君の二塁打」は一部の道徳の教科書への収録が見送られるようになった。

その一方で「星野君の二塁打」が単に「上役の指示は絶対である」という主張を打ち出したもの、という意見には異論もある。「星野君の二塁打」が掲載された国語教科書の教師用指導書を調査した功刀俊雄（くぬぎとしお）は、吉田本人が執筆したと思しき解説で「民主主義的な態度を読みとらせる」ことの大切さが強調されていた点を指摘している（功刀俊雄「小学校体育科における「知識」領域の指導――教材「星野君の二塁打」の検討（二）」『教育システム研究』第四号、二〇〇八年四月）。実際、監督は野球部の面々に自分が監督をするのは「校長からたのまれた」というだけでなく、「君たちがぼくを監督として迎えることに賛成」だったからであり、そのための条件として「規則は諸君と相談してきめ」「厳重にまもってもらう」約束をしたと確認している。後述するが、もともと本作は日本の民主化を推し進める米軍の占領政策の下、検閲を経て発表された作品だったことも忘れてはならない。

さらに功刀が指摘していることだが、本作には「元ネタ」があった。一九四六年に雑誌『少年クラブ』六月号に吉田甲子太郎訳で発表されたレスリー・M・カークによる「一マイル競走」だ。学校対抗の一マイル競走に出場することになったエルトンは、監督から自校を勝たせるために「当て馬」を命じられる。ひそかに自信のあったエルトンは不服を感じるが、作戦に従うことにし、自分は監督の指示で当て馬の役を演じるからレースを見に来る必要はないと父親に手紙を書く。レース当日、エルトンは指示を守り、最初から全力で走って相手校の選手を疲れさせる。しかしあと一周というところで自校の選手が想定よりも遅れていることに気づき、力を振り絞ってそのまま最後まで走りぬく。結果、エルトンは新記録で一位でゴール、自チームの選手も二位に入る。エルトンを待っていたのは監督の絶賛と、観客としてレースを見守っていた父親のねぎらいの言葉だった。なおこの短編は木暮正夫・岡信子選『10分で読めるお話　6年生』(Gakken)でいまでも読むことができる。

たしかに監督の決めたチーム戦術とそれへの葛藤が描かれているという点で二作品は類似しており、吉田が創作の参考にしたという議論には説得力がある。むしろ「星野君の二塁打」の方が、監督が生徒の支持をえていることと、規則はみなで決めることを確認している点でより民主的であって、米国への忖度(そんたく)すら感じさせる内容になっている。しかしなお不明な点はある。「一マイル競走」の著者の「レスリー・M・カーク」なる人物が何者かわからない点だ。作家事典やインターネットにも該当する名前はない。創作者でもあった吉田には、外国文学作品に想を得た作品もあっただけでなく、外国文学作品を訳すにあたっても、ときにかなり大胆に意訳をおこなったことを自分でも認めていた。そのせいで「レスリー・M・カーク」は架空の作家で、「一マイル競走」は吉田自身が創作したものだという説も登場した。

「一マイル競走」は吉田による翻訳児童文学作品集『空に浮かぶ騎士』(一九五六)に収録されるのだが、そこに「レスリー・M・カーク」の正体のヒントになるような文言がある。「まえがき」で、収録作には「戦後にアメリカの民間教育情報部から提供されたというような新しい作品もあります」と記されているのだ。「民間教育情報部」(CIE)とは、戦後占領下の日本で出版物の検閲をおこなったアメリカの機関だが、当時、CIEの提供するもの以外は翻訳に際して「アメリカ占領軍の許可が短期間に得られなかった」という事情もあった(滑川(なめかわ)道夫「児童文学者としての吉田甲子太郎」『日本児童文学の軌跡』理論社)。そして仮に「一マイル競走」がCIEから提供された作品ならば、「この作品の訳出と紹介は占領下の教育政策の一環ということになる可能性が大きい」と功刀は指摘している（「小学校体育科における「知識」領域の指導――教材「星野君の二塁打」の検討（二）」『教育システム研究』第三号、二〇〇七年）。「占領下の教育政策」とは、功名心による勝利至上主義ではなく、チームの決め事の順守を優先する民主主義的精神だ。

問題は、作品集『空に浮かぶ騎士』には二十編もの短編が収められているため、どれがCIEから提供された作品なのか判別できない点だ。他方で「一マイル競走」にも国語教科書に採用された例があり、五九年度より使用された中教出版『中学国語　一年上』を皮切りに複数の出版社の教科書に掲載されていた。その中教出版刊行の指導書を専門図書館で参照すると「『一マイル競走』は戦後、アメリカの民間教育情報局［＝CIE］が少年のための読み物として提供した作品であ」り、「レスリー・M・カーク」は「無名作家」だとはっきり書かれている。つまり功刀の推測通り、「一マイル競走」は占領下の教育政策のもとでCIEから提供された作品だったことが裏付けられた。そして、「一マイル競走」を下敷きに書かれた「星野君の二塁打」も、CIEの教育政策の影響下にあったと言えそうだ。これは「星野君の二塁打」が、日本的な（古くさい）道徳観を表したもの、という通説へのひとつの反証になるものだ（なお「一マイル競走」も、中学の道徳の副読本に採録された）。「無名作家」の作品が教科書に採録されていたことに驚かれるかもしれないが、このような例はほかにもあり、五二年より使用された市ヶ谷出版社の『中学現代国語　一上』にはエドナ・L・ウッド著、福田裕訳「地下にとじこめられて」という作品が掲載されていた。チリで地震に遭遇した靴みがきの少年たちが知恵を絞って救助を待つという内容だが、これも当時の版元が刊行した指導書には「この原文の翻訳についてはC・I・Eから特に許可を与えられた」と明記されている。なお同指導書によると本作の狙いは、生徒に非常事態にあっても「心を屈せ」ず、「困難にうち勝」つことを教える点にあったようだ。本作は戦後の少年向け雑誌『銀河』一九四八年一二月号にも掲載されたことがあるものだが（こちらは訳者不詳）、原作はアメリカの雑誌『ストーリー・パレード』一九四八年四月号に発表されたものだった。同誌は当時アメリカで刊行されていた児童向け読み物雑誌であり、おそらくは「一マイル競走」も同様の雑誌に掲載された作品だったのではないかという推測は成り立つ。レスリー・M・カークもそうした雑誌に書いていた児童向けの作家だったのだろう。

戦後、CIEは教科書を厳しく検閲し、民主主義や平等、動物愛護の精神などを盛り込むよう制作側に要求したことはこれまでにも指摘されているが、翻訳を統制することで間接的に教材自体についても影響を及ぼしたこと、さらにその「翻案」が改変を施されながらも今なお使用されていることは注目すべき事態だろう。（秋草）

第6章

五〇年代

チャンパの花

রবীন্দ্রনাথ ঠাকুর
ラビンドラナート・タゴール

山室 静 訳

ただちょっと戯(たわむ)れにぼくがチャンパの花になったとして、あの樹(き)の高い梢に咲いて風の中に高笑いしてゆすれ、新しく開いた葉っぱの上で踊ったとしたら、母ちゃんにはぼくがわかって？　母ちゃん。母ちゃんは呼ぶでしょう。「坊や、お前はどこにいるの？」それでもぼくはひとりで笑ってじっと黙ってる。

ぼくはこっそりぼくの花弁をひらいて、母ちゃんがお仕事なさるのを見つめてる。

浴(ゆあ)みのあとで母ちゃんは濡(ぬ)れたお髪を肩にひろげて、チャンパの樹蔭(こかげ)をお祈りなさる小庭の方に歩きます。母ちゃんは花の匂いに気づくでしょう。でもそれがぼくから出る匂いだとは知りません。

お昼御飯のあとで母ちゃんはラマヤナを読みながらお窓のそばに坐(すわ)ります。この樹の影が母ちゃんのお髪や膝の上に落ちて、母ちゃんの読んでいる御本のページの上にぼくの小ちゃな影を投げかける。でも母ちゃんはそれがあなたの可愛(かわい)い子の小さな影だと気がつくかしら？

夕方になって母ちゃんが点(とも)したランプを手に牛小舎(うしごや)に行く時に、ぼくは急に大地の上に落ちて来てもう一度母ちゃんの子供になろう、そうして母ちゃんにお話をねだろう。

「どこへ行ってたの、いたずらッ子よ！」
「教えないよ、母ちゃん」
その時母ちゃんとぼくはこんなことを言いあうでしょう。

ラビンドラナート・タゴール（一八六一―一九四一）

インドの詩人、小説家、思想家。親族に思想家・芸術家が多く、その影響でインド古典を学ぶ。英語教育を嫌って十四歳で学校を離れた。幼い頃から詩作をしていたが、一九一三年、詩集『ギータンジャリ』でアジア人初のノーベル文学賞を受賞、以後世界各地の知識人達と交流し、日本も五度訪問している。ロマンティックあるいは神秘主義的な作風とされるが、晩年まで七十冊以上の詩集を刊行し、そのスタイルは多岐にわたる。ベンガル語で創作し、一部を自ら英訳した。日本では一九一五年から戦後まで、吉田絃二郎（げんじろう）、野口米次郎、白鳥省吾（せいご）らが翻訳・紹介をしてきたが、特に戦後に山室静と片山敏彦がタゴールを再評価し、アポロン社『タゴール著作集』（五九―六二）で英語著作がほぼ訳出された。詩集に『黄金の舟』（九四）や『渡る白鳥』（一六）などがある。本書収録詩は五人の子をのこして妻が死んだ翌年、一九〇九年に刊行されたベンガル語詩集『おさなご』に収録されたもの。

【訳者】**山室静**〔やまむろしずか〕（一九〇六―二〇〇〇）
文芸評論家。代用教員を経て一九二七年に上京、当初はマルクス主義の影響を受けたが、ヒューマニズムの見地からこれを再検討するようになった。東北帝国大学法文学部で阿部次郎・岡崎義惠らから学ぶ。ドストエフスキー、ジャック・マリタン、アーダルベルト・シュティフター、ニコライ・ベルジャーエフなど幅広い文学・哲学から影響を受けた。特に早くから北欧文学に注目して紹介を行い、日本における北欧文学紹介の先駆者となった。一九四三年に当時の日本では無視されていたタゴールの詩を『タゴール詩集』として翻訳・刊行した。

⇩教科書掲載……（**高校**）

日本書院『国語高等学校総合二』55『国語二高等学校用総合〔三訂版〕』62『現代国語二』64

小さな出来事

魯迅

竹内好 訳

私がいなかから北京へ来て、またたく間に六年になる。その間、耳にきき眼(め)に見た国家の大事なるものは、数えてみれば相当あった。だが私の心にすべて何の痕跡も残していない。もしその影響を指摘せよ、と言われたら、せいぜい私の癇癖(かんぺき)をつのらせただけだ——もっと率直に言うと、日ましに私を人間不信に陥らせただけだ、と答えるほかない。

ただひとつの小さな出来事だけが、私にとって意義があり、私を癇癖から引きはなしてくれる。今でも私はそれが忘れられない。

それは民国六年の冬、ひどい北風が吹きまくっている日のことである。私は生活の必要から、朝はやく外出しなければならなかった。ほとんど人っ子ひとり歩いていなかった。ようやく人力車を一台つかまえ、S門まで行くように命じた。しばらくすると北風がいくらか小やみになった。路上の埃(ほこり)はすっかり吹ききよめられて、何もない大道だけが残り、車はいっそうスピードをました。やがてS門に行きつこうとするころ、不意に車のかじ棒に人が引っかかって、ゆっくり倒れた。

倒れたのは女だった。髪は白毛まじり、服はおんぼろだ。いきなり歩道からとび出て、車の前を横切ろうとしたのだ。車夫はかじを切って道をあけたが、綿のはみ出た袖なしのうわ着にホックがかけてなかったために、微風にあおられてひろがり、それがかじ棒にかぶさったのだ。さいわい車夫がはやく車をとめたからよかったものの、そうでなかったら、ひっくり返って頭を割るほどの事故になったかもしれない。

女は地面に伏したままだし、車夫も足をとめてしまった。私は、その老婆がけがしたとは思えなかったし、ほかに誰も見ていないのだから、車夫のことを、おせっかいな奴(やつ)だと思った。自分からいざこざをおこし、そのうえ私にも迷惑がかかる。

そこで私は《何ともないよ。やってくれ》と言った。

しかし車夫は、耳も貸さずに——聞こえなかったのかもしれないが——かじ棒をおろして、老婆をゆっくり助けおこし、腕を支えて立たせてやった。そして訊(たず)ねた。

《どうしたね》

《けがしたんだよ》

私は思った。おまえさんがゆっくり倒れるところを、この眼で見たんだぞ。けがなどするものか。狂言にきまってる。じつに憎いやつだ。車夫も車夫だ。おせっかいの度がすぎる。それほど事をかまえたいなら、よし、どうとも勝手にしろ。

ところが車夫は、老婆の言うことをきくと、少しもためらわずに、その腕を支えたまま、ひと足ひと足歩き出した。私がけげんに思って前方を見ると、そこは派出所だった。大風のあととて、外は無人だった。車夫は老婆に肩を貸して、その派出所をめざした。

このときふと異様な感じが私をとらえた。埃まみれの車夫のうしろ姿が、急に大きくなった。しかも去るにしたがってますます大きくなり、仰がなければ見えないくらいになった。しかもかれは、私にとって一種の威圧めいたものに次第に変わっていった。そしてついに、防寒服に隠されている私の「卑小」をしぼり出さんばかりになった。

　このとき私の活力は、凍りついたように、車の上で身動きもせず、ものを考えもしなかった。やがて派出所から巡査があらわれたので、ようやく車からおりた。

　巡査は私のところへ来て言った。《ご自分で車をひろってください。あの車夫は引けなくなりましたから》

　私は反射的に、外套のポケットから銅貨をひとつかみ出して、巡査に渡した。《これを車夫に……》風はまったく止んだが、通りはまだひっそりしていた。私は歩きながら考えた。しかし考えが自分に触れてくるのが自分でもこわかった。さっきのことは別としても、このひとつかみの銅貨は何の意味か。かれへのほうび？　私が車夫を裁ける？　私は自分に答えられなかった。

　この出来事は、いまでもよく思い出す。そのため私は、苦痛に堪えて自分のことに考えを向けようと努力することにもなる。ここ数年の政治も軍事も、私にあっては、子どものころ読んだ「子曰く、詩に云う」と同様、ひとつも記憶に残っていない。この小さな出来事だけが、いつも眼底を去りやらず、時には以前にまして鮮明にあらわれ、私に恥を教え、私に奮起をうながし、しかも勇気と希望を与えてくれるのである。

魯迅〔ろじん〕（一八八一―一九三六）

中国の詩人、小説家、思想家。西欧思想を学び、日本に留学した頃から革命派の立場に立つ。帰国後、辛亥（しんがい）革命の挫折に絶望して沈黙するが、『狂人日記』（一八）をはじめ、『阿Q（あきゅー）正伝』（二一―二二）など中国の半植民地的な現実をあばく小説を次々と発表、中国近代文学の祖となった。本書収録作は『吶喊（とっかん）』（二三）所収。著作とほぼ同量の日本文学・ロシア文学等の翻訳もあり、森鷗外・夏目漱石・芥川龍之介などの作品も訳した。日本では『大魯迅全集』（三七）が最初のまとまった翻訳で、竹内好『魯迅』（四四）が魯迅の像を精彩に描き出した。また、竹内好も編者に加わった『魯迅選集』全十二巻（五六）など、戦後も多くの選集・全集類が刊行された。

【訳者】

竹内好〔たけうちよしみ〕（一九一〇―七七）

文芸評論家。一九三四年、東京帝国大学文学部支那文学科を卒業、中国文学研究会で中国現代文学研究を行う。日本初の本格的な魯迅論『魯迅』（四四）をはじめ、『現代中国論』（五一）などの中国論や、一連の文学論争「国民文学論」によって、日本の近代化の問い直しを行った。個人訳『魯迅文集』（七六―七八）がある。

⇩ 教科書掲載

……（中学）

大修館書店『新中学国語総合 新訂版 三下』58／日本書籍『山本有三編集 国語 中学3年下』59『中学国語3年』62『中学国語3』66／三省堂『現代の国語 中学3』66（収録タイトル：「小さなできごと」）

（高校）

三省堂『高等国語三下 三訂版』56（収録タイトル：「小さなできごと」松枝茂夫訳）／教育図書『国語（改訂版）三 高等学校用総合』59／桐原書店『展開現代文 改訂版』08

人面の大岩

ナサニエル・ホーソーン

Nathaniel Hawthorne

福原麟太郎 訳

　ある午後のこと、太陽が沈みかかっている時、母親と男の子とが彼らの家の扉口のところに坐っていて、人面の大岩のことについて話していた。彼らはただ顔を上げさえすれば、目の前に、はっきりとその岩が見られた。何マイルも離れているのであるけれども、太陽がその眼鼻の形を明るく照らし出していたのである。

　して、その人面の大岩とは何であったか。

　一群の高山の間に抱かれて一つの盆地があった。それは非常に広い谷間で、数千の住民がその中に住まっていた。その善良な住民の中には、まわりが一面暗い森に囲まれた険しい難儀な山腹などに、丸太小屋を建てて住まっているものもあった。また農家で、谷のゆるやかな傾斜や平坦な地面などの豊饒な土を耕して、安楽に家庭をいとなんでいるものもあった。また寄り集まって、人家のつづく村をなして住まっているものもあった。そこでは自然のままの高地の小川が、山奥のその誕生の場所から転び落ち流れ下ってきて、人間の狡知に捕らえられ飼いならされて、綿糸工場の機械を余儀なく回されておった。要するにこの盆地の住民はずいぶん多数であって、多様の生活の方法をとっておった。しかし彼らはみな、大人も子供も、人面の大岩と一種の親しみを持っておったのである。もっとも、ある人々は、隣人の多くより、もっと完全に、この偉大な、自然界の驚異すべき現象を見分ける天賦を持っているということはあった。

　ところでこの人面の大岩は、自然が、その荘厳な遊戯的気分において作ったもので、山腹の垂直な断崖に、いくつかの巨大な岩石で形成されているのである。そしてその岩石がちょうどうまく並べられていて、適当な遠さから眺めると、明らかに人間の顔の眼鼻立ちに似て見えるように寄り合っている。あたかも法外な巨人が、あるいはギリシャの巨神族タイタンが、自らの似顔を断崖の上にきざみつけたかのように思われるのである。額があって広いアーチ形になっており高さは百尺。鼻があって長い鼻筋が通っている。大きな唇がある、もしそれが物を言うことができたなら、雷のような音声をこの谷の一方の端から他の端までとどろかすことであろう。見物人があまり近くまで寄ってゆくと、その巨大な顔かたちの輪郭を見失って、ただ重々しい大きな岩が、一つは一つの上に乱れ重なっているばかりの、廃墟（はいきょ）のような姿をしているに過ぎないのだが、後退り（あとずさ）をして帰って見るとしかし、不思議な眼鼻立ちがまた見えてくる。後ろの方へ退い（ひ）てゆけばゆくだけ、ますます人面に似てきて、しかも昔ながらの神々しさを失わず、その姿を見せているのである。そしてなおも退いて、かすむほどの遠くになると、まわりには山の雲がかかり、霧がたなびいて気高く、人面の大岩は、どう見ても生きて生命があるように思われるのであった。

　この人面の大岩を目の前に見て男ざかりまでまたは女ざかりまで大きくなるということは、子供らにとって幸福な運命であった。なんとなれば、その目鼻立ちはすべて高雅であり、表情は壮大にしてまた甘美であった。あたかも大きな温かい胸の炎が燃えているようで、その愛情の中には全人類を包容してなお余裕があるといった気がした。ただそれを眺めているだけでも一つの教育を受けることであった。多くの人々の信ずるところによれば、この盆地が豊穣であるゆえんの多分は、この土地の上にいつも輝いていて、雲を飾り、その優しさを太陽の光の中に注ぎ込むところ、この岩の慈悲深い顔のおかげであるとなっておった。

　我々がさきに語りはじめたごとく、母親とその子供とは、彼らの田舎家の扉口に坐って、人面の大岩を眺めて、その話をしておった。子供の名はアーネスト（「誠」というごとき意味の名）といった。

「母さん、」彼は言った。巨神の顔貌は彼に微笑（ほほえ）みを注いでおった、「僕は、あれが物を言えるといいと思いますね。あの親切な顔つきから考えると、声も気持ちのいい声に相違ないや。もし僕がああいう顔の人に出会わしたら、きっと僕はその人を非常に愛するでしょうね。」

「もし昔からの予言が本当に起こるようなことがある

なら、」母親が答えた。「いつかは、あのとおりの顔をした人がこの世に見られるのだろうね。」

「どんな予言があるの、母さん、」アーネストは熱心に訊ねた、「すっかりお話してください。」

そこで母親は彼に一つの物語をした。その物語は彼女自身がこのかわいいアーネストよりもなお小さかった頃、やはり母親から話されたものであった。それは過ぎ去った物事の話ではなくて、これから起こることの話であった。それは、それにもかかわらず、非常に古くて、この盆地に以前住まっていた先住民ですらも、やはりその先祖から聞き伝えたもので、先祖たちはまた、彼らの信ずるところによれば、その話を渓流のささやきから知り、木々の頂を渡る風のそよぎから知った。その話によると、将来いつか、一人の子供がこのあたりに生まれる。この子供はその時代の最も偉大な最も高雅な人物になる運命をもっている。そしてその人の顔つきは、大人になると、この人面の大岩にそっくり似てくるというのであった。古風な人々も、幼いものも、同じように、熱心な希望を抱いて、この古い予言に、いつまでも消えない信仰をかけているものが少なくなかった。しかしその他のもので、もっと世間を経験して、くたびれるほど眺め暮らし待ち明かして、それでそんな顔をした人を見たこともなければ、近隣の誰よりも優れて偉いとか高雅だとかいうらしい人も見たことのない人たちは、そんな予言など要するに他愛もない話にほかならぬと決めていたのである。ともかくも、予言にいわゆる偉人は、いまだ世に現れていなかった。

「ああ母さん、お母さん、」アーネストは手を頭の上にあげて叩きながら叫んだ、「僕、一生のうちにそういう人に会いたいもんだな。」

彼の母親は愛情の深い、考えの深い婦人であった。だからこの少年の大らかな希望に力を落とさせないのが最も思慮あるやり方だということを感じた。そこで彼女はただこう言っておいた、「多分会えるでしょうね。」

そしてアーネストは母親が彼に話した物語を決して忘れなかった。彼が人面の大岩を眺める時にはいつでもそれが心の中に浮かんできた。彼は丸太小屋に生まれ、そこで少年時代を過ごした。母親の言うことをよくきき、いろいろなことで母親の手助けをしたものであった。その小さな手でよく手伝いをしたが、それにもましてその愛情のある心をもって力となったのであった。こういうふうで彼は幸福な、それでいて時折物思いをする子供であった時代から、だんだん成長しておとなしい、静かな、でしゃばらない少年になった。野で働くために日に焼けていたが、その顔には、有名な学校で教わった多くの子供に見られるよりもなおまさった知恵の光が輝いていたのであった。しかし、アーネストには先生というものがなかった。ただあの人面の大岩のみが先生といえばいわれるだけであった。一日の仕事が終わると、彼は何時間も岩を眺めているのが常であった。するとそのうちに、その大きな眼鼻立ちの顔が彼を見覚えていて、彼の尊敬のまなざし顔つきにこたえて、親切と激励の微笑を与えてくれている、というように、彼は想像し出すに至った。もとよりこの大岩は、世界中の他の者を眺めくだすと同様にアーネストを眺めていたに過ぎないのであるけれども、このアーネストの考えが間違っていると、一概にひとり決めをしてしまってはならない。本当のわけは、この子供の優しい、ただ一心に打ち込んだ単純さが、他の人々の目に見ることのできないものを見分けたのである。それゆえに、すべての人の受けるに任せてある愛が、とくに彼の受けるものになったのであった。

ちょうどこの頃、この盆地中に広がった一つの噂があって、遠い大昔から予言に言い伝えられている偉人、あの人面の大岩に似る顔かたちのひとが、とうとう出現したということであった。長い年月前のこと、一人の若者があってこの谷から移住して遠くの港町へ落ちつき、そこで小金をためたあと、商人になったというのがあったらしい。彼の名は――といっても私はそれが彼の本当の名であったのか、それとも彼の世渡りの道や出世から生まれて出たあだ名なのかどうかを知ることはできないが――ギャザゴールド（「溜金」といった意味の名）といった。抜け目がなくて働き手なそのうえに、神様からあの不可思議な力、世間にいわゆる幸運というものになってゆく才能を授かっているので、その男はすばらしく金持ちの商人になり、千石船を一艦隊ほどもそっくり持つ身の上になった。この一人の男の山のように蓄積した富の上に、また富を積み上げ積み上げてやるというだけの目的で地球上のあらゆる国々が協力しているかとさえ思われたのであった。北方の寒い地方で、ほとんど北氷洋圏にある、陰鬱な暗影に包まれた国々は毛皮の形で彼らの貢ぎ物を送ってきた。熱いアフリカは彼のために、河にある砂金をふるい分け、大きな象の象牙を森の中から集めてくれた。東方諸国は豊麗な肩掛けや香料や茶や輝きわたる金剛石や、まぶしいほどに清らかな真珠を持って彼のところへやって来た。大海はまた、大地に後れをとらじと、巨大な鯨を捧げる。するとギャザゴールドはその油を売って金を儲けるのであった。その原の品物は何であったろうとも、彼の手に握ってしまえば、それは黄金であった。寓話にあるマイダスの話のように、彼がその指をもって触れたものはなんでもただちに光り輝き、黄色となりたちまち純金に変わった、あるいはいっそう彼に適切な形でいえば、山のごとき貨幣に変わったのであると言ってもよかろう。さてギャザゴールド氏が、こうして、その富を数えるだけで百年かかるというほどの大金持ちになったとき、彼は生まれ故郷の盆地のことを思い出した。そしてそこへ帰って、生まれたところで余生を終えようと決心したのであった。この目的を抱いて、彼は、彼のような億万長者が住むにふさわしい宮殿を建てさせようとして、一人の熟練な建築師をつかわしたのである。

さきに述べておいたごとく、すでにこの盆地ではギャザゴールド氏こそは、今までずいぶん長い間、いくら待っても出てこなかった予言の人物であることが判明した、その顔つきはあの人面の大岩と完全にまごう方なく似ているという噂が広まっていたのであった。人々はすばらしい大建築が、あたかも魔法によって生まれるように、同氏の父親の住んでいた、今は風雨にうたれて見る影もない農家の屋敷跡に建てられるのを見ると、この噂は本当の話に相違あるはずなしと、ますますいっそうそれを信じたのであった。建物の外側は大理石であった。目もまぶしいばかりにまっ白である。ギャザゴールド氏が、子供の遊びざかり、触れたものはたちまち黄金に変えるという力が、まだその指に与えられていなかった頃、よく建てて遊んでいた雪の小家のように、その全建築が日光にあえば溶けてしまいはせぬかと思われるほど白かったのである。豊麗な装飾的な玄関がついていた。高い柱で支えられていて、その下には、銀の鋲具の打ちつけてある、丈の高い扉があった。海の彼方から持ってきた種々さまざまの斑のある木材でできていた。窓は、それぞれ高壮な部屋の床上から天井まで、どの窓も、ただ一枚の大きな硝子板でできていた。その透明で清らかなありようは、きれいに透きとおった空気よりも、なお、もっと美しいということであった。ほとんど誰も、この宮殿の内側を見ることを許されたものはなかった。しかし評判によると、そしてまたその評判がいかにも本当らしかったのであるが、内側は外側よりもなおはるかに華麗であるということで、他の家で鉄や真鍮を用いるものはなんでも、この家では金や銀であるというほど。それからギャザゴールド氏の寝室は、またとくに光輝燦爛たるありようで、普通の人ならとてもそこで目を閉じることはできないということ。ところがこれに反して、ギャザゴールド氏は、あまり富に慣れ親しんだため、おそらく、富の輝きがまぶたの下まで必ずさし込んでくるところでなくては目を閉じることができないのであろうということであった。

しかるべき時をかけて、館はできあがった。次には家具職が壮麗な家具を持ってやって来た。それから黒人白人の召し使いが一連隊ほどやって来た。これはギャザゴールド氏の先触れで、氏はそのおごそかな身で、親しく、夕暮れに到着するはずになっていた。話変わって、我々の友アーネストは、あの長い間現れるはずで現れなかった偉人が、高貴の士が、予言の人物が、ついに彼の生まれ故郷に姿を見せることになったという思いで、深く心をかきたてられていた。子供ではあったけれども、彼はそのギャザゴールド氏が、その莫大な富をもって、自らを慈善の天使に変え、あの人面の大岩の微笑のように、広大にして慈愛深く、人事万端を治めてゆこうとするならば、それには、千百の道があることを知っていたのである。信念と希望とでいっぱいになっているので、アーネストは、人々のいうところが真実であり、今こそ彼は、あの山腹にある不思議な眼鼻立ちの顔の、生きた似顔を見られるのだということを、疑わなかった。彼はまだ谷を見上げて、いつも想像しているように、人面の大岩が彼のまなざしを返し、彼に親切に目を注いでいてくれると思っている間に、車輪の轢々とした音が聞こえてきて、まわりくねった道路のかなたから、たちまち、こちらへ近づいてくるのであった。

「さあ来た、」到着のさまを見ようと思って集まった一群の人々は叫んだ、「偉大なるギャザゴールド氏がやって来たぞ。」

四頭立ての馬に引かれた馬車が、道路の曲がり角をおそろしい勢いで駆け抜けた。馬車に乗って、窓からちょっと顔をつき出していた、小さな老人の顔つきが見えた。皮膚は、あたかも彼自身のマイダスの手で黄金に変えたのかと思われるほど黄色であった。猫額で、小さな鋭い眼をして、まわりには巾着の口のように、数限りない皺が寄っていた。それからたいそう薄い唇で、それをまたひどく強く食いしばるため、ますます薄くしていったのである。

「人面の大岩そっくりの顔だ、」人々は叫んだ、「いかにもたしかに、昔の予言は本当だった。とうとう偉大な人が我々のところへやって来た。」

ところでアーネストのはなはだ当惑したことには、人々は現に、かねて口にしていた似顔の人がここに来たということを信じているのであった。路傍に、たまたま、一人の乞食婆さんと二人の小さな乞食の子供とがいた。仲間にはぐれてどこか遠くの方から来たもので、馬車が進み通る際に、手を出して、悲しそうな声を張り上げて、哀れっぽく、お恵みを乞うておった。黄色の手が――これこそはあれほどの富をかき集めたところのその手であった――馬車の窓からつき出されて、いくらかの銅貨を地面へ落とした。つまり、この偉人の名はギャザゴールドというらしかったけれども、スキャタコパー（「びた銭撒き」の意）とあだ名をされても同じように似つかわしいわけであったのである。それでもなお、人々は熱心な叫び声をあげて、明らかに今までどおりの信仰をもって、わめいていたのである「この人こそはあの人面の大岩のそのままの姿だ。」

しかしアーネストは悲しくなってその貪欲な、皺の寄った、抜け目のない顔から面をそむけた。そして谷を見上げた。そこには、集まってくる霧の中、沈もうとする日の光に照らされて、金に映えた、あの今まで彼の魂に深く刻まれている尊い顔かたちがいまだよく見分けられたのであった。その顔かたちが彼の心を愉快にした。その恵み深い唇は彼になんと言っているように思えたのであったろう。

「その人は来る。気づかうな、アーネスト。その人は来る。」

年月は過ぎていった。そしてアーネストはもう子供ではなかった。彼はもう若者になっておった。彼は盆地に住んでいるほかの人々の注意に上るようなことはちっともなかった。というのも彼の日常の生活になんら目立つようなことが見られなかったのである。ただ、一日の労働が終わると、いつも好んで人々から離れて、あの人面の大岩を見つめて考えにふけるという癖が違っていたばかりだったのである。人々のものの考え方によれば、それは実際馬鹿な行いであった。しかし、アーネストが勤勉で、親切で、人づきあいがよくて、この他愛もない習慣にふけるために義務を怠るということのない限り、それはとがめるには及ばないというふうに思われていた。人々は人面の大岩が彼にとっては学校の先生になっていたのだということや、岩の現している感情がこの若者の胸を広げて、ほかの人の胸を満たしているものよりももっと広く深い同情をもって満たしていたのだということを知らなかったのである。人々は、あの岩からこそ書物などから覚え得るよりももっと良い知恵が得られ、ほかの人間の生活の醜い例を手本にしたのよりはもっと良い生活が作られるのであることを知らなかったのである。アーネストもまた、野で働いている時、炉辺にいる時、またはどこででも彼が沈思黙考するところで、きわめて自然に彼に起こってくる思想や愛情が、一般の人々が互いに分けて持っているそれらよりも、いっそう高い調子のものであったことを知らなかったのであった。単純な魂――彼の母がはじめて彼に古い予言を教えた時のように単純な魂――の彼は、谷を見下ろして、あの不思議な顔が輝いているのを眺めては、この顔の生き写しのものがなかなかこの世に現れてこないことを、なおも不思議に思っていたのであった。

　その頃にはもうギャザゴールド氏は、あわれにも、死んで葬られていた。そして最も奇怪なことは、彼の存在の肉体であり精神であったところの彼の富が彼の死に先立って消えうせてしまって彼の身に残るものとては、しわくちゃの黄色な皮膚におおわれた、生きた骸骨ばかりであったことである。彼の黄金が溶け去って以来、誰も彼も認めたことは、要するにこの落ちぶれた商人の下品な眼鼻立ちと、山腹にある厳かな顔とは、大してよく似ているわけでもないのだということであった。そこで人々は、彼の存生中すでに彼を尊崇することをやめ、彼の死後は静かに彼を忘却に附してしまったのである。もっとも時折は彼の記憶が、あの彼が建てた壮麗な宮殿に連関してよみがえってくることはあった。その宮殿もすでに久しい以前からホテルに変えられていて、見知らぬ人をたくさん泊めておった。その多くの客は、夏ごとに、かの有名な自然界の驚異物、人面の大岩を見にやってくるのであった。こうしてギャザゴールド氏は信仰を失って光を消されてしまったので、予言の人物が現れるのは、もっとさきだとされた。

　ところがたまたまこの谷に生えぬきの、ある息子で、数十年前に兵士になっていたのが、数多くつらい戦争をした後、今は著名な将軍になっているということがわかった。歴史中ではなんと呼ばれているか知らないが、彼の名は軍営でも戦場でも老ブラッド・アンド・サンダー（「血雷」というごとき意味）というあだ名で知られておった。この千軍万馬の将も、今は齢と傷とに弱くなってしまって、陸軍の生活の繁忙に堪えられなくなり、長い間その耳に鳴りとどろいてきた太鼓の音ラッパの響きに飽き、近頃は、その昔ふり捨てて出た生まれ故郷のやすらぎの生活を思い出し、谷へ帰って暮らしたいという望みをもらしていたのであった。谷の住民すなわち将軍の昔の隣人であったものや、その子供たちでもう大きくなった人々は、この有名な軍人を迎えるに、大砲を打ちならし、公の晩餐(ばんさん)を開こうと一決した。そしてその熱心な企てに拍車をかけたのが、今こそとうとう、人面の大岩に似たものが現実現れたのだという確かな噂であった。老ブラッド・アンド・サンダーの幕僚の一人がこの盆地を旅行していて、大岩と酷似しているのを見てびっくりしたという話が伝わった。その上、将軍の学校友だちや昔の知己が、進んで、しかも誓言をもって証明して言ったことには、彼らのよく記憶しているところによると、前述の将軍は子供の時からすでに、ひどくあの荘厳な顔かたちと似ておった、ただ、その頃そういう考えが人々の心に起こらなかっただけのことだというのであった。今まで何年もの間一度も人面の大岩を一目見てみようと思ったこともない人がたくさん、今はそれを眺めて時を過ごすようになった。ブラッド・アンド・サンダー将軍はどんな顔をしているのかはっきり知りたいからであった。

大饗宴(だいきょうえん)の日には、アーネストも、谷のほかの人々みんなといっしょに仕事を休んで、森の晩餐会が用意されている場所へ行ってみた。彼が近づくと牧師バトルブラスト博士（「戦風」という意味の名）の太い声が聞こえておった。彼の前に並べてあるご馳走(ちそう)と、彼らが集まってその栄誉を祝している著名なる平和の友の上に神の恵みの下らんことを祈っておった。食卓は森の中を切り開いてこしらえた空き地に並べてあって、まわり一面樹木に取り巻かれており、ただ東の方だけ見通しがきいて、その方角に人面の大岩がはるかに眺められるようになっておった。将軍の椅子、この椅子というのがワシントンの家から持ってきた遺物なのであったが、その上には、緑葉をもってこしらえ、月桂樹(げっけいじゅ)をふんだんにさし込んだアーチがあって、その上には彼が頭上にかざして戦って勝利を得た彼の国の旗があった。われらの友アーネストは、つま先に伸び上がって、この評判の高い将軍を一目見たいと思った。しかしテーブルのあたりにはおびただしい人が、祝辞や演説を聞き漏らすまいとし、また、それに答えて将軍の言う辞を、一つでも耳につかまえようとして、つめかけていた。それに特志の連中は護衛兵の役目をしていて、群衆の中に特別静かな人がいると誰でも構わずその銃剣でもって容赦なく突いてまわっておった。そのためにアーネストは、元来でしゃばらない性質のものであったので、後ろの方へつきのけられてしまい、そこからは、とても老ブラッド・アンド・サンダーの顔を眺めることはできなかった。今もなおその顔の持ち主が戦場で烈火のごとく戦っているも同然であった。気休めに、彼は人面の大岩の方へ向いた。すると岩は、忠実な、長い年月の親友のように、彼を見返して、森の見通しの間から彼に微笑みかけてくれたのであった。しかしその間中、彼はさまざまの人が、この英雄の目鼻立ちを、向こうの山腹にある顔立ちと比べてなにかしゃべっているのを漏れ聞くことができたのであった。「髪の毛一本違わない同じ顔だ。」一人の男が喜んではねまわっていた。

「不思議に似たもんだ。事実だ。」ほかのものが一人答えていた。

「似てる。いや、おれの考えでは、あれはでかばちもない大きな鏡に写した、老ブラッド・アンド・サンダー自身だよ。」と第三の男が叫んだ、「当たり前じゃないか。疑いもなく明らかに彼は当世の、いやいかなる世においても、最大偉人なんだ。」

すると今話していた三人がみんな一時に大きな叫び声をあげた。それは電気のように群衆に伝わって、千百の声のどよめきを呼び出した。それは山々の間、数里にわたってなり響き、まるであの人面の大岩がその雷のような音声をその叫びに加えたのかと思われるほどになったのであった。こうした一切の噂話、それからこの広範な熱意、それらはますますいっそう我々の友アーネストに興味を起こさせた。今や本当に、山腹の顔かたちはその瓜二つの顔を人間において見出したのかしらと、それを疑ってみることも、彼は考えなかったのである。もとからアーネストは、この長い間求められていた人物は、平和の人で、知恵ある言葉を口にし、善をなし、人々を幸福ならしめるといった人格として現れるものと想像してはいた。しかし、彼は彼の単純さをもって、いつも広い見地に立って、神慮は人類を祝福するに独特の方法を選ぶ、軍人と血なまぐさい刀とによってさえ如上の目的を達成するに至るものか知れない、もし測り知られぬ神の恵智が事柄をそのようにしつらえる決心をせらるるならば、と主張もしていたのである。

「将軍だ。将軍だ。」と急に叫びが聞こえてきた、「しっ。黙れ。老ブラッド・アンド・サンダーが演説をはじめる。」

全くそのとおりであった。食事が終わって、将軍のための乾盃が大喝采の叫びの中にすんだので、彼は今や立ち上がって会衆に感謝の辞を述べようとするところであった。アーネストは彼を見た。彼はいた。群衆の肩より高く、二つの輝ける肩章と刺繍のある襟から上が、月桂樹をからめた緑葉のアーチの下、国旗が彼の額をおおうごとく垂れているところに、彼は現れたのであった。そしてまた、同じ一望の中に、森の見通しを通して、あの人面の大岩も現れていたのであった。そして実際、群衆が受け合っていたような酷似があったのであろうか。ああアーネストはそれを認めることができなかったのであった。彼は戦に老い風雨にさらされた顔を見た。それは、精力に満ち、鉄石の心をよく表しておった。しかしおだやかな知恵、深い広い優しい同情は、老ブラッド・アンド・サンダーの顔かたちには全く欠けておった。そしてあの人面の大岩なら、よしんば彼のような峻厳な命令の相を見せたとしても、もっと優しみのある性格がそれを和らげたに相違ないのであった。

「これは予言の人物ではない、」アーネストは群衆の中から出ながら、ひとり溜め息をはいた。「して世間はもっとさきまで待っていなければならないのか。」

霧が遠くの山腹に集まった。そしてあの人面の大岩の、偉大にして畏敬すべき顔かたちが見えておった。畏敬すべく、また慈しみのある顔で、あたかも一人の大天使があの山中に坐って、金紫の色の雲の衣を身にまとうているところと思わせる様子であった。それを眺めると、アーネストは、その全顔面に、唇は動かさないけれども、微笑がなおも輝きわたる光をもって満ちていると信ぜざるを得なかった。それはおそらく西日のせいで、彼と彼の眺めていた大岩との間に薄くかかってたなびいていた水蒸気の中に日光が溶け込んだからであったろう。しかし——いつものように——彼の不思議な友の顔色がアーネストに希望を失わせなかった。今まで一度でも希望をもっていてその甲斐がなかったことはないといった気持ちをさせた。

「気づかうな、アーネスト、」と彼の胸が言った。まるであの大きな顔が彼にささやいているようであった。「気づかうな、アーネスト。その人は来る。」

それからまた何年か速やかにそして静かに過ぎ去っていった。アーネストはやはり生まれ故郷の谷に住まっていた。そして今は中年の男であった。格別気につかないほどの程度でだんだんと彼も人々の間に知られてきておった。今も、昔とちっとも変わらず、彼は己のパンのために働いておった。そして今までのいつもと相変わらず同じ単純な心の男なのであった。しかし彼はその間にずいぶんいろいろのことを考えまた感じてきた。彼の生涯の最も良い時間をずいぶんたくさん、何か人類のために偉大なる善をしようとする世間的でない希望のために費やしてきた。そのためになんだか彼は天使と話をしていて、自分には気がつかずに天使の慧智(けいち)の一部分を吸い込んで持っているように人から見られるに至ったのであった。それは彼の日々の生活の、静かな思慮ある徳行に現れていた。その静かな徳の流れは、その川筋に沿って広い緑の河原をこしらえていたのである。なるほど賤(いや)しい身分の男ではあっても、この男が生きているために、世の中がいっそうよくならないという日は一日としてなかった。彼は決して自分の歩いている道のわきへ足を踏み出すということはなかった。それでいて常に隣人に近づいていに、彼はまた説教師でもあった。彼の清らかな高い単純な考えは、その表明の道の一つとして、音もなく彼の手から落ちる善行の形をとっていた、また言葉となっても流れ出でたのであった。彼の口にする真実の言葉は、それを耳にした人々の生活に影響を与えこれを矯正した。彼の言葉を聞くものは、彼らの隣人であり親しい友人であるアーネストが、普通以上の人であるとはおそらく思わなかったのであろう。ことにアーネスト自身が普通以上だとはちっとも思っていなかった。しかし、小川のさざめきのように、避け難い勢いをもって、考えが、彼の口から出てきた。それは他のいかなる人間の唇からも言われたことのないものであった。

人々の心が少したって冷静になってきた時、彼らは、例の将軍ブラッド・アンド・サンダーの獰猛(どうもう)な顔つきと山腹の慈悲深い顔かたちとの間に似ているものがあると想像するのは誤りであることを進んで認めるに至った。しかるに今度、また、噂が高まり、新聞紙上に数欄を費やして、人面の大岩に似た顔が、ある有名な政治家の広い肩の上に確かに現れたというものが出てきたのであった。彼も、ギャザゴールド氏や老ブラッド・アンド・サンダーと同じに、この盆地の生まれの人であったが、幼い頃に谷を出て、法律と政治の職にたずさわっていたのである。金持ちは富をもち、軍人は剣をもっているに引きかえ、彼はただ一枚の舌しかもっていなかった。そしてそれは前の両者よりも力の強いものであった。彼の雄弁なことは驚くばかりで、一度彼が口を開いて何か言うと、なんでもあれ、聞き手はそれを信じてしまうというありさまであった。不正は正と見えた。正は不正と見えた。なんとなれば、彼は思うがままに、彼の息一つをもって一種の光り輝く霧を作り、それをもって自然の光を暗くすることができたのである。実際彼の舌は魔術の道具であった。それはある時には雷のごとくにとどろいた。ある時には最も心地よい音楽のように歌いさえずった。それは戦争の疾風であった——平和の歌であった。そしてその弁舌には、実際は何もないのに、なんだか心があるように思われた。事実間違いのないところ、彼は不思議な人であった。そして彼の舌が我々の想像し得るあらゆる成功を彼にもたらした時——それが各州の政府に聞かれ、王侯元老の宮廷に聞かれるに至った時——そのおかげで、津々浦々までも響き渡る声のごとくにさえ、全世界に彼の名が知れてきた後——彼の舌はついにその国人を説きつけて、大統領の候補に彼を選ばせるに至ったのであった。その時に先立って、——実際彼が有名になりはじめるや否や、——彼を崇拝する人たちは、彼と人面の大岩との間に類似のあることを見つけていたのであった。彼らはそのことにひどく感動したので、そのため、この著名な紳士は、国中どこへいっても老ストーニー・フィズ（「石顔」という意味の名）という名で知られておった。このあだ名は、彼の政治的前途に非常に好都合な事情を与えるものと考えられていた。というのは、ローマ法王職につくものの場合におけると同様、誰でも大統領になるものはあだ名をつけられるというのが例であったからである。

友人たちが全力を尽くして彼を大統領にしようとしている間に、世にいわゆる老ストーニー・フィズは、その生まれ故郷の谷への訪問に出立したのであった。もちろん彼はそこに住んでいる友人たちと会って久闊（きゅうかつ）を叙することのほかに何の目的もなかった。だから彼がその地方を旅行することが、その選挙にどんな影響を与えるかなどは、考えもしなければ気にもかけていなかったのであった。この著名な政治家を迎えるためにすばらしい準備がなされた。乗馬の人々の騎馬行列は、州の境界線で彼を待ち受けるために出発した。そしてすべての人々は業を休んで、道ばたに集まって彼が通り過ぎるのを見ようとした。その人々の中にアーネストがいた。我々の知っているように、彼は一度ならず失望したのであったけれども、彼は希望を捨てないで物に信頼する性質をもっていたから、美しいとか善いとか思われるものは、いつでもなんでもすぐ信じてしまうのである。彼はその胸を絶えず開いておった。だから、高きところより下る祝福は、その下るや必ず受けていたのであった。そこで今度もまた、いつものように快活に人面の大岩の似顔を見に出かけた。

騎馬行列は威勢よく道を進んできた。すさまじく蹄（ひづめ）を鳴らして、おそろしい土けむりを立てて、その土けむりが濃く舞いあがったために、アーネストの目にはあの山腹の顔が全く隠されて見えないほどであった。近隣の偉い人たちはみな馬にまたがっておった。在郷軍人の将校は制服を着ていた。国会議員がいた。郡長がいた。新聞記者がいく人かいた。それから大百姓も大勢、一張羅の洋服を着こんで、おとなしい自分の持ち馬に乗っていた。それは実際すこぶるめざましい観物であった。ことに騎馬行列の上には数限りない旗が翻っていて、そのあるものには、あの著名な政治家と人面の大岩との華麗な姿が描いてあって、二つの顔は二人の兄弟のように互いに親しく微笑みあっているのであった。この絵が信頼に足るものならば、二人の似ていることは、なんといっても確かに、驚くべきものであった。それから楽隊がついていたことを忘れてはならない。楽隊はそのたくましい凱歌（がいか）の曲をもって、山々のこだまを鳴りとどろかせていたのであった。そのために、霊妙な、魂を震わせるような旋律は、あらゆる高所凹所に起こって、あたかも彼の生まれ故郷の盆地のあらゆる隅々までが、この有名な客を歓迎するために声音をあげているようであった。しかし最も壮大な趣は、遠くにある山の断崖が、その楽音をこだまに返した時であった。すなわちその時、あの人面の大岩までが、この凱歌の合唱に声を和して、ついに予言の人物が来たことを認めるかのようであったのである。

この間中、人々は彼らの帽子を投げあげ、声をあげて叫んでいた。その熱心さはたちまち心から心へ伝わって、アーネストの胸は燃えあがり、彼もまた同じように彼の帽子を投げあげ、できるだけ大声をあげて「大政治家万歳、老ストーニー・フィズ万歳」と叫んだのであった。しかし彼はまだその人を見ていなかった。

「さあ、来たぞ、」アーネストの近くに立っていた人々が叫んだ、「それ、それ。老ストーニー・フィズを見ろ、それから山の老人の顔を見ろ。まるで双子の兄弟ほど似てるじゃないか。」

この威勢のよい行列のまん中どころに、無蓋の四輪馬車があって、四頭の白馬にひかれてきた。そしてその四輪車の中には、その大きな頭に帽子をかぶらないで、著名な政治家、老ストーニー・フィズその人が坐っていたのである。

「どんなもんだい、」アーネストの隣人の一人が彼に言った、「人面の大岩はとうとう相手に出会したよ。」

さて、実際偽りのないところ、四輪車の中から会釈し微笑をしているところの顔つきを最初一瞥した時、アーネストは、その顔とそれから山腹にある古なじみの顔との間に似たところがあるように思ったのであった。額は生え際がむけ上がっていて、広く、その他の目鼻立ちも実際、大胆に力強くきざまれ、あたかも、雄渾と言うも及ばざる、巨神タイタンのごとき典型と相競って作られたかのようであった。しかし、あの山腹の顔を輝かし、その重い花崗岩の塊を、精神的なものに霊化しているところの、あの荘厳、威風、神のごとき同情の偉大なる表象、などはいくら求め探しても駄目であった。何物かが元来はじめから欠けているのであった。あるいは、無くなっているのであった。それゆえに、驚くべき天賦をもっているこの政治家も、その眼の深いくぼみの中に、困憊した憂鬱さを常にもっていた。自分の玩具に興じる年頃を過ぎた子供のそれのように、または強大な才能をもちながら、貧少な志望しかもっていない人の一生が、為すところの優秀なるにもかかわらず、高尚な目的によってそれを豊富にしなかったため、蒙昧として空虚なるがごときであった。

なおもアーネストの隣人は、彼の脇を肘でつっついて、返答を迫っていた。

「どうだ、どうだ。この人こそ君の好きな山腹の老人そのままの絵じゃないか。」

「いや、」アーネストはぶっきらぼうに言った。「おれには似てるところなんかほとんど全く見当たらないよ。」

「それじゃ、それだけ人面の大岩のためにお気の毒さまさね、」と隣人は答えた。そしてまた老ストーニー・フィズのために歓声をあげた。

しかしアーネストは、顔をそむけた。気が沈んで、ほとんど落胆してしまった。というのも、これが彼のもろもろの失望のうち最も悲しいものであったからである。予言を完成していそうな人でありながら、そうする意志のなかった人を彼は見たのであった。一方、騎馬行列や、旗や、音楽や、四輪馬車は、後ろに騒々しい群衆を従えて彼の傍を走りぬけていた。土けむりが残されてそれが落ちつくと、人面の大岩は、数知れぬ世紀の間見せていた、あの雄偉な顔をまた現したのであった。

「見よ、わしはここにいるぞ、アーネスト、」慈悲深い唇が言うように思われた、「わしは、お前よりももっと長い間待ってきた。それでもわしはいまだくたびれないのだぞ。気づかうな。その人は来る。」

年月はあわてて過ぎていった。あまりに急いで、かかとをふんづけ合うありさまであった。そして、いまや年月は白い髪の毛をもってきて、それをアーネストの頭の上にふりまきはじめた。彼の額に上品な皺をいくつかつけた。頬にはひだをつけた。彼は老人であった。しかし無駄に年をとってはいなかった。彼の頭の白髪の毛の数以上に、彼の心の中にはきよらかな考えがたくさんかくされていた。彼の皺やひだは「時」の刻みつけた文字で、その文字をもって彼は一つの人生の経路に試された慧智の伝を書いたわけであった。そしてアーネストはもう世に知られぬなどということはなかった。多くの人が求めるところの名声が、求めざるに、また願わざるに彼のところへやってきて、彼の名は彼がかくも静かに住まっていた谷の境界を越えて、広い世界に知れわたった。大学教授たちや、都市に住む活動的な人々までが、遠くからやってきて、アーネストに会って話をした。というのも、この単純な農夫は、他の人々とは違った考えをもっていて、それは本から得たものではなく、もっと高い調べをもっている——まるで彼は天使たちを日常の友として話し合っていたかのように、平静な親密な荘重さをもっているという評判がひろまっていたからであった。相手が賢人君子であろうが、政治家であろうが、博愛家であろうが、アーネストはいかなる訪問者に対しても、子供の時から彼の特徴であった優しい真心をもって迎えて、その人たちと、なんでも、つい心の表に浮かんだこと、または彼の心または訪問者たちの心の奥底に深く横たわっていることについて、自由に話したのであった。話し合っているうちに、彼の顔はわれ知らず燃え輝いてきて、訪問者たちを、おだやかな夕日の光のように照らすのであった。そうした談話を胸いっぱいに聞いて考えにふけりながら、彼の客人たちは別れを告げて帰っていった。そして、谷を上ってゆきながら、例の人面の大岩を立ち止まって眺めた。この顔に似た人の顔を見たような気がするけれども、どこで見たのか思い出すことができなかったのであった。

アーネストがだんだんと大人になりまた老人になっている間に、美しい神慮はこの地上に新しい詩人を下し与えたのであった。この人もまた同じようにこの谷の生まれであった。が彼は、その一生の大部分を、この浪漫的な地方から遠く離れたところで過ごし、その甘美な音楽を、都会の雑踏喧噪の巷に吐露していたのであった。しかし、彼が少年時代に親しんだ山々は、その雪白の峰を、しばしば彼の詩歌の澄明な空気の中に、もたげるのであった。かの人面の大岩とても決して忘れられはしなかった。詩人は、それを一つの頌詩の中で称揚したのであったが、その頌詩がまたこの大岩のあの荘厳な唇によってうたわれたかのように荘重をきわめたものであった。この天才人は、おそらく、不思議な才能をもって天から降ってきたのでもあったろう。彼が山のことをうたえば、全人類の眼は自ら山の胸に憩い、またはその山頂に登る心持ちで、その雄大な趣を、今まで目に見えていた以上に雄大に眺めるのであった。もし彼が美しい湖のことをうたえば、天上界の微笑は湖面に投げ拡げられて、永久にそこに輝くに至るのであった。また広々と年老いた海をうたえば、その恐ろしい大海の深く広いふところが、詩歌の感動に動かされたかのように、常より高く波うちうねるのであった。そのようにして、世界はこの詩人がその浄福の眼をもって幸した時以来、今までとは別のいっそう良い状態に変わっていったのであった。造物主はその工作の最後の最良の仕上げとして彼を与えておいたのである。万物創造は、この詩人が生まれてきて、それを解釈し、それを完全にするまでは、終わったのではなかったのであった。

人間同胞が彼の詩の題目であった時とても、その効果は、それらに劣らず高く美しいものであった。この世の俗塵にまみれた男でも女でも、日常、彼と途で行き会ったりしたもの、または、その道で遊んでいた子供なども、彼がその詩的信仰の心持ちで眺めるや、栄光を与えられて輝いたのである。彼らと天使の族とが縁を結ぶ大鎖の黄金の連鎖を彼は示したのであった。彼は彼らが隠れた素性として天国の血筋を引いており、そういう親族をもつ価値があることを、外に出して見せたのであった。もっとも中には、自分の批判力の健全さを示そうとして、自然界の美とか威厳とかいったって、みなこの詩人が想像したものに過ぎないのだと確言するものもあった。そんなやつには、勝手な熱を吹かせておけばよい。やつらは、疑いもなく、自然の女神が苦々しい軽蔑をもって生み落とした連中なのだ。女神が豚族を全部作ったのちに、残り屑を集めて、でっちあげたものであるらしいのだ。その他、すべてのことについて、この詩人の理想は真中の真をうたうというにあった。

この詩人の詩歌はアーネストの手にもはいるようになった。彼はその詩歌をば、いつもの労働のすんだ後、彼の田舎家の扉口の前の腰かけに坐って読んだ。この場所は、ずいぶん長い間、彼があの人面の大岩を眺めて休息しながら考えにふけるところであったのである。そして今、彼の身内の魂をふるえ揺るがす力のあるその詩節を読むや、彼は目をあげてあの大きな顔を眺めたのであった。それはいかにも慈悲深く彼の上に笑みを送っていた。

「おお荘厳な友よ、」彼は人面の大岩に向かって呼びかけてつぶやいた、「この詩人こそ、あなたに似る価値のある人ではありますまいか。」

岩の顔は微笑むように思われた。しかし一言も返事はしなかった。

さて、偶然にもこの詩人は、遠く離れて住んではいても、アーネストのことを聞き知っているばかりか、その性格についてまでも深く考えることがあったので、やがてこの、教えられざる慧智が高雅な単純な生活と歩調を一にしている男に是非会わなければいられないという気になった。そこである夏のこと、彼は汽車に乗っていって、夕方日の傾く頃にアーネストの田舎家からほど遠からぬところで下車したのであった。その昔ギャザゴールド氏の宮殿であった大ホテルはすぐ近くにあった。しかし詩人は手提げ鞄(かばん)をかかえてすぐにアーネストの住んでいるところをたずねて、そこで彼の客人にしてもらおうと心に決めたのであった。

扉口に近づくと、彼はそこに、そのよき老人がいるのを発見した。手に一冊の本を持っていて、それを読むと指をページの間にはさんでは、いかにも慈しみをもって人面の大岩を眺め、また読んでは眺めしておった。

「今晩は、」と詩人は言った、「旅の者ですが、一晩泊めてはいただけないでしょうか。」

「ようがすとも、」とアーネストは答えた。そして微笑みながら付け加えた、「人面の大岩が今日のように見知らぬ人に対して親切な顔をしていることはないように思いますよ。」

詩人は彼と並んで腰掛けに坐りこんだ。そして二人は互いに話をした。詩人はしばしば、世間で最も頓才のある人とか、思慮のある人とか、いうのと話し合ったことがあった。しかしアーネストのような人と会談したことは今までになかった。この男の思想や感情は、非常に自然に自由にほとばしり出でた。そしてこの男は世の中の大真理をば、その単純な言葉づかいによって非常に親しいものに言い表した。よく噂をされていたとおり、天使たちが彼とともに野で働く時いっしょに仕事をしたのではないかと思われた。天使たちが彼とともに炉辺に坐っていたのではないかと思われた。そして天使たちと、友だちが友だちとともに暮らすように暮らしてきて、天使たちの崇高な考えを吸い取ってしまい、それに、卑近な言葉の甘美な卑俗な魅力を浸みこませているのだと思われた。そのように詩人は考えた。それから一方アーネストの方でも、詩人が投げ出した潑剌たる心の花が、この田舎家の扉口のあたりの空気を派手やかに瞑想的な美しい幻をもって満たしたのにその心を動かされゆすぶられたのであった。この二人の男の同感しあった結果は、彼らがめいめいでは考え及ばないほどの深い考えを二人に教えたのである。彼らの心は一つの調べに鳴りあって、喜ばしい音楽を奏でた。その音楽は彼らのどちらも、全部がわがものであるとは言われず、また自分のはどの部分であるとも区別し得られないようなものであった。彼らはいわばお互いに導き合って、彼らの思想の一つの高堂の中にはいっていったのであった。そこは今まであまりに遠く、あまりにほのかであったため、二人とも一度もはいったことがなく、また今はあまりに美しいところであるために、二人とも、いつもそこにいたいと思ったほどであった。

アーネストは詩人の言う言葉を聴いている時、人面の大岩もまた乗り出してきて、それに耳を傾けているように想像した。彼は熱心に詩人の燃える眼を見つめていたのである。

「あなたは一体どなたでしょう。不思議な心を授かっている方だ、」と彼は言った。

詩人はアーネストが読んでいた書物に指を置いた。

「あなたはこの詩をお読みでしたね、」彼は言った、「それなら私をご存じなのです――私の詩ですから。」

再び、以前よりはもっと熱心にアーネストは詩人の、眼鼻立ちをよく見た。それから人面の大岩の方へ向いた。それからまた、なんだか不安な面持ちで客人の方へふり返った。しかし彼の顔つきには失望の色が現れた。彼は頭を振って、溜め息をついた。

「どうしてあなたはお悲しみになるのですか、」と詩人が尋ねた。

「だって、」アーネストが答えた、「私は一生の間、ある予言が完成されるのを待っておりました。そしてこの詩を私が読んだ時、あなたがその予言を完成される方だと思いました。」

「あなたは、」詩人が答えた。ほのかに微笑みながら、「私が人面の大岩に似た顔をしていると思っていたのですね。それであなたは、以前ギャザゴールド氏や老ブラッド・アンド・サンダーや老ストーニー・フィズに失望されたように、失望させられたのでしょう。そうです。アーネストさん。それが私の運なのです。私の名を、その有名な三つの名に加えてください。そしてあなたの希望をまた一つ失わせたものとしてください。なぜならば——私はそう申すのがお恥ずかしいまた悲しいのですが——私に、あそこの、慈悲深い荘厳な姿になれる価値は、ないのです。」

「それはなぜです、」アーネストは訊ねた。彼は書物を指さして、——「ここに書いてある思想は神様の御心ではありませんか。」

「これらの詩には神様の御心を伝えるものはあります、」と詩人が答えた、「天国の歌のはるかな反響くらいは聞こえましょう。しかしアーネストさん。私の生活は私の思想と合致していなかったのでした。私は広大な夢をもっていました。しかしそれはただ夢でした。というのも私が——しかも私の好みから——貧しい卑しい現実の中で生活してきましたからです。時には——思い切って申し上げましょう。——私の作品が、自然の中でまた人生の中で、いっそう明らかにしたのだと言われている、雄大とか美とか善とかいうことに、私自身が信念を欠いていることさえあるのです。だから、あなたのように善と真とを純粋な心で求めていられる方が、その御目でごらんになって、あの神々しい大岩の顔に私が似ていることをお望みになっても、とてもそれは無駄なのです。」

詩人は悲しげに語った。そして彼の目は涙で曇っていた。アーネストの眼もまた同じように曇っていた。

夕日の傾く時間に、アーネストは、永い間彼がよくやってきた慣例で、近隣の人々の集まっている前で、野天の説教をするはずになっておった。彼と詩人とは、腕を組み合って、歩き、なおも語りつづけながら、その場所へ出ていった。そこは丘の間にある小さな山ふところで、後ろには灰色の断崖があり、そのいかめしい崖の表面には、心持ちよく葉のしげったたくさんの蔦葛(つたかずら)が生い茂り、それがあらゆる嵯峨(さが)たる岩角から花飾りのように垂れ下がって、裸の岩の面に、壁じゅうたんを掛けているので、そのけわしさが和らげられているのであった。崖の、地面から少し高まったところに、緑の葉がわくのように取り巻いている、一つのくぼみが見えていた。そこは人一人はいれて、しかも熱心な思想と純真な感情とに思わずともなって出る、手を振り足を踏む姿態も自由にできるだけの広さがあるところであった。この自然の説教壇へアーネストは登っていった。そして親しみのある親切な顔つきを、まわりの聴衆の上に向けた。人々は立ったり坐ったり、または草の上に寝転んだり、めいめい勝手なことをしていた。沈みかかった夕日は斜めに彼らの上に落ちてきて、その派手やかな光を控えめに、古木の森の荘厳さと交えていた。枝葉にさえぎられてその中を漏れ、または下をくぐって射しこんでいたのである。他の方角には人面の大岩が見えていた。その慈しみ深い顔かたちに同じような陽気さと同じような荘厳さとを交えていたのであった。

　アーネストは語りはじめた。彼の心情の中にこもっているものを人々に与えはじめた。彼の言葉はその思想と一致していたゆえに、力をもっていた。そして彼の思想は、彼の日常の生活と調和していたゆえに、現実性と深みとをもっていた。この説教者のことばは、単なる息ではなかった。それは、生命の言葉であった。善良な行為と神聖な愛情との一生が、その中に溶けこんでいたからである。清浄にして豊麗な真珠が、この貴重な心の薬の中に溶解されていたのであった。詩人はこれを聴きながら、アーネストの人物と性格とは、彼が今までに書いたより以上の高雅な詩歌の素質をもっているのだということを感じた。目を涙で輝かせながら彼は、尊び敬う心をもって、その白髪童顔の人を見た。そして心の中で、あの、まわりに白髪の円光をかぶった、おだやかな心地よく思慮深い顔こそ、他に類なく、予言者や聖人君子にふさわしいものであると思ったのであった。はるか彼方に離れて、しかも明瞭に、夕日の黄金の光を浴びて高く、人面の大岩が見えた。まわりに白い霧がかかっている様子は、アーネストの額のまわりに白髪があるのと似ていた。その広大な慈悲の面持ちは、全世界を抱いているように思われた。

　その瞬間に、アーネストの顔は、その時彼が口にしようとしていた考えに共感してか、雄大な表情を見せた。慈悲の心が満ちわたっていた。思わず詩人は、あらがいがたい力に誘われ、両腕を高くあげて、叫んだのであった。

「見たまえ、見たまえ。アーネストこそ人面の大岩の生き写しだ。」

　そこでみなの人々は仰ぎ見た。そして、この深遠な目をもった詩人の言ったことが誠であることを知ったのであった。予言は完成された。しかしアーネストは、自分の言うべきことを言い終わるや、再び詩人の腕をとって、ゆるやかな足取りで、家路についたのであった。彼よりもさらに思慮の深い善良な人がまもなく現れて、その人こそ、人面の大岩に本当に似ていることをなおも心に念じながら。

ナサニエル・ホーソーン（一八〇四―六四）

アメリカの作家。マサチューセッツ州セイラムに生まれる。二五年にボウディン大学を卒業。三七年第一短編集『トワイス・トールド・テイルズ』を刊行。四一年には超越主義者の共同体ブルック・ファームに参加するが、方向性の違いから離れる。ときに税関の仕事につきながら文筆活動を行ったが、退職して発表した、姦通（かんつう）の罪を背負わされた女ヘスター・プリンと彼女をめぐる人々を描いた『緋文字（ひもんじ）』（五〇）で注目を浴びる。ほかの代表作に長編『七破風の家』（五一）など。旅行中、プリマスで死去。当時のニューイングランドの清教徒的な倫理観を背景にした、象徴的な作風が特徴で、十九世紀アメリカを代表する作家のひとりと評価されている。本作「人面の大岩」（五〇）は明治に「巨人岩」として初訳（九二）されて以来、日本ではとりわけ親しまれてきた作品である。

【訳者】

福原麟太郎〔ふくはらりんたろう〕（一八九四―一九八一）

英文学者、随筆家。広島県生まれ。東京高等師範学校に学ぶ。学生時代より『英語青年』誌に執筆、後に編集にも参加する。英文学研究やその周辺の著作だけでなく、随筆も数多く執筆。東京教育大学教授、共立女子大学教授、中央大学教授など歴任。訳書にはシェイクスピア、トマス・グレイ、ロバート・ルイス・スティーヴンソンなどの作品がある。

⇩ 教科書掲載……（小学）

学校図書『小学校国語 六年下』61『小学校国語 六年下』65『小学校国語 六年下』68『小学校国語 六年下』71（収録タイトル：「いわおの顔」編集部翻訳再話）

（中学）

三省堂『中等国語 二上』50（福原麟太郎訳）『中等国語（改訂版）二下』52『中等国語（三訂版）二下』55『中等国語（四訂版）二下』57『中等国語 五訂版 二』60『中等国語 二』62（収録タイトル：「大きい石の顔」光吉夏弥訳）／学校図書『中等国語 二』51『中等文学 二下』52（福原麟太郎訳）／光村図書『中等新国語（文学）2下』52『中等新国語文学編 二下』55（収録タイトル：「大きな石の顔」吉田甲子太郎訳）／東陽出版『ことばの生活・文学の本 中学3学年』53（収録タイトル：「人面の岩」光吉夏弥訳）

最後の授業

アルザスの一少年の物語

アルフォンス・ドーデ
Alphonse Daudet

桜田佐 訳

その朝は学校へ行くのがたいへんおそくなったし、それにアメル先生が分詞法の質問をすると言われたのに、私はまるっきり覚えていなかったので、しかられるのが恐ろしかった。一時は、学校を休んで、どこでもいいから駆けまわろうかしら、とも考えた。

空はよく晴れて暖かかった！

森の端でつぐみが鳴いている。リペールの原っぱでは、木(こ)びき工場の後でプロシア兵が調練しているのが聞こえる。どれも分詞法の規則よりは心を引きつける。けれどやっと誘惑に打ち勝って、大急ぎで学校へ走って行った。

役場の前を通った時、金網を張った小さな掲示板の傍(そば)に、大勢の人が立ちどまっていた。二年前から、敗戦とか徴発とか司令部の命令とかいうようないやな知らせはみんなここからやってきたのだ。

私は歩きながら考えた。

『今度は何が起こったんだろう？』

そして、小走りに広場を横ぎろうとすると、そこで、内弟子といっしょに掲示を読んでいた鍛冶屋(かじや)

のワシュテルが、大声で私に言った。

「おい、坊主、そんなに急ぐなよ、どうせ学校には遅れっこないんだから！」

鍛冶屋のやつ、私をからかっているんだと思ったので、私は息をはずませてアメル先生の小さな庭の中へ入っていった。

ふだんは、授業の始まりは大騒ぎで、机を開けたり閉めたり、日課をよく覚えようと耳をふさいでみんないっしょに大声で繰り返したり、先生が大きな定規で机をたたいて、

「も少し静かに！」と叫ぶのが、往来まで聞こえていたものだった。

私は気づかれずに席に着くために、この騒ぎをあてにしていた。しかし、あいにくその日は、何もかもひっそりとして、まるで日曜の朝のようだった。友だちはめいめいの席に並んでいて、アメル先生が、恐ろしい鉄の定規を抱えて行ったり来たりしているのが開いた窓越しに見える。戸を開けて、この静まりかえったまっただなかへ入らなければならない。どんなに恥ずかしく、どんなに恐ろしく思ったことか！

ところが、大違い。アメル先生は怒らずに私を見て、ごく優しく、こう言った。

「早く席へ着いて、フランツ。君がいないでも始めるところだった。」

私は腰掛けをまたいで、すぐに私の席に着いた。ようやくその時になって、少し恐ろしさがおさまると、私は先生が、督学官の来る日か賞品授与式の日でなければ着ない、立派な、緑色のフロックコートを着て、細かくひだの付いた幅広のネクタイをつけ、刺しゅうをした黒い絹の縁なし帽をかぶっているのに気がついた。それに、教室全体に、何か異様なおごそかさがあった。いちばん驚かされたのは、教室の奥のふだんは空いている席に、村の人たちが、私たちのように黙って腰をおろして

いることだった。三角帽を持ったオゼールじいさん、元の村長、元の郵便配達夫、なお、その他、大勢の人たち。そして、この人たちはみんな悲しそうだった。オゼールじいさんは、縁のいたんだ古い初等読本を持ってきていて、ひざの上にひろげ、大きなめがねを、開いたページの上に置いていた。

私がこんなことにびっくりしている間に、アメル先生は教壇に上り、私を迎えたと同じ優しい重みのある声で、私たちに話した。

「みなさん、私が授業をするのはこれが最後(おしまい)です。アルザスとロレーヌの学校では、ドイツ語しか教えてはいけないという命令が、ベルリンから来ました……新しい先生が明日見えます。今日はフランス語の最後のおけいこです、どうかよく注意してください。」

この言葉は私の気を転倒させた。ああ、ひどい人たちだ。役場に掲示してあったのはこれだったのだ。

フランス語の最後の授業！……

それだのに私はやっと書けるくらい！ではもう習うことはできないのだろうか！このままでいなければならないのか！むだに過ごした時間、鳥の巣を捜しまわったり、ザール川で氷滑りをするために学校をずるけたことを、今となってはどんなにうらめしく思っただろう！さっきまであんなに邪魔で荷厄介に思われた本、文法書や聖書などが、今では別れることのつらい、昔なじみのように思われた。アメル先生にしても同様であった。じきに行ってしまう、もう会うこともあるまい、と考えると、罰を受けたことも、定規で打たれたことも、忘れてしまった。

きのどくな人！

彼はこの最後の授業のために晴れ着を着たのだ。そして、私はなぜこの村の老人たちが教室のすみに来てすわっていたかが今分かった。どうやらこの学校にあまりたびたび来なかったことを悔やんでいるらしい。また、それは先生に対して、四十年間よく尽くしてくれたことを感謝し、去り行く祖国に対して敬意を表するためでもあった……

こうして私が感慨にふけっている時、私の名まえが呼ばれた。私の暗しょうの番だった。このむずかしい分詞法の規則を大きな声ではっきりと、一つも間違えずに、すっかり言うことができるなら、どんなことでもしただろう。しかし最初からまごついてしまって、立ったまま、悲しい気持ちで、頭もあげられず、腰掛けの間で身体(からだ)をゆすぶっていた。アメル先生の言葉が聞こえた。

「フランツ、私は君をしかりません。充分罰せられたはずです……そんなふうにね。私たちは毎日考えます。なーに、暇は充分ある、明日勉強しようって。そしてそのあげくどうなったかお分かりでしょう……ああ！　いつも勉強を翌日に延ばすのがアルザスの大きな不幸でした。今あのドイツ人たちにこう言われても仕方がありません。どうしたんだ、君たちはフランス人だと言いはっていた。それなのに自分の言葉を話すことも書くこともできないのか！……この点で、フランツ、君がいちばん悪いというわけではない。私たちはみんな大いに非難されなければならないのです。」

「君たちの両親は、君たちが教育を受けることをあまり望まなかった。わずかの金でもよけい得るように、畑や紡績工場に働きに出すほうを望んだ。私自身にしたところで、何か非難されることはないだろうか？　勉強をするかわりに、君たちに、たびたび花園に水をやらせはしなかったか？　私があゆを釣りに行きたかった時、君たちに休みを与えることをちゅうちょしたろうか？……」

それから、アメル先生は、フランス語について、つぎからつぎへと話を始めた。フランス語は世界じゅうでいちばん美しい、いちばんはっきりした、いちばん力強い言葉であることや、ある民族がどれいとなっても、その国語を保っているかぎりは、そのろう獄のかぎを握っているようなものだから、私たちのあいだでフランス語をよく守って、決して忘れてはならないことを話した。それから先生は文法の本を取り上げて、今日のけいこのところを読んだ。あまりよく分かるのでびっくりした。先生が言ったことは私には非常にやさしく思われた。私がこれほどよく聞いたことは一度だってなかったし、先生がこれほど辛抱強く説明したこともなかったと思う。行ってしまう前に、きのどくな先生は、知っているだけのことをすっかり教えて、一どきに私たちの頭の中に入れようとしている、とも思われた。

日課が終わると、習字に移った。この日のために、アメル先生は新しいお手本を用意しておかれた。それには、みごとな丸い書体で、「フランス、アルザス、フランス、アルザス。」と書いてあった。小さな旗が、机のくぎにかかって、教室じゅうにひるがえっているようだった。みんなどんなに一生懸命だったろう！　それになんという静けさ！　ただ紙の上をペンのきしるのが聞こえるばかりだ。途中で一度こがね虫が入ってきたが、だれも気を取られない。小さな子どもまでが、一心に棒を引いていた。まるでそれもフランス語であるかのように、まじめに、心をこめて……学校の屋根の上では、はとが静かに鳴いていた。私はその声を聞いて、

『今にはとまでドイツ語で鳴かなければならないのじゃないかしら？』と思った。

ときどきページから目をあげると、アメル先生が教壇にじっとすわって、周囲のものを見つめている。まるで小さな校舎を全部目の中に納めようとしているようだ……無理もない！　四十年来この同じ場所に、庭を前にして、少しも変わらない彼の教室にいたのだった。ただ、腰掛けと机が、使われているあいだに、こすられ、みがかれただけだ。庭のくるみの木が大きくなり、彼の手植えのウブロ

ンが、今は窓の葉飾りになって、屋根まで伸びている。かわいそうに、こういうすべての物と別れるということは、彼にとってはどんなに悲しいことであったろう。そして、荷造りをしている妹が二階を往き来する足音を聞くのは、どんなに苦しかったろう！　明日は出かけなくてはならないのだ、永遠にこの土地を去らなければならないのだ。

それでも彼は勇を鼓して、最後まで授業を続けた。習字の次は歴史の勉強だった。それから、小さな生徒たちがみんないっしょにバブビボビュを歌った。うしろの、教室の奥では、オゼール老人がめがねを掛け、初等読本を両手で持って、彼らといっしょに文字を拾い読みしていた。彼も一生懸命なのが分かった。彼の声は感激に震えていた。それを聞くとあまりこっけいで痛ましくて、私たちはみんな、笑いたくなり、泣きたくもなった。ほんとうに、この最後の授業のことは忘れられない……

とつぜん教会の時計が十二時を打ち、続いてアンジェリュスの鐘が鳴った。と同時に、調練から帰るプロシア兵のラッパが私たちのいる窓の下で鳴り響いた……アメル先生は青い顔をして教壇に立ちあがった。これほど先生が大きく見えたことはなかった。

「みなさん、」と彼は言った。「みなさん、私は……私は……」

しかし何かが彼の息を詰まらせた。彼は言葉を終えることができなかった。

そこで彼は黒板の方へ向きなおると、白墨を一つ手にとって、ありったけの力でしっかりと、できるだけ大きな字で書いた。

「フランスばんざい！」

そうして、頭を壁に押し当てたまま、そこを動かなかった。そして、手で合図をした。

「もうおしまいだ……お帰り。」

アルフォンス・ドーデ（一八四〇―九七）

フランスの作家。南仏ニームで生まれ、リヨンの官立中学で学んだが家が没落して中退、アレーでの代用教員を経て兄とパリに住み文筆修業の日々を送った。南仏を舞台とする短編集『風車小屋だより』（六九）が出世作となる。人間に対する透徹し同時に同情にあふれた観察と詩情に満ちた自然描出が特徴で、普仏戦争及びパリ・コミューンの見聞に基づく短編集『月曜物語』（七三）の第一部「幻想と物語」に本書収録作「最後の授業」（七二）が収められた。息子のレオン・ドーデは批評家となり、『アクション・フランセーズ』を発刊して反共和主義の立場をとったことで有名。ドーデは日本では森鷗外（おうがい）・夏目漱石（そうせき）がいちはやく読んでその短編作家としての技巧を評価し、明治期の後半から翻訳紹介が進められた。

【訳者】

桜田佐〔さくらだたすく〕（一九〇一―六〇）

フランス文学者・児童文学者。東京帝国大学仏文科を卒業し、東京高校教授となる。文部省在外研究員としてパリ大学に留学、帰国後にドーデの短編集『風車小屋だより』（三二）、『月曜物語』（四九）、『アルルの女』（五〇）を翻訳刊行した。戦後、法政大学教授をつとめるとともに、児童文学の翻訳を行った。

⇩教科書掲載………（小学）

教育出版『新版国語6年下』77／日本書籍『小学国語6年下』80『小学国語6年下』83（桜田佐訳）／二葉

『新編国語の本6年2』56『国語五年上』59『国語五年下』61／教育出版『標準小学国語5年上』『国語五年下』62『新訂標準国語5年上』68（坪田譲治訳）／学校図書『わたしたちの国語五年上』61『小学校国語五年上』65（鈴木三重吉訳）『小学校国語六年上』71『小学校国語六年上』77『小学校国語六年下』80『小学校国語六年下』83（松田穣訳）／光村図書『小学新国語六年上』74『小学校国語六年下』71『小学新国語六年下』74『小学新国語六年下』77『国語六下希望』80『国語六下希望』83（神宮輝男訳）／大阪書籍『改訂小学国語5年下』57『小学国語5年下』61『小学国語五年下』65／中教出版『小学国語6年2』61／大日本図書『国語6年2』61『小学校国語6年2』65

（中学）

光村図書『中等新国語（文学）2上』52『中等新国語（文学）2上』55『中等新国語総合編三上』55『中等新国語総合編（改訂版）三上』56『中等新国語（新版）一』59／教育出版『中学国語　三の下』53『改定版総合中学国語　三の下』56『総合中学国語　三訂版3下』58『標準中学国語2年』62／二葉『新国語総合中学一年下』53／実教出版『模範中学国語三上』54『模範中学国語三上　改訂版』56／愛育社『中学の国語三上』55／大修館書店『改訂新中学国語二上』55『新中学国語二』62／大日本図書『私たちの国語二』62／教育図書研究会『新中学国語二』62／日本書院『国語一中学校』62／三省堂『中等国語　新訂版二』66／筑摩書房『国語中学校用三』62『国語二中学校用』66『新版国語2中学校用』69（桜田佐訳）／学校図書『中等言語三』53『中等言語三』53（松村武雄訳）

解説

五〇年代——世界への窓

ラビンドラナート・タゴールは「チャンパの花」をはじめとした詩作品が、魯迅と並んで非西洋圏の「世界文学」の代表として教科書に採用されてきました。日本では耳慣れない花を題名にしたこの詩は、インドへのエキゾチシズムをかきたてるという効果もあったのでしょう。訳者の山室静は、自身旧制中学時代に国語の副読本でタゴール「チャンパの花」と「紙の船」を読んだことで、詩人に関心を持つようになったというエピソードがあります（背景には当時、タゴールの来日によってブームが起きていたという事情がありました）。山室は訳者としてだけでなく、「世界文学」の代表的な紹介者として、外国文学を論じた評論などが五〇年代の教科書にはしばしば採用されていました。なお、大修館書店『文学国語』（23）には、ひさびさにタゴールの詩「きみの呼びかけに」（内山眞理子訳）が採用されました。

　魯迅は現在、中学の全社で「故郷」と、高校の一部で「藤野先生」が定番教材として採録されている状況ですが、並列してさまざまな作品が教材として試されてきました。「凧」「孔乙己」「風波」「非攻」などですが、「小さな出来事」もそのうちのひとつです。本作はその題名が示すとおり小品ですが、階層的断絶、貧困の問題が扱われ、それでもなお物語の最後に語り手の胸に「希望」が去来する点など「故郷」と共通点も多い作品です。「故郷」は三十年ぶりに知事として帰郷した私が、子供時代の遊び友達との関係性が一変していたことに気づく……という内容です。五二年に「故郷」が掲載されて以来、国語教科書に採録されてきた魯迅は、国語教育の中では「希望の文学」として読まれ、教えられてきました。その背景には社会主義国家・中華人民共和国に対する憧憬もあったのかもしれません。定番教材になった「故郷」も、教材史をひもとくと、内容について批判もむしろ多い作品なのですが、それでも「故郷」は使われつづけました。そして教科書に採用される魯迅の作品のほとんどが竹内好の翻訳でした。そして竹内の翻訳に対してもたびたび批判がされてきました。いずれにしても戦後、魯迅と竹内好の組み合わせが国語教科書では現代中国を代表するものだったのです。

ナサニエル・ホーソーン「人面の大岩」は、拝金主義者や軍国主義者、剛腕の政治家ではなく、たんたんと地方で生活を送ってきた一市民が予言の人物になるという筋書きで、そのあからさまな寓意性、教訓性から評価の分かれる作品です。しかし日本ではかえってそのわかりやすさが好まれて英語の教材などに使用され、戦後にあっては、生徒一人一人に民主主義の意識を喚起するうえで好適として国語教科書に採用されたのです（なお、英語教材として使われていた作品が、国語の教科書でも採用されるケースはままありました）。実際、当時の教科書のまえがきでは「私たちがほんとうの民主主義を作っていくためには、ひとりひとりの人間が、考え深いりっぱな人間であることが大切です」（東陽出版『ことばの生活 文学の本 中学三年』53）と書かれていました。本作は中学用教材としては長めでしたが、それも五〇年代の細部の読解よりも、文学作品の鑑賞を重視する教育思潮の中ではさほど問題にならず、当時の「学習の手引き」からは作者の「意図」やメッセージを汲みとり、それを通じて青少年の人格の陶冶が目指されていたことがうかがえます。なお本作は小学校でも採用されますが、その場合六年生の最後の単元に配置され、いわゆる「送り出し教材」として使われていました。「送り出し教材」は、教える側が強いメッセージをこめることができる教材とされ、「最後の授業」もそういった教材のひとつなのですが、「人面の大岩」の場合、こめられたメッセージとは、指導書によれば「人生の理想が人格と愛情にある」というものだったようです。

アルフォンス・ドーデ「最後の授業」は、戦前から国語教科書への採用の歴史がある作品です。戦後も五二年より採用されますが、その背景には、占領下でＧＨＱおよびその下部組織であるＣＩＥ（民間情報教育局）の厳しい監督下におかれ、国語教育の存続を危ぶんだ教科書編集側の日本語に対する意識があったと言うことができるかもしれません。実際、本作は普仏戦争後のアルザス地方を舞台にした、一種の「戦争教材」として読むこともできます。その後、本作は母語への意識を涵養する作品として、右派・左派両方から支持される定番教材になっていきます。しかし七五年にフランス語文学者蓮實重彦が、本作がフランス語を称揚する「神話」のためのプロパガンダ的作品であることや、ドイツ語に近いアルザス語話者に対するフランス語教育の加害性（これは大日本帝国統治下における皇民化政策とも重なります）を厳しく糾弾し、その感動は「贋物」であると断じました（『反=日本語論』筑摩書房）。長年教材を使いつづけていた国語教育界からの反発もあったものの、最終的に教科書から姿を消すことになりました。

（秋草）

教科書からの読書案内

教科書に載った長編小説

国語教科書には、短編小説だけでなく長編小説も抜粋の形で収められています。サマセット・モーム『月と六ペンス』は画家ストリックランドの一代記で、語り手「私」が再現していく彼の人生を通して、人は何のために生きるのかというテーマが正面から問われていきます。読者は末尾で、ストリックランドが遺した一つの絵画に立ち会うことになるのですが、一人の人間が全人生とひきかえに創り上げたその鮮烈なイメージを、是非ご自身の眼で確かめてもらえればと思います。

長編小説でよく取り上げられるテーマに戦争があります。戦争は人と人、国と国などの複雑な関係を体現するためです。レフ・トルストイ『戦争と平和』は戦争を題材とした代表的な長編小説ですが、この小説は実は大状況というよりも一人一人の人物の生によって織りなされています。戦争のさなか、アンドレイとロストフという青年がそれぞれ空を見上げる有名な場面がありますが、両者は倒れて空を見上げることで戦闘から引き離され、生きることの不思議さや美しさに心を向ける。多くのテーマを含んでおり、柔らかな感受性を持つ年代にこそ手にとってほしい長編です。アーネスト・ヘミングウェイ『武器よさらば』とロジェ・マルタン・デュ・ガール『チ

ボー家の人々』は、戦争を背景とする長編です。前者は男女間の愛情を、後者は青春期の内面的悩みを描いていますが、それらは戦争という限界状況と交差することでより鮮明に浮かび上がってくるものです。

子どもの見た世界

国語教科書には採録されやすいタイプの作品がありますが、子どもが中心的な役割をなしている小説がその一つです。キャサリン・マンスフィールド「人形の家」は、子ども同士の関係にも階級や差別が反映されることを描いた短編です。同作を含む『キャサリン・マンスフィールド傑作短篇集』は、人と人の間の機微を時に残酷なまでに浮き彫りにします。エドモンド・デ・アミーチス『クオーレ』は、テレビアニメ「母をたずねて三千里」の原作を含む連作短編集です。道徳的な教訓性を持つ話が多いこともあり、五〇〜六〇年代に小中学校の教科書に広く採用されました。自分のことを息子と思い込む男の看病をする少年を描く「おとうの看護人」、女の子に避難船の最後の席を譲る男の子を描く「遭難」など、子どものまっすぐな心を提示する作品は、現代社会を生きる私たちの心を洗い流してくれるように感じます。

心を洗うようなという点では、ムーミン・シリーズで著名なトーベ・ヤンソンの短編集『少女ソフィアの夏』も子どもを描いた佳篇です。孤島の自然を背景に、母を失った少女ソフィアと祖母とのさばさばしているけれども温かい関係が描き出されます。教科書にはその中の短編「猫」が採られていました。同じく子どもを描く作品でも、ガブリエル・ガルシア＝マルケス「光は水のよう」は悲劇で終わります。九歳のトトーと七歳のジョエルの兄弟の無邪気なおねだりが、悲しくも美しい結末を招き寄せるのです。同作を含む『ガルシア＝マルケス中短篇傑作選』は、日常から不思議が湧き出てくる魅力的な話を収めていますが、この作品が好きな方は呉明益（ウミンイ）「歩道橋の魔術師」を収めた短編集『歩道橋の魔術師』をどうぞ。台北の商業施設を舞台に少年少女を描くこの作品は、ガルシア＝マルケスの影響下に書かれました。

アゴタ・クリストフ「家」は、住み慣れた家を離れた男が家へのこだわりを捨てられず、もとの家とよく似た家を作らせたり、過去の家を訪ねたりする不思議な話です。ここでも家に住んでいた少年の視点が効果的に使われます。同作を含む『どちらでもいい』の収録作は、故郷を離れた土地で生きざるを得なかった作家の切実な経験が投影されています。

家族と向き合うこと、人と向き合うこと

「家」は建物への執着の話ですが、家族との関わりや友達同士の友情を描く作品も教科書に多く収録されます。劇作家テネシー・ウィリアムズの小説「ガラスの少女像」(『呪い』)は、変わり者の姉を弟の視点から描いた物語です。周囲の発言を文字通りに解釈してずれた反応をしてしまう姉は、長い間家の中に引きこもった生活をしています。そんな姉に弟は職場の男性を紹介しますが、男性の巧みな会話で心を開きかけた姉に、残酷な事実が突きつけられます。アルトゥル・シュニッツラー「盲目のジェロニモとその兄」は、遊びで弟を失明させた兄が、弟と支え合いながら生きていく物語です。二人は弟の歌で金を稼ぐ放浪生活を送りますが、ある旅人が弟に嘘を囁いたことで、兄弟の間に亀裂が走ります。懸命に誤解を解こうとする兄ですが、弟は猜疑(さいぎ)の中につきおとされる。シュニッツラーは人間の心という眼に見えないものを掘り下げていくのが得意で、『花・死人に口なし』はそうした作品を収めています。

他人同士の、時に家族を超えるつながりを描いた作として、ケア・ワーカーと患者との関わりを描いた短編集、レベッカ・ブラウン『体の贈り物』を挙げておきます。終末期ケアという話題の現代性もあり、連作中の「汗の贈り物」と「涙の贈り物」が近年の教科書に採られています。死を人が抱えた時にどう関わっていくのか、あるいは死を前にした時に人がどのように生きうるのか考えさせてくれる作品です。

日本の作品にも眼を向けると、絲山秋子「ベル・エポック」は、女性同士の友情と別れの一コマを描いた短編小説です。女友達の引っ越しの手伝いをしている「私」は、ふとしたことから彼女が行く先を告げずに自分の前から去ろうとしていることに気づきます。大人の女性同士の心の触れ合いや絶妙な距離感、二人の思いやりが、事物を的確に描く筆の中から浮かび上がる好短編です。同作を収める短編集『ニート』をお勧めします。

死というテーマをどう描くか

死という題材も教科書でよく取り上げられます。若者にとって死は遠い話題ですが、だからこそ教科書の文学作品は死を考える絶好の機会を与えてくれます。ＳＦ作家レイ・ブラッドベリの「万華鏡」（『万華鏡』）は、宇宙空間に投げ出された搭乗員たちが、ちりぢりに遠ざかりながら無線で話し合う小説です。彼らは間近に迫った死を見つめつつ、喧嘩を始めたり今の状況に関係ないことを話したりします。宇宙空間と死への直面という二重の非日常を前に、生な人間性が浮かび上がってくる作品です。サルトルの「壁」（『水いらず』）は、内乱の中でとらえられた囚人が不条理な処刑を言い渡され、迫り来る死の恐怖の中で内省する物語です。こちらも極限状態に置かれた人間を、政治的な力の関係の中で描きます。少し変わり種として、ガストン・レヴュファの山岳紀行『星と嵐』を挙げておきます。登山ガイドもつとめたレヴュファは、死に瀕しても困難な登攀に挑む人と自然、あるいは人との関わり合いを、厳しくも美しい山岳風景を背景に描き出していきます。

詩集と戯曲

最後に小説以外のジャンルということで、詩集を二冊と戯曲集を二冊取り上げましょう。戦後に多く教科書に収録されたリルケの詩（『リルケ詩集』）は、美しく硬質な言葉で織り上げられた抒情詩です。ロマン派のような自然への手放しの讃歌はありませんが、リルケは物を徹底的に見ることにこだわります。リルケが見た世界を追うように、選び抜かれた言葉の響き合いを楽しむだけでも、詩をたっぷり読んだ感じを味わえます。フェデリコ・ガルシア・ロルカ『ロルカ詩集』は、教科書収録作「水よ、お前はどこへ行く?」を収めています。ロルカの言葉はまるで歌のようにスペインの自然と人を詠い上げます。難解なイメージの展開はなく、曲の歌詞を追うようにしてその想像力の独特の羽ばたきを味わえます。

ドイツのギュンター・アイヒ「夢」（『もうひとりのわたし』）は放送劇の脚本で、五つの夢が人物の会話を通して浮かび上がります。穴の向こうの巨人、白蟻（しろあり）などのイメージが不穏な空気を立ち上げる。現代の人間が生きる世界の不安を映し出す名作です。ウィリアム・シェイクスピア『ジュリアス・シーザー』は、言葉の持つ力と恐ろしさを実感させる戯曲です。シェイクスピアの戯曲では、しばしば歴史の流れの中で人と人が関係を結び、葛藤が生じ、それが解消される中で大きな感情の高まりや人間の運命がダイナミックに動きます。そうやって作り出された葛藤やその解消のドラマに、思わず涙を誘われることも少なくありません。

　教科書は、多くの本の海の中から複数の人の眼によって厳選された作品が載っているものですが、逆に言えばそこから広い読書の世界が外側に向かって開かれているということです。国語教科書から始まる読書の世界へ、是非これを機会に踏み出していただければと思います。（戸塚）

読書案内　紹介図書一覧

※この紹介図書一覧は網羅的なものではなく、複数の訳書があるものについては、文庫等、入手しやすいものを中心に、任意で紹介する図書を選んでいます。

サマセット・モーム『月と六ペンス』金原瑞人訳（二〇一四年・新潮文庫）

レフ・トルストイ『戦争と平和　全6巻』望月哲男訳（二〇二〇〜二一年・光文社古典新訳文庫）

アーネスト・ヘミングウェイ『武器よさらば』高見浩訳（二〇〇六年・新潮文庫）

ロジェ・マルタン・デュ・ガール『チボー家の人々　全13巻』山内義雄訳（二〇一七年・白水Uブックス）

キャサリン・マンスフィールド『キャサリン・マンスフィールド傑作短篇集　不機嫌な女たち』芹澤恵訳（二〇一七年・白水社）

エドモンド・デ・アミーチス『クオーレ』和田忠彦訳（二〇一九年・岩波文庫）

トーベ・ヤンソン『少女ソフィアの夏』渡部翠訳（一九九三年・講談社）

ガブリエル・ガルシア＝マルケス『ガルシア＝マルケス中短篇傑作選』野谷文昭編訳（二〇二二年・河出文庫）

呉明益『歩道橋の魔術師』天野健太郎訳（二〇二一年・河出文庫）

アゴタ・クリストフ『どちらでもいい』堀茂樹訳（二〇〇八年・ハヤカワepi文庫）

テネシー・ウィリアムズ『呪い』志村正雄・河野一郎訳（一九八四年・白水Uブックス）

アルトゥル・シュニッツラー『花・死人に口なし　他七篇』番匠谷英一・山本有三訳（二〇一一年・岩波文庫）

レベッカ・ブラウン『体の贈り物』柴田元幸訳（二〇〇四年・新潮文庫）

絲山秋子『ニート』（二〇〇八年・角川文庫）

レイ・ブラッドベリ『万華鏡　ブラッドベリ自選傑作集』中村融訳（二〇一六年・創元SF文庫）

ジャン＝ポール・サルトル『水いらず』伊吹武彦・窪田啓作・白井浩司・中村真一郎訳（二〇〇五年・新潮文庫）

ガストン・レビュファ『星と嵐』近藤等訳（二〇一一年・ヤマケイ文庫）

リルケ『リルケ詩集』富士川英郎訳（一九六三年・新潮文庫）

フェデリコ・ガルシア・ロルカ『ロルカ詩集』長谷川四郎訳（二〇二〇年・土曜社）

ギュンター・アイヒ『もうひとりのわたし　ギュンター・アイヒ放送劇集』竹中克英・新津嗣郎訳（一九九七年・松籟社）

ウィリアム・シェイクスピア『新訳ジュリアス・シーザー』河合祥一郎訳（二〇二三年・角川文庫）

出典一覧

第1章

掟の門◇『カフカ短篇集』（一九八七年・岩波文庫）
カメレオン◇『チェーホフ全集 3』（一九六〇年・中央公論社）
銀の滴降る降るまわりに◇『知里幸惠　アイヌ神謡集』（二〇二三年・岩波文庫）

第2章

たやすく書かれた詩◇『尹東柱全詩集　空と風と星と詩』（一九八四年・影書房）
生まれたらそこがふるさと◇『ナグネタリョン　永遠の旅人』（一九九一年・河出書房新社）
切手蒐集◇高橋勝之ほか編『世界短編名作選　東欧編』（一九七九年・新日本出版社）
休暇に◇高橋勝之ほか編『世界短編名作選　東欧編』（一九七九年・新日本出版社）
トウモロコシ蒔き◇『アンダスン短編集』（一九七六年・新潮文庫）

第3章

夢◇木島始編訳『異邦のふるさと　木島始訳詩集』（一九八一年・土曜美術社）
夏の読書◇『マラマッド短編集』（一九七一年・新潮文庫）
美人ごっこ◇『美人ごっこ』（一九七八年・旺文社文庫）
垂直な梯子◇加納秀夫編『イギリス短篇名作集』（一九六一年・學生社）

第4章

共有◇『ベッヒャー詩集』（一九七三年・飯塚書店）
朝めし◇『スタインベック短編集』（一九五四年・新潮文庫）
一切れのパン◇直野敦編訳『珍しい毛皮　ルーマニア短編集』（一九七四年・恒文社）
降誕祭◇『悩める魂』（一九五三年・角川文庫）

第5章

動作◇『シュペルヴィエル詩集　新装版』（一九八二年・思潮社）
ルビー◇『ヘッベル短篇集』（一九四〇年・岩波書店）
鮪釣り◇『日本少国民文庫　世界名作選（二）』（二〇〇三年・新潮文庫）
ジュール伯父◇『メゾンテリエ　他三篇』（一九七六年改版・岩波文庫）
信号◇『紅い花　他四篇』（二〇〇六年・岩波文庫）

第6章

チャンパの花◇『タゴール詩集』（一九六六年・彌生書房）
小さな出来事◇『魯迅文集第一巻』（一九七六年・筑摩書房）
人面の大岩◇『ホーソーン短篇集　七人の風来坊　他四篇』（一九五二年・岩波文庫）
最後の授業◇『月曜物語　改版』（一九五九年・岩波文庫）

参考文献

阿武泉監修『読んでおきたい名著案内――教科書掲載作品13000』日外アソシエーツ、二〇〇八年。

石井正己編『国語教科書の定番教材を検討する！――教科書でつくられる日本人の教養』三弥井書店、二〇二一年。

石川肇「〝戦争と平和〟観形成に果たした戦争教材の役割」『日本研究』第四三集、二〇一一年、一一五―一四〇頁。

石原千秋『国語教科書の思想』ちくま新書、二〇〇五年。

岡本恵史「史料紹介　戦後中学校国語教科書翻訳文学教材一覧表（小説・物語）」『国語教育史研究』第四号、二〇〇五年、二八―四二頁。

鹿島茂編『あの頃、あの詩を』文春新書、二〇〇七年。

功刀俊雄、柳澤有吾編著『「星野君の二塁打」を読み解く』かもがわ出版、二〇二一年。

幸田国広『高等学校国語科の教科構造――戦後半世紀の展開』溪水社、二〇一一年。

幸田国広『国語教育は文学をどう扱ってきたのか』大修館書店、二〇二一年。

紅野謙介『国語教育――混迷する改革』ちくま新書、二〇二〇年。

紅野謙介編『どうする？　どうなる？　これからの「国語」教育』幻戯書房、二〇一九年。

五味渕典嗣『「国語の時間」と対話する――教室から考える』青土社、二〇二一年。

佐藤泉『国語教科書の戦後史』勁草書房、二〇〇六年。

田近洵一『戦後国語教育問題史（増補版）』大修館書店、一九九九年。

田近洵一編『国語教育の再生と創造――21世紀へ発信する17の提言』教育出版、一九九六年。

東京書籍株式会社編『近代教科書の変遷――東京書籍七十年史』東京書籍、一九八〇年。

日外アソシエーツ編『読んでおきたい名著案内――教科書掲載作品　小・中学校編』日外アソシエーツ、二〇〇八年。

橋本暢夫『中等学校国語科教材史研究』溪水社、二〇〇二年。

浜本純逸、松崎正治編『作品別文学教育実践史事典第2集――1　中学校・高等学校編』明治図書、一九八七年。

府川源一郎『消えた「最後の授業」――言葉・国家・教育』大修館書店、一九九二年。

府川源一郎『一人ひとりのことばをつくり出す国語教育』ひつじ書房、二〇二二年。

桝井英人『「国語力」観の変遷――戦後国語教育を通して』溪水社、二〇〇六年。

山田恵吾編著『日本の教育文化史を学ぶ――時代・生活・学校』ミネルヴァ書房、二〇一四年。

吉田裕久『戦後初期国語教科書史研究――墨ぬり・暫定・国定・検定』風間書房、二〇〇一年。

宮川健郎『国語教育と現代児童文学のあいだ』日本書籍新社、一九九三年。

『國文學　解釈と教材の研究　特集　教科書徹底研究』学燈社、二〇〇八年九月号。

編者紹介

秋草俊一郎……（あきくさ・しゅんいちろう）
一九七九年生まれ。日本大学准教授。専門は比較文学・翻訳研究。
著書に『アメリカのナボコフ――塗りかえられた自画像』（慶應義塾大学出版会、二〇一八年）、
『「世界文学」はつくられる――1827-2020』（東京大学出版会、二〇二〇年）、
訳書にドミトリイ・バーキン『出身国』（群像社、二〇一五年）、
アレクサンダル・ヘモン『私の人生の本』（松籟社、二〇二一年）、
ホイト・ロング『数の値打ち――グローバル情報化時代に日本文学を読む』（共訳、フィルムアート社、二〇二三年）ほか。

戸塚　学……（とつか・まなぶ）
一九八〇年生まれ。武蔵大学教授。
専門は日本近現代文学で、特に一九二〇～三〇年代のモダニズム作家の表現や、
作家の翻訳行為に関心を持っている。三省堂高校国語教科書編集委員を務める。
著書に『世界文学アンソロジー――いまからはじめる』（共編、三省堂、二〇一九年）、
『人文学のレッスン』（共編、水声社、二〇二二年）ほか。

【編集協力】
北烏山編集室

教科書の中の世界文学――消えた作品・残った作品25選

二〇二四年二月二八日　第一刷発行

編者　秋草俊一郎・戸塚学

発行者　株式会社 三省堂
代表者　瀧本多加志

印刷者　三省堂印刷株式会社

発行所　株式会社 三省堂
〒一〇二―八三七一　東京都千代田区麴町五丁目七番地二
電話　(〇三) 三二三〇―九四一一
https://www.sanseido.co.jp/

装釘　宗利淳一

DTP　齋藤久美子

落丁本・乱丁本はお取り替えいたします。

ISBN978-4-385-36237-3
〈教科書の文学・288pp.〉

本書の内容に関するお問い合わせは、弊社ホームページの「お問い合わせ」フォーム (https://www.sanseido.co.jp/support/) にて承ります。